ゲームの世界に転生した俺が〇〇になるまで　2

Chiwako Fujiwara

藤原チワ子

Contents

登場人物紹介
カリヤ
自分の美貌や価値に
無自覚なSランク生産職の転生者。
ウォルドを助け、王都への帰還を約束する。
ウォルド・ティシア
美貌の少年王子。
過酷な旅を経て、目覚ましい成長を遂げる。
カリヤと共に生きることを望むが…？

当代ナダルの従兄。カリヤの護衛騎士に任命されるが、思うところがあるようで…？

第一王子だが王位継承権は持たない。ウォルドたちとは母親が違うが、良好な関係を築いている。

ウォルドの双子の姉で、第一王女。異母兄ルシアンと共に、次期王であるウォルドの帰りを待つ。

エルフの少年。奴隷商人に捕まり、隷属の首輪を嵌められてしまうが、カリヤたちに助けられる。

ルカーシュの叔父で、アンゼリーンとは双子の兄弟。まっすぐな心根の持ち主。

ルカーシュの叔父で、ヴェンデリーンとは双子の兄弟。イイ性格をしている。

SSランクの戦闘系プレイヤー。とある事件がきっかけで、ティシア王家への復讐を誓う。

Sランクの戦闘系プレイヤー。加虐的な性格をしており、カリヤを追い詰める。

ゲームの世界に転生した俺が○○になるまで　2

花を売る町

「――――カリヤが好きだ」

その衝撃の台詞を聞くことになったのは、旅の途中、雨宿りをしていた宿の部屋でだった――。

雨が降り続いていた。

ひさしがあるのを良いことに、宿屋の窓を大きく開け放す。引き寄せた椅子に座った俺は、ぼーっと眼下の雨に濡れた町並みを眺めていた。

生まれ育ったゲイリアス山岳地帯を離れ、思えば遠くに来たよなー。

いや、本来の計画通りなら俺は、もっと遠くまで旅に出ていたはずなんだけど。ゲームの世界に転生したのだと気づいたのが、十七歳の頃だっけ。

それからまあ、幼馴染との婚約破棄やら祖父母の死やらいろいろあった。

今はティシアにとって敵地である北部諸国連合内を、ウォルド王子と身を隠しながら逃亡している。

なんとかして、新たな王になるはずのウォルド王子を、故国に連れて行かないと。

だけど、無理には急がない。

クラシエルにバレないように行動するのが第一だ。居場所がバレて戦闘職の転生者に襲われたら、生産職である俺に勝ち目はないので。

このゲームに似た世界の住人であるNPCの、日々の生活の中に隠れる。

雨宿りで宿屋から動かないのも、住人のように振る舞うためだ。

ウォルと俺がこの小さな町に逗留して、三日目になる。立ち寄ったのは、遠目に見て市が立っているのが分かったからだった。花や野菜を積んだ荷馬車が道を進み、着飾った近隣の住民が集まる。

田舎では、市が立つ日は小さな祭りといってもいい。せっかくだからと名前も知らない町を訪れることにした。この前にあった機会では楽しめなかったからな。

　この地で有名な料理を屋台で食べて、農民や商人が持ち寄って売っている商品を冷やかし、吟遊詩人の音楽に耳を傾ける。

　移動ばかりの旅の息抜きも兼ねて、二人で夜になるまで遊び、ファミリー向けの宿を選んで泊まった。

　そうして起きたら、雨が降っていた。

　不思議に思ったのはその朝、客の誰も雨の中を出立しようとしなかったことだ。

　この世界では、雨の日に旅をする者はほとんどいない。

　モンスターの存在が理由なんだろう。

　片手が使えなくなる傘は差せないし、濡れたマントは動きの邪魔になる。体どころか荷物も濡れることになるし、無茶をするくらいなら雨が降り止(や)むまで待つ方が賢明だ。

　だが、それでも急ぎの旅をしている者がいるはずなのだが、宿泊していた客は皆、当然のように延泊を選んでいた。

　そんな状態で、俺たちだけが宿を出立すると非常に目立つ。

　噂(うわさ)にはなりたくない。冒険者ギルドのない小さな町だからと油断をして、敵に居場所がバレる訳にはいかない。なのでこちらも延泊を選び、雨が降り止まないので三日目に突入した訳だが、

「……なるほど」

　何故(なぜ)泊まっている客が、足止めをくらってもうれしそうにしているのか、理由に気づいてしまった。

　この町、娼館(しょうかん)があるのだ。

　市が終わった後に、買い手も売り手も娼館で遊んで帰る。

　雨が降ればそりゃあうれしいだろう。雨宿りと称して、止むまで逗留出来るのだから。

　ぬかるんだ道も気にせず、うれしそうに出かけていく傘を差した男の姿は何人目だろうか？

　女の姿もあった。どうやら男娼(だんしょう)もいるらしい。

雨だというのに行き交う人々の姿を眺めながら、俺は同行者である美少年のことを考えていた。

ウォルド殿下、御歳(おんとし)十六歳。

十六歳と言えば、青春……いや、彼相手にこの単語はなんとなく使いたくはないが、性春ど真ん中。

もしかして、いろいろと夜に不都合を感じていたりするのだろうか？

仮にも王子だ。女を知らないということはないだろう。

むしろ女性関係で失敗しないよう、いろいろと幼少期から教えられている気がする。前世のラノベ関連では、〝王子様〟はそういうものだった。

あ、男は知らん。

同性愛が禁じられていない世界で、兄も同性愛者らしいから、知識としては知っているかも？　血統の都合上、後ろは処女を守っているはずだが。

……王子様、もしかしてご不便を感じていたりするのだろうか？


春先、旅を始めた頃はおそらくそれどころじゃなかったと思う。

だが梅雨の季節も終わって、夏に入った。

きつい旅にも慣れ始め、精神や身体的にも、むしろピンポイントで余裕が出てきているんじゃなかろうか。

せっかくの機会だ。

ウォルを娼館に連れて行くべきか？

野営のたびに張っているテントに個室は作ったから、中で〝自己処理〟はしているかもしれないが、やはり相手はいた方が気持ちいいだろう。

治癒ポーションがあるから病気は怖くない。

むしろ、うっかりご落胤(らくいん)が出来る方が怖い。やることをやれば、そういう危険はある。

ウォル自身が子供を認知して、王国碑に名前を刻まない限り血統アイテムは使えないはずだが、それでもお家騒動の火種にはなる……って、こういうことを考えるだけでプレッシャーが半端ないな。

深い息をつき、窓枠に置いた腕に頬(ほお)を預ける。

俺は彼の侍従じゃない。短期契約で雇われた傭兵(ようへい)みたいなものだ。

なんというか、俺自身はそういった欲が極端に薄い自覚があるので、誰かを相手に発散しなくても不自由を感じない。

だからウォルの事情は考えてなかったんだけど、この町に寄ったせいで考えるようになってしまったなぁ……たとえば、

「――ねぇ、オル。私の部屋でお茶でも飲まない？　ちょうど仕事が終わったのよ」

「そう。でも私は今から兄の手伝いがあるんだ。遠慮しておく」

この宿屋で住み込みの下働きをしている娘の誘いを廊下で断り、ウォルが部屋へと戻ってくる。

人形のように動かない整った顔が、窓辺の俺の姿を認めて花のようにほころんだ。

「――〝兄さん〟。窓辺が気に入ったみたいだな。何か面白いものでも見える？」

階下でもらってきた水差しをテーブルの上に置き、いそいそとウォルが近づいてくる。

「兄の手伝いってなんだ？」

「一緒に外を見ること、かな。ポーションを作製するなら手伝おう。瓶に詰めるのは私も出来るから」

「補充分は昨日作ったから、今日は特に予定はないなー」

自分の椅子を持ってやって来た相手に、どうぞ、と場所をずれる。どこか楽しそうな表情の少年が、俺の横に置いた椅子に座る。

「ああ、ここは風が気持ちいいな」

目を閉じて窓辺に吹く風を楽しむウォルに、俺もそっと唇の端を上げた。

部屋の外にいる時は身の回りへの警戒を怠らず、背すじを伸ばして凛(りん)とした雰囲気を崩さない少年が、あの宿屋の娘は気になってたまらないようだ。

〝掃き溜(はだ)めに鶴〟としかいいようのない美貌(びぼう)。市井

の出に変装しても隠しきれない品のある佇まいは、どう見ても理想の王子様だ。

うむ、女なら惚れても仕方ない。

……今、味方である俺しかいない部屋で彼が見せているのは、警戒を解いた柔らかな微笑み。

エメラルドの瞳が、優しい眼差しで雨の降る空を見上げている。

これがおそらく、彼の素のままの状態なんだろう。

もちろん王子様然とした立ち居振る舞いもいいんだが、こういう力を抜いてリラックスした彼もいいと思う。

あの宿屋の娘は、こういうウォルを見ていないだろうけど、見たら……惚れ直すだけか。

「――あのさ、せっかく誘われたんだし、お茶を飲んできてもいいんじゃないか？」

廊下を指さしながら言った俺に、ウォルがエメラルドの瞳を向けてきた。

「必要ない。飲むものは先ほどもらってきたから」

「彼女、ウォルとは同じ歳くらいみたいだし。話し相手が欲しかったんじゃないかな」

「いや。ベッドに誘いたいのだろう。実は昨日も誘われている。金は要らないと言っていたから、いつもは受け取っているのだろうな。茶が飲みたいというのはあの娘の方便だよ、カリヤ」

「――」

ふら……と倒れ掛かった体を窓辺に預け、俺は自分の胸を押さえて深呼吸する。

ちょっと待った。

ウチの王子、なんだか女性問題にめちゃくちゃ慣れているような気がする！

「……カリヤは、ああいった娘が好みなのか？　あれは止めておけ。唇の端に発疹があった。おそらく、性病を患っている。管理されていない商売女だから仕方ないかもしれないが」

なんなんだろう、この動揺。

天使だと思っていたウチの王子が大人だった！

いや、王子様が大人じゃない方が国的には問題！

だからこっちが間違いなく正しいんだが！

美少年が眉をひそめている。

おそらく、不審な反応をしている俺を心配しているからだと分かっていたから、手を上げて制したまま、俺は自分の胸の鼓動が落ち着くのを待つ。

そういやこの世界、成人は十五歳だものな。

王子十六歳。立派な大人だったよそういえば！

「……えーっと、ごめん、取り乱した」

「落ち着いたようで良かった。それでカリヤ、あの娘みたいなのが好み？　だがあれは止めた方が」

「いや、好みとかじゃないから。ウォルが外に出られなくて退屈だったら、可愛い女の子とお茶をしながら話でもしてきたらいいんじゃないかなと思っただけで」

「退屈は覚えていない。気を配ってくれてありがとう、カリヤ。でも、そういった心遣いは必要ない」

にこりと王子様が微笑まれた。

だが……と俺は、窓の外の通りに視線をやる。

傘を差した男がまた一人、昼間だというのにいそいそと娼館に向かっている。

せっかくのチャンスだ、最後まで聞いてしまえ！

「だ、だけどウォルも一人前の男なんだし！　……あのな、いい機会だと思うから聞いてしまうけど、ウォルはその……娼館に行って性欲を発散させたい、とか思っているか？」

「――カリヤ？」

「これまで配慮が出来なくてごめんな。いろんな準備やら訓練を始めたりして、それどころじゃなかった。だけど、そこそこ旅自体は慣れて、落ち着いてきたんじゃないかと思う。だから誰かと恋愛とかはさすがに無理だけど、娼館に行きたいのなら協力出来るぞ？　ウォルも健康な男だと思うし」

驚き、エメラルドの瞳を見開きながら聞いていた少年が、ふと痛みを感じたような表情を見せた。

「……そう……だな、恋愛は無理だ……」

「敵対勢力の地だものな。ティシア国内ならともかく。いや、俺は貴族のそういったことはあまりよく分からないんだけど。でもまあ、ウォルの本来の身分じゃ普通は無理だろ？」

「…………」

「という訳で、娼館に行く？　この町、規模にしてはかなり大きな歓楽街があるみたいだ。行きたいのなら送迎するけど」

「――カリヤも女が買いたいのか？」

「いや、俺はいらない。性欲がないとは言わないが、ああいった商売は苦手でさ。どうもああいった商売は苦手でさ。相手のことが好きなのならともかく、金で買うまでしなくてもって考えてるかなー」

女性との関係が嫌なんじゃない。一応、婚約者もいたくらいだし。

金銭のやりとりが苦手なのだと思う。他にも性的関係を無理強いするのも、されるのも。

転生者だから、トータル年齢が現在の肉体に影響を及ぼして云々はないつもりだが。それでも枯れている自覚はある。一応、下半身も使おうと思えば使えるけどな。積極的に使う気がないだけで。

さて、どうする？　と視線を向けると、少年が頬を紅潮させ、激情を堪えている様子が窺えた。

珍しいな、と思う。

彼はどちらかというと、あからさまに感情を表に出すことを自重する人物だ。

いつでも穏やかに、思慮深く。激しい喜怒哀楽を見せないようにと、常日頃から振る舞うように心がけていたはず――二人きりで旅を始めてからは、そうでもなかったけれど。

「ウォル？」

「――カリヤは、どこまで気づいているんだ？　私は、気づかれないようにしていたはずだ。なのに、何故そんなことを」

ウォルが椅子から立ち上がった。

真摯なエメラルドの瞳が、俺を見下ろしている。

「カリヤが好きだ」

ティシア国第三王子、次期国王であるはずの美しい少年は、異郷の宿屋の二階で、白い頬を染めて蛮族に告げた。

「あなたのことが好きなんだ、カリヤ」


未熟な愛は言う。「愛しているよ。君が必要だから」


「え？　もしかしてウォル、ヒゲ好き？」

無意識にあごへとやった手に触れた感触に、反射的に呟いていた。

ヒゲの男が好きなのか？　ヒゲ単体で好きなのか？　そういや、商人たちと休憩所で過ごした夜も力説していたな。自分がまだ生えていないから、憧れを語ったのかと思っていたが、そのものズバリだった!?

「——いや。カリヤが好きなんだ。ヒゲを生やしているあなたも、生やしていなかったあなたも、どちらも。だから、……叶うならあなたを恋人にしたい」

告白する少年を、俺は椅子に座ったまま見上げる。

気づかれないようにしていた、と彼は言った。表に出すつもりのなかった感情なんだろう。

一国の王子様と、山の蛮族。おまけに性別男同士。

少年が、簡単に嘘や冗談を言える人間じゃないことを知っている。

真面目なことも、聡明なことも、〝王子〟という自分の立場をしっかりとわきまえていることも。

その彼が。

「ずっと……私の側にいてくれないだろうか？」

話すつもりがなかった想いを口に出してしまった。

おそらく、俺が余計な気を回したせいで。

多分今、俺は情けない表情を見せてしまっているのだろう。

ウォルの上気していた頬の色が褪せていく。

秘密を打ち明けた後に引き結ばれていた唇は、別の意味に変化した。それ以上見ていられなかったから、俺は座っていた椅子から腰を上げた。

顔を伏せ、床に片膝をつく。

右のこぶしは胸元に当て、頭を深く下げる。

それが〝彼〟を前にした、正しい姿勢だから。

「…………ウォルド殿下、いえ、次期国王陛下におかれましては、おそれ多くも」

「カリヤ」

降り続く雨音が響く中、静かな声が俺の言葉を遮った。

「――頭を上げてくれないか？　そうだな、お互い椅子に座って……いつもみたいに、兄のようにしゃべってほしい。カリヤ自身の言葉で」

垂れていた頭を上げ、見上げたウォルは美しく微笑んでいた。

「ウォルはさ、俺が何歳だか知ってる？」

開け放したままの窓際に、向かい合って座る。

尋ねる俺に、少年は長いまつげを伏せた。

「――タキリン城砦で初めて引き合わされた時、二十五と聞いた」

「うん。夏の生まれだから、一つ歳を取った。今は二十六。ウォルとは十歳差になるな」

「……遅れたが誕生日おめでとう」

「……ああ、……ありがとう」

そういえば以前、同じようなやりとりをした記憶があった。

軽く頭を下げつつ礼を言った俺に、かすかに少年が微笑う。

「年齢差があると考えるか？　カリヤは。十歳違い、二十歳違いの婚姻なんて、貴族の世界ではざらにあるだろう？」

「俺も別に気にしない派なんだけどね。互いが納得しているのなら。――だけど、ウォルはそうじゃない。〝周囲が納得しない〟」

『吊り橋効果』って言葉を知ってるか？

問いに、眉を寄せながら王子が頷いた。

心理学の学説だ。元々この世界にもあったのか、転生者たちが広めたのか。

俺は改めて言葉の意味を説明する。

「不安や恐怖を強く感じている時に出会った人に対し、恋愛感情を持ちやすくなるらしい。助けてくれた相手に対して、好意を向けてしまう。それが愛情に変化する。ありうることだと思うよ。絶望を共有して、互いに力を合わせて助け合っているうちにそういった気持ちを抱いてしまうのは。……言いたいことはあるみたいだけど、今は俺に最後までしゃべらせてくれ」

反論しようとした少年を制して、俺は続ける。

「今のウォルには、味方は俺しかいない。旅の間に優しくされたら。守ってもらったら。敵地に飛ばされてお互いしかいないんだから、逃避行を続けているうちに、抱いた好意が恋愛感情に発展するかもしれない。——だけどその感情は歪んでいないか？

ウォルは立派な王子殿下だと思うけれど、まだ成人して一年しか経たない少年だ。極限状態に置かれて、十も年上の男に優しくされたら、それを恋愛感情だと勘違いするかもしれない——あなたじゃない、〝そう周囲は考える〟」

目の前の少年が息をのんだ。

「〝ウォルド殿下は逃避行の間に、従者に誑かされた〟。違うと反論は出来るだろう。だが、弱冠十六歳に過ぎないウォルの言葉を、周囲が信じるか？」

……ウォルのことは可愛いと思っているよ、と口調を変えて俺は囁いた。

「これまで、男同士でのそういったことは考えたこともなかった。だから戸惑う気持ちの方が大きいけれど、好きだと言ってくれたことは嫌じゃない……かな。だけど、あなたはティシアの次期国王だ。今の状況を考えると、俺は従者の立場を利用して若いあなたを誘惑したことになる。精神的に依存させていることになる」

自分一人では旅を続けられない。国に戻れない。

敵を前に命からがら逃げだして、助けになるのは共に逃げた相手だけ――。

「――そんな不安を持つ年少者を騙し、年上の男が愛人として取り入った。おそらく周囲はそう判断する。そんな周囲を説得出来るだけの〝信用〟は、ウォルにあるか？　弱冠十六歳の、後ろ盾であった父親も兄も亡くした王子様。七年前にティシア王家が失っているという信用は回復出来ているのか？　成人したばかりの小僧が、十歳年上の男の愛人が出来たと披露して、その存在は周囲に受け入れられるのか？」

「……私、は、ただ……」

失言をしてしまっただけだよな？

秘めるつもりだった想いを、思わず口にしてしまった。

それだけだと分かっているけれど、

「――なら誰にも教えず、秘密の関係にする？もしくは、旅の間だけでも？　悪いがそれには付き合えない。あなたに後ろ暗い存在は作らせたくない。俺はナダルやティシアの人たちに頼まれているんだ。あなたをよろしく、と。俺にとって表に出せない関係は、彼らの願いを裏切ることになる」

少年が俯く。

黒く染めた前髪が、伏せた顔に浮かべた表情を隠していた。

「……ごめんな。あなたより年上の男の、ただの意地だ。俺はこんな風にも考えてしまう。ウォルが俺を好きだと思うのは、俺に見捨てられたらティシアに戻れないと、心の奥底では思ってしまっているんじゃないかって。恋人同士になれば助けてもらえるだろうと、そう無意識に考えはしていないかって」

「……違う」

「自分という存在を利用して、ただ一人の味方である俺を繋ぎとめようとしていないかって。計算しているとは思わないけれど。ウォルにとってのデメリットが大きすぎるから」

「違う！」

「しがないアイテムマスターだけれど、今はティシアに一人しかいない転生者を、側に置いておきたいんじゃないかって」

「――――」

跳ね上がった頭に、俺は微笑う。

いいんだよ、それくらい。きっと俺があなたでも、同じことを考える。

「大丈夫。あなたは無事ティシアに連れて帰る。クラシエルとの戦争も最後まで付き合う。そう約束をしただろう？」

だからそんな、自責にまみれて、追い詰められた、泣きそうな顔なんてしなくていい。

俺にも分かる。

それは一国の王子が決して見せちゃいけない顔だ。

――でも、そんな人間味があふれた顔も彼は美しいのだと、俺は知ってしまった。

悪い大人は酒に逃避する

俺にとって当初、〝転生者〟であるということは、前世で例えたら〝車を運転出来る〟みたいな認識だった。

車。それは田舎暮らしでは必須の交通手段。

だから外出ついでの買い物を家族に頼まれても気にしなかった。友人たちを乗せてドライブにも行ったし、病院に行きたいから連れてってと頼むご近所のばあちゃんのお願いなんかも普通に受けていた。

友人たちはガソリン代や駐車場代を払ってくれていたし、ばあちゃんには子供の頃に世話になった。

こういう人たちは、どれだけ車に乗せても気にならなかった。

だが、ただの知り合い程度で乗せろと言う奴もいた。乗せるのが当然だという風に考える奴もいた。

一番ひどかったのは、『友達が遊びに来るから、どこどこまで車を出してよ。用事が終わるまで待ってて。高速代は車の持ち主が払うものだろ、ガソリン代も。えー、今どきＳＵＶじゃない？　人数乗れないじゃないか。実家が農家で金があるんだから買い換えろよ』だった。

忘れもしない社会人一年生の春。職場の同期だった。

俺もポカーンとしたが、部署の全員もポカーンとしていた。上司は頭を抱えていたと思う。

もちろん車は出さなかった。コネ入社と噂だった同期は、夏のボーナスを待たずに辞めた。

無茶振りと言えば、ネットゲームの世界でもされたっけ。プレイしていた《ゴールデン・ドーン》は低年齢プレイヤーが多いからか、マナー知らずも多かった。そういうのは年上の余裕で笑って流した。ステータス画面には表れない隠しパラメータ『スルースキル』は、それなりに成長していたんじゃないかと思う。

三十年足らずの人生だったけど、無茶も言われたがいい人たちもいたというのが実感だ。

そして転生後。

『おまえの畑のように俺の畑も広げろ。植える作物はおまえが用意しろよ。水やりと肥料も忘れるんじゃねーぞ。出来た作物はもちろん俺のだ』と、臆面もなく主張する村人たちがいた。

おそらく中世封建時代辺りの倫理観。

この生まれ変わった世界には絶対的な身分制度が存在し、弱者はどこまでも搾取されるものだった。

そして祖父の代にゲイリアスにやって来た生家は、辺境の村社会の中でも底辺の位置づけだった。

幼い頃、俺は転生者としての力を何も持っていなかった。

試してはみたんだが使えなかった。

今になって考えると、幼すぎる体にスキルを行使するだけのＭＰ量がまだなかったに違いない。ここがゲームの世界だと教えてくれる冒険者ギルドも村にはなかった。

なので厨二(ちゅうに)病発現の儀式は早々に諦(あきら)め、一農民として生きる決意を固めた。……諦めていなかったら多分成長するにつれ気づいたんだろうけど、我ながら思い切りはいいんだよなぁ……。

元農家出身なので、農業に関する知識は持っていた。田舎という閉鎖社会の構造や、理不尽を押しつけてくる人間への対応も、前世でそこそこ知っていたのでなんとかやっていけた。

だが村から出て、俺は自分の認識の間違いに気づいた。

俺は、転生者であるということを、前世の車が運転出来るドライバー程度の価値だと思っていた。

だが転生後の世界では、俺は車のドライバーではなく、飛行機のパイロットになっていた。それもおそらく、戦闘機乗りくらいの貴重さで。

そうか、隷属の首輪を使っても欲しい存在なのか、転生者。それもS……じゃない、あの頃の周囲はAだと誤解していた。Aランクでも手に入れたいんだ。

この世界では、ごく一般の人たちはBランクまでしか成長出来ない。

Aランク以上は人を超えた異能と認識されるのか。

クロエ平原で、タキリン城砦で。

『車に乗せろ』と声を掛けてくる者は多くいた。この世界での俺の身分は最下層だから、それらのほとんどは『命令』だった。

そんな中で、

ナダルや――カザリン王女たちだけが、俺に『お願い』をしてきた。

カザリン王女、いや、ウォルド王子は、俺を〝便利な道具〟として扱ったことがない。

戦争中は、正当な報酬を得ることが出来た。それまでのようにごまかされたり、奪われることもなかった。

命令出来る身分があるのに、そうするのが許される立場だろうに、彼は自分のためではなく自分の周囲のために、俺に『命令』ではなく『お願い』をする。

タキリンを脱出してからも、彼は自分のために力を使えと命令しない——。

残り少なくなっていた赤ワインを飲み干し、酒場のテーブルに伏せた俺はため息をついた。

キンキンに冷えたビールが飲みたい。

だが氷魔法が使える魔法使いはそう多くないから、こんな片田舎の酒場じゃ冷えた飲物は出てこない。

アイテムボックスの中には自作の生ビールがあるんだが、さすがに出して飲む訳にもいかないしなぁ……。

ぐだーっとテーブルに懐きながら、俺は先ほどの出来事とその後の自分の行動を思い返す。

ぽろっと王子様に愛の告白をされちゃったよ……それを容赦なく断ったあげく、部屋にいづらくて階下に併設された酒場に逃げてきちゃったよ……。

ダメな大人だ。酒に逃げている。

酔っぱらって現実から逃避したいところだが、俺の体ってそこそこステータスが高いから、酔いという名の状態異常を普通に無効化している。酒を飲む意味はない。

それでも飲む。

飲まないと周囲へのカモフラージュにならない……しらふでテーブルに張りついてうめいている蛮族って、通報案件だと思うの。この世界、警察はないけど自警団とかならあるから……。

「あ、お代わり頼む」

「……兄貴が昼間っから飲んだくれてるなんて、オルがかわいそう！」

ガンッと音を立てて、木製のカップがテーブルに叩(たた)きつけられる。

酒場の看板娘は、先ほどの宿屋の下働きの娘だ。一階が酒場で二階が宿屋なのだからまぁ、当たり前だろう。

八つ当たりに近い仕打ちに思えるんだが、苦笑しつつ代金を払ってワインを引き寄せる。

とりあえず、酒を飲みつつ考えなきゃならないのは、先ほどの一件だ。

ウォルド殿下に告白された。

おそらく、おそーらく吊り橋効果だとは思うが、身分どころか性別の垣根も飛び越えて好意を示された。

逃避行中の気の迷いとか、一時のアバンチュールだとは思うんだけど、彼は真面目だ。案外、国に戻った後もそういう扱いをしてくれるかもしれない。

というか、おそらくするだろう。

王子殿下の真面目な性格は、同じ時を過ごすようになって思い知った。

彼はとても誠実で、限りなく慈悲深い。

若さ故の勘違いの恋愛感情だったと気づいても、責任をもって相手の衣食住の手配をし、年金も支給してくれそうな気がする。

それは分かっている。

問題は、俺の方の気持ちだ。

ウォルを、好きか嫌いかと聞かれたら、好きだと答えるとも。

はっきり言わせていただけば、ものすごく好みの性格なんだ。素直で、健気（けなげ）で、しっかりしてて。それはタキリン城砦にいた頃から感じていた。

おまけに美人。絶世の美人。彼より美形なんて、男も女も見たことがない。

もし彼が女の子で……何よりも平民であったら。

それでも歳の差とかいろいろ壁はあるだろうが、ちらりとプロポーズとか考えたかもしれない……いや、今の俺は農民どころか住所不定無職だった。普通に誰とも結婚なんて無理だわ。

ウォルと一緒にいられるのは、ティシアへと戻る旅の間だけ。

その間だけの恋人同士で済めばいいが、おそらくウォルの性格を考えると、彼はそれ以降も真摯（しんし）に接してくれるだろうと思う。

それが嫌だと、思ってしまった。

正直、俺自身の感情はまだ踏みとどまれる段階だ。心情的に、好きか嫌いかといえば好きだ。彼は女の子ではないが、男でもいいと思ってしまっている自分にびっくりだ。

肉体的には……関係を持つのは無理だろうからなぁ。キスだけでも、出来たらうれしいかな……いや待て自分。枯れたつもりだっただろう？　大人しく枯れたままでいておけ。

でも心を通じ合わせてしまえば、きっと欲が出る。ティシアに戻れば、彼は国王になる。国のために誰かと結婚をし、子孫を作るのは王としての義務だ。だけど、俺の根っこは元日本人だから。

好きになった相手を、自分以外の誰かと共有なんて出来ない。好きになった相手には、自分だけを見ていてほしいと考えてしまう。

――それはウォルの立場では許されない。

という訳で、大人の汚さ全開で逃げてきてしまったが、この問題の落としどころはどの辺りに作ればいいんだろうか？

「オル！」

少女の明るい声が酒場に響いた。

突っ伏していたテーブルから顔を上げる。

酒場の中を見回せば、階段を降りてきた少年に彼女が絡んでいた。

屋内だからとフード付きマントを着用していない少年は、その美貌（びぼう）を隠していない。

ずっと飲んだくれていた客が、彼の美しさに気づいてざわめいた。

「オル、酔っ払いを迎えに来たの？　放っておいたらいいじゃない。それより一緒に飲みま――」

「私に触るな」

怒りを孕（はら）んだ低い声が、凛（りん）と響いた。

乱雑にざわめいていた酒場の雰囲気が、少年の覇気に一瞬で静まり返る。気圧（けお）され、畏怖（いふ）の混じった視線が彼に集中する。

「……おーい、弟。八つ当たりはいかんぞ？　兄ちゃんが悪かった。謝るからこっちにおいでー」

上体を起こし、片手を上げながらへらりと笑うと、少年のまとっていた鋭い冷気が霧散した。

戸惑いながらも、酒場に喧騒が戻っていく。誘いをかけていた少女だけは硬直したままだったから、軽く声を掛けておく。

「悪いな、お嬢ちゃん。兄弟げんかに巻き込んだ。弟にも同じ酒を頼むわ」

ぎこちなく頷き、奥へと引っ込んだ少女を確認し、俺はやって来たウォルに苦笑した。

「八つ当たりはダメだぞ？」

「……昼間っから酔っぱらっている兄が悪い」

向かいの席に座りながら正論を述べる〝弟〟に、肩を竦める。

これで酒場の客たちは、現れた絶世の美少年が蛮族の弟だと認識したはずだ。

だらしのない兄と、怒ると怖い弟という組み合わせ。どこにでもいるだろう、旅の途中の兄弟。

「――〝兄さん〟を困らせるつもりはないんだ」

運ばれてきたワインのコップを両手で包み込むように持ち、彼が長いまつげを伏せる。

紅をさしている訳でもないのに、薄く色づいた唇が開いた。

「聞かなかったことにしてほしい」

大人の提案だった。

自分の持つコップの縁を、彼のコップにぶつけて了承する。

そのまま口をつけた赤ワインはぬるくて、やはり冷えた酒が飲みたいなとぼんやり思った。

遭遇

タキリン城砦から脱出した直後、俺はウォルに語っていた。数か月ほどは、クラシエルの追手を気にしなくていいだろうと。

逃げたティシアの王子に、必ず追手は差し向けられる。ただ、存在しない転移先を指定したポータルは、ランダムに行先を決定する。この広い《ゴールデン・ドーン》に似た世界で、辺境を含めると転移先は無数にあるのだ。

　ティシアが所属する中央国家群南部のポータルではなく、辺境でもラギオン帝国でも東方の第三国でもなく。クラシエルが所属する北部に飛ばされたのだと気づくまで、数か月はかかるだろうと。

　だが、予測していたはずなのに、言葉の響きに惑わされていた。

『数か月も猶予がある』じゃない。『数か月しか猶予がない』と受け止めておくべきだった。

　タキリンから逃れたのは初春だった。

　東へ向かって歩を進め、もう夏の終わりを迎えるだろうという暑い日——。


日差しが強い。

　頭上に広がる、雲一つない空の青さが鮮烈だった。対する地上の緑も濃く、時おり吹く風はむせるような草の香に染まっている。

　中央国家群の四季は、前世の日本と同じように流れている。メリハリをつけるために少しだけ強調されているけれど。

　だから夏の日差しは強く、旅人はフード付きの全身を覆うマントが手放せない。

　俺とウォルの当面の目標は『砦城シリン』。

　北部諸国連合の中央に存在する大都市で、地図の座標は『03：05』。霊峰『竜の顎（アギト）』によって分かたれた、北部の東西を繋（つな）ぐ交通の要衝だ。

　そこには冒険者ギルドの支部があり、おそらく転生者たちが待ち構えているだろう。

　砦城の城下街である『アルシリン』をどう抜けるか。

　アルシリンは抜けずに、竜の顎の地下に広がる大迷宮を踏破するか、霊峰をそのまま山越えするか。

まだ考えていない。

だって、たどりつくのはどんなに早くても冬から春。乗り合い馬車を使えない、徒歩の旅は時間がかかる。

冬にアルシリンに到着した場合は、霊峰越えは出来ない。雪山登山はようやくBランクに達した王子にとってきつすぎる。

「カリヤ。そろそろ昼食にする？」

フードを深く被ったウォルが、影の中でも輝く緑の瞳を向けてきた。

俺の〝弟〟は、口にした通りにあの日のことを忘れてくれている。だから俺も〝兄〟として彼に応える。……背に向けられる視線に気づく時もあるが、それは無視で。気づいていることを知られるのは、彼も望んでいないだろう。

結局、強引に時間を巻き戻して、告白自体をなかったことにしてしまった。

ウォルが納得してくれたのならそれでいい、と思う。俺の立場ではそうとしか言えない。

出ていく気ではあったが、俺はまだティシア国民で、彼は王族だ。応じるように〝命令〟が出来る立場だ。でもウォルは、俺に対して〝命令〟はしないだろう。

今、敵地から脱出する前に、協力者からの反感を買う不都合も考えるだろうし、理不尽に命じられたら俺は間違いなく逃げる。ナダルと約束をしたから、ティシアまでくらいは送り届けるが。

――そうではなく、俺の感情に配慮してくれているんだろう、王子様は。

ウォルは決して『車を運転しろ』とは命じない。

そんな気高さに魅了されてしまっている自覚はあるけれど、受け入れられない関係だ。

受け入れてはいけない、関係だ。

「……そうだなー、ちょうどいい感じの茂みが街道の側にあるようなら、その木陰で食べようか」

見渡す限りの緑の草原の中を、抜けていく一本の街道。

平地のところどころに、低木がこんもりと固まって生えている。今日は朝からずっとこんな風景が続いている。

出来るだけ人のいない場所を選んで旅をしている俺たちだが、こういった土地は困る。

身を隠す場所のない、遠くまで見通せる平原。

さいわい、見通す限りでは前方にも後方にも他の旅人の姿はなかった。

本街道ではなく、さびれた脇街道を選んだからだろう。まったく人が使わない街道なら、食後はジャンプで距離を稼いでもいいかなと思う。

前方の街道近くにちょうど良い茂みがあった。

あそこにしようかと、話しかけようとした唇がそのままの形で固まる。隣を歩くウォルの、息をのむ音が聞こえた。

茂み脇の街道に、男が二人立っていた。

細い道に立ちふさがるように並んでいる、まだ若い男たち。

腰に下げた長剣以外の武装はしていない。旅人に必須（ひっす）といえるマントも身に着けていなかった。

まるで貴族のような上質の衣服を着た彼らは、こちらに注意を払うこともなく、向かい合って何か話をしている。

だけど、そこには誰もいなかったはずだ。

ゆっくりと歩調を緩め、ウォルが俺の後方に下がっていく。

目を細め、俺は口の中で魔法を唱える。

弓術の補助魔法である〝隠蔽（いんぺい）〟を被せた〝鑑定〟。

対象との距離は百メートルほど離れているが、生産職の精神値なら充分通用する。

気づかれる危険を低くするため、詳細には鑑定しない。一瞬で必要部分だけを読み取った。

「――金髪の方はAランク。黒髪の方がSランク。おそらくどちらも物理系戦闘職の転生者。所属は

――クラシエル」

〝ジャンプ〟により一瞬で出現した男たちが、ようやく近づきつつある俺たちに気づいたのか、揃って顔を向けてくる。

だが即座に反応を見せていない。

なら奴らは、こちらの正体を分かっている訳ではなく、ただのNPCだと思っている可能性が高い。

このまま近づけば、こちらも〝鑑定〟されるだろう。物理系戦闘職のSランクなら三十メートル、Aなら十メートルまで近づけば鑑定可能になる。

そして奴らは不審を抱く。

干渉阻害アイテムである宝冠を隠すため、ウォルと俺は揃いの腕輪で鑑定無効状態になっている。

こんな障害物のない平原では〝ジャンプ〟で逃亡出来ない。必ず追いつかれる。

ヒゲで隠れた口元なら、動かしているかは遠目では分からないだろう。そうしてひそめた声で、俺は背後の少年に指示を送った。

「……逃げられない。これまで打ち合わせてきたとおりにやる。対応は俺。あなたは俺の背後に」

「……ああ」

「旅の兄弟だと言い張り続ける。デコイの腕輪は先祖伝来の品で、鑑定無効なんて機能は知らなかった。相手が欲しがるのなら、腕輪は渡す。そして気づかれた場合は……同時に二人の相手をするのは厳しい。片方任せるから、時間を稼いでくれ」

背後で少年が頷いただろうことが分かった。

マントの下、左の手首に嵌めていた腕輪の位置を、簡単に見えるように長袖の下から出した時、向けられた〝鑑定〟を弾いたことに気づいた。

彼らとの距離は、二十メートル――。

「ち、ちょっと待って」

「おい、そこで止まれ！」

黒髪の男の言葉に被せるようにして、金髪が横柄に怒鳴った。

どうやらこの二人組は、Aランクの方が態度がデカいらしい。

　しかし、どちらも美形だ。さすがは顔が良いのがデフォルトの転生者。黒髪は気弱そうで、金髪は傲慢そうではあるが。

　その場に、命じられたとおりに立ち止まってみせた。相手は名乗っていないので、膝まではつかなくていいだろう。近づいてくる男たちの前で、マントから出した手を髪へとやる。

　上げた手から袖が落ち、左手首に嵌めた腕輪が露わになる。

「あー……お見受けしましたところ、貴族様でしょうか？　我ら兄弟に、何か御用でも？」

　汚れ一つない服を着ている二人に、恐縮したように頭を下げてみせる。

　鑑定を弾く感覚が続いている。物理系戦闘職らしいこいつらは、魔法がかなり下手だ。人見知りのように振る舞いながら、ウォルが俺の背に姿を隠した。

　はっきりと示してみせた腕輪に、男たちの視線が集中している。ようやくマジックアイテムだと理解してくれたらしい。

「そ、その腕輪、あの……ちょっと、ちょっと確かめさせて」

「はい!?」

　突然、黒髪が俺の左手を握ってきた。

　そのまま自分の手元に引き寄せ、まじまじと観察している。横から覗き込んだ金髪が、とうとう鑑定アイテムを使ったのが気配で分かる。

「Sランクじゃん！　それもランクフリー!?」

　興奮しながらの指摘に、俺は内心でそうだよと肯定した。

　装備アイテムは、設定されたランクというものがある。そのランクに達しない限り、高ランクの物を装備は出来ない。しかしアクセサリーだけは、稀に設定より低ランクでも装備出来る場合がある。

　それが〝ランクフリー〟。

　ウォルが身に着けている王族の血統アイテムもそ

の一種だろう。この腕輪の場合も、Sランクアイテムではあるが下位でも装備出来る。

見た目は素朴だが、自分たちがNPCであるという設定を踏まえて、宝冠の存在を隠すために用意した逸品だ。

「これは昔から我が一族に伝わっているものなんですが……」

「あの、これ、これ売ってくれないかな⁉」

——見事に引っかかってくれた。

戸惑ったような反応を返しつつ、俺はここからの対応を確認する。

ウォルも鑑定されたか？　それなら二人とも渡す。腕輪を手に入れたら、再鑑定は行われないとみていいだろう。金額の交渉は、

「そのまま手を放すんじゃねーぞ、センガ！」

「「え？」」

俺と黒髪の声がハモった。

綺麗な顔を歪ませて笑いながら、金髪が腰から抜いた剣を振り上げる。

反射的に後ろに飛び退こうとしたが、掴まれたままの手に力が込められて失敗する。

信じられない、という表情を浮かべた黒髪と視線があった。

俺の左手が、振り下ろされた剣によって肘の手前で切断された。

二人の転生者

「カ——兄さん!!」

掴まれていた左腕を断ち切られ、勢いをつけて後方へと吹っ飛んだ体はウォルまで巻き込んだ。

少年と一緒になって街道を転がる。

彼に、地に、体が激突する痛みは感じなかった。

鮮血をまき散らす、失ってしまった左手にだけ意識

が集中している。

痛い！　痛い！　痛い！　痛い！　痛い！

まるで獣のような咆哮が、喉からあふれ出そうとするのを歯を食いしばって耐える。

口の中にまで血の味がした。

間抜けな俺は、何一つ対策を取らずに転生者たちと対峙していた。

奴らがどれだけのことをしでかすのか、思い至りもしていなかった――。

呆然と固まったままこちらを見つめている黒髪の、握ったままだった俺の左手を金髪が取り上げている。

オリーブ色の肌に嵌まった腕輪を取り外し、血まみれの手首が地面に投げ捨てられる。

付着した血を自分の服の裾で拭い、金髪が笑いながら腕輪を陽の光にかざした。

「すげー！　俺、こんな装備が欲しかったんだよ。見た目地味だけど良いアイテムじゃん？　もうけー！」

「マ、マー君！　な、なんで、どうして……」

「うっせぇな！　ＳランクアイテムをＮＰＣが使っても意味ないだろ。ＮＰＣなんだから。プレイヤーの俺が有効に使ってやろうってだけじゃん」

「――兄さん！」

俺より遠くに飛ばされたウォルの声がする。

斬られた腕を抱き込むように体を丸め、うめいている俺の元へと駆け寄る気配。

背後から覗き込み、血を流し続ける左手を認めた彼は、身に着けていたマントを脱いだ。

フードを結えていた首回りの紐を抜き取り、汚れるのもかまわずに腕を縛って止血を施す。

「な、なにも、こんなひどいことして奪わなくっても」

「てめーは黙ってろよ！　黙って俺の言うとおりにしてればいいんだよ！　誰のせいで前世に死んだと思ってるんだ。てめーのせいだろうが！　てめーが良いアイテムを寄越さないから、俺が自力で集めるしかねーんだろ！」

　おそらく、この世界では二十歳前後の男たち。

　だけど前世はいくつくらいだったのか分かってしまった。転生しても、精神年齢は上がりはしないのだとも理解してしまった。

　そして、彼らがこの世界を、ゲームの延長だとしか思っていないことも。

「てめーももらっておけよ。こいつら、もう一つ持っているみたいだからさ」

　転生者たちの視線がウォルに向けられる。

　俺の上半身を抱え起こした少年の体が強張った。

　彼は、汗と血に濡れた俺の顔と、斬られた左手を見た。

　唇を引き結び、自分の左手からデコイの腕輪を外す。左手で俺の頭を抱き、右手で腕輪を差し出しながら、ウォルが転生者たちを見上げた。

「これを欲しいのでしたら差し上げます。他にも、私に渡せるものがあれば。ですからどうかこれ以上、兄を傷つけないでください。どうか……」

「――へぇ？　弟の方、めちゃくちゃ綺麗な顔してるじゃん。本当に兄弟？」

「マー君、また……!?」

「ああ、兄貴を助けてほしいんだ？」

　んじゃ誠意を見せてもらおうかなー。

　ニタリ、と金髪が笑った。

「俺、男でも女でも顔が良ければ許せるからさ。弟クンがさ、自分から裸になって心からの誠意を見せるっていうならさ、そこの死にかけを助けてやってもいいぜ？」

「――――」

「弟クンがイイ思いをさせてくれるんなら、そこの兄貴も楽にしてやる。そのままだったら兄貴、痛いだけじゃねー？」

「……分かり、ました」

　ウォルが頷き、腕の中に抱く俺を見下ろした。

　額と額を合わせるように顔を伏せ、俺を抱きしめる。

「――片方を引き離す。時間を稼ぎながら待っている」

囁き、ウォルはゆっくりと俺の体を地に横たえた。

立ち上がった少年が、俺から離れていく。

俺は片方残った手を使い、ベルトに装着したポーチからポーションの瓶を探す。

この、左手の痛みだけはなんとかしないと。転生者として行動すればすぐに対処出来るのだが、戦闘職二人を前にした状態ではうかつな行動は取れない。

「――兄に、見えない場所でお願いします」

「んー？　いいぜ、俺様はジビブカイからな。そこの茂みの裏で犯してやるよ。おい、センガ。てめーもヤルか？」

「い、いや、僕は」

「腰抜けが。んじゃ、こいつと約束しているからな。後は上手くやっとけ」

剣を腰の鞘に戻した金髪が、笑いながらウォルの肩を抱いた。そのまま茂みの向こうへと歩いていく二人を見送り、黒髪が俺の方を向いた。

「……ごめん、なさい。マー君は悪い人じゃなかったんだ。だけど、転生する前からいろいろあって、僕でも止められなくなっちゃって……」

近寄ってきた黒髪が、今にも泣きそうな顔で俺を見下ろす。

痛みに震える手元から、探り当てたポーション瓶が地面へと転がり落ちる。

「マー君はさ、人質を使ってさ、相手をレイプするの。ひどいでしょ？　で、その間に僕に人質を殺させて、レイプした相手に死体を見せるの。ひどいよね。でもね、マー君を前世で巻き込んで死なせちゃった僕が悪いんだ。だからお兄さん、ごめんなさい」

俺の側に立った黒髪が腰の剣を抜く。

剣先を下にしたまま構え、ポーションには見向きもせずに、男はもう一度ごめんなさいと謝った。

「今、〝楽にしてあげる〟ね。せめて弟さんも、あなたの死体を見せられる前に〝楽にする〟から。それで許して――」

――許せるか、ドあほうがッ！

蘇生アイテムの効果で復活し、最初に俺がしたのは怒りの感情を〝隠蔽〟することだった。

見事に心臓を貫かれた。慣れた動作だった。

どれだけの人間を殺してきたんだろうと、まだ若い男の外見年齢を疑ってしまうくらいに。

まあ、見たままの歳なんだろう。

弱い相手を嬲り殺してきただけの若僧だ。だから今、完全に警戒を解いてしまっている。殺した俺に背を向け、金髪が姿を消した茂みの向こうに意識を向けている。

俺は〝両手〟を地面について、音を立てずに起き上がった。

蘇生アイテムを使用後、体は死ぬ前の状態に戻る。戦闘中なら、戦闘を開始する以前の状態に。片手がもげていようが、頭が潰れていようが、万全の状態に〝時が戻される〟。

道端に投げ捨てられていた〝俺の左手〟が、砂のように崩れて消えていっているのが見えた。

なるほど。これまで死んで確かめた経験はなかったが、復活後この世界では以前の体は消えてしまうものらしい。流れた血だけは何故か残っているが。

そのまま気配を消し、黒髪の背後に立つ。

Sランク物理系戦闘職。

正面から戦おうとすれば、十中八九生産職の俺が負ける。

「――え――？」

正面から戦えば、な。

無防備だった首すじへの針。

殺人蜂の毒を濃縮した仕込み指輪は、小さな切傷で相手を即死させた。

（一、二、三……）

心の中で数を数えながら、俺は迅速に行動する。

最後の命綱である蘇生アイテムを、転生者が持っていないとは思わない。必ず持っているはずだ。

崩れ落ちる黒髪の体を、音を立てないように抱きとめ、ゆっくりと地面に横たえる。

短縮処理を施していない限り、蘇生にかかる時間はおよそ五秒から三十秒。対象者のステータスによって秒数は変化する。

そして蘇生が終了するまで、対象者には干渉出来ず無敵状態になっている。

（……十二、十三、十四）

自分も経験した、ゆっくりと意識が浮上していく蘇生の感覚。

復活しつつある黒髪が、彼の胸元を跨ぐようにして馬乗りになった俺を見上げている。

毒の仕込み指輪は、あと一つしか作っていない。

（十五）

「た」

一言も言い切らせず、首すじに添えていた指輪を押し込む。

黒髪の、見開いたままだった青い瞳が光を失う。

嵌め殺しは、対処さえしていればわりと簡単に対応出来る。だけど普段着の、鎧も身に着けていないこいつらは対処なんてしていないだろう。

SS以上なら地力で対処出来るだろうが、S以下のステータスでは無理だ——俺が、そうだったように。

（……二、三、四……）

蘇生アイテムを装備出来るのは二回分。

アイテムボックスからまず、精神力と速度上昇のポーションを取り出した。

黒髪に馬乗りになったまま飲み干し、瓶を放り捨てる。次に取り出したのは、赤黒く光る液体を詰めた小瓶。意識を取り戻しつつある黒髪が、目を見開いたような気がした。

男の、薄く開いた口元に液体を注ぎ込んでやる。

十五秒経つまで、彼の体は薄皮がまとわりついたように外部の干渉を遮断している。

　だが十五秒経てば。

「ガッ⁉」

「アシッドドラゴンの毒液だ。溶かすだけじゃなく、粘膜摂取させれば殺すことも出来る」

　——その前に、頭が溶けたか。

　毒性がなくても即死だったな。丸々一本使うんじゃなかった、もったいない。

　下の地面まで溶かし、頭部を失った死体の上から立ち上がる。

　黒髪の〝死〟を見届けるまで三十秒。

　俺の蘇生分を加えても、ウォルが連れ去られてから二分も経っていないだろう。ならまだ彼は無事のはず。

　ポーションでステータスを上げた自分の体を確認し、俺は茂みの向こう側へとジャンプした。

よぉ、ニュービー

　視覚で確認出来ない場所に、そのまま転移するのは無謀だ。

　出現場所を定められないので、まず少し高い位置に出現して下を見下ろす。

　ウォルが半裸の状態で押し倒されていた。金髪が自分のズボンを脱ごうとしている。

　貞操的に間に合ったようだ。

「なっ、てめ——⁉」

　金髪の目前に再出現し、アイテムボックスから取り出し済みだった『呪符』をその額に叩きつける。効果は〝麻痺〟。精神値を上乗せしているので、無効化されることなく相手は動きを止めた。

「待たせた、ウォル」

　少年が起き上がるのを助けるために、左手を差し出す。

　肘の先で切り落とされた袖はそのままだ。オリーブの肌色をした手に、彼が泣きそうな顔をしながら自分の白い手を重ねた。

ウォルに乱れた衣服を整えるよう促し、俺は金髪の前に立った。

先ほどの黒髪は、ほとんどアイテムを装備していなかった。筋力アップと蘇生くらいだったはず。だからもしかしてとは思ったが、やはり特殊効果のある装備は金髪が身に着けている。

初手物理攻撃無効。同じく初手魔法攻撃無効。

だから呪符を用意した。

これはアイテム判定だから、初手無効は関係ない。成功するかは俺のステータス次第だったが、ドーピングは済ませている。

それから全ステータスプラスのベルトに、状態異常耐性のネックレス。ピアスは魅力微上昇……ああ、まぁ似合っているからいいんじゃね？　俺ならそんなクズ装備はしないけど。

各種アイテムで底上げしているようだったが、Aランクである金髪の基礎ステータスは低かった。

だから遠慮なく、俺はゲーム時代の煽り（あお）を口にする。

「よぉ、〝ニュービー〟」

それは神殺し（トリプルエス）に至る道程の、まだ一歩目。

自分は特別な存在になるのだと勘違いしているひよっこを、嘲る（あざけ）ネットスラング――。

動けない金髪の、唯一動かせるアイスグレーの瞳がぎょろりと俺に向けられる。

「おいたが過ぎたようだな。相方のセンガちゃんだっけ？　あれに尻拭い（しりぬぐ）させながらプレイするゲームは楽しいだろぉ？　ここには注意してくる運営もいないし、Aランクのおまえに実力がなくても、〝Sランクのセンガちゃん〟のおかげでやりたい放題してこれたものな。……だが、ちゃあんと理解しているか？　自分がこれまでしてきた悪行を、相手にされても文句を言う資格なんてないってことは」

手を伸ばし、金髪の首元にかかっているネックレスを引きちぎった。俺から奪った腕輪も取り戻し、ベルトに剣帯、蘇生の指輪と、身に着けているアイテムをはぎ取っていく。

ピアスと防刃の服だけは残しておいた。

男のマッパを見る趣味はないし、クズピアスなどいらん。

「……兄さん、何か私に手伝えることはあるだろうか？」

「ではウォルド殿下。申し訳ありませんが、そこに穴を掘ってください」

すぐ側の地面を指さし、俺は王子に頼む。

「今日はまだMPを使ってませんよね？　あなたは土魔法が苦手ですから、訓練のついでに」

「……分かった……。しかし、私の名を出していいのか？　カリヤ」

「せっかくのクラシエルの人間です。知っている情報を吐かせます」

頷き、ウォルは呪文を唱えながら穴を掘り始めた。

俺は金髪に視線を向ける。

こいつは何も分かっていなそうだった。いぶかしげな表情で作業するウォルを見ている。

俺はアイテムボックスの中から、もう一枚呪符を取り出した。

精神値を高めているので、自分より低ランクの対象なら符が効きやすくなっている。使役の効果を持つそれに、会話だけを許可させ、額に重ねて貼りつける。

「……さて、これで話せるぞ、マー君」

「――――」

「しっかしマー君。精神値低いね！　ろくなレジストも出来ないなんて。こっちは助かるけど。……では尋ねよう。何故、ここにいた？」

くわしく教えてくれ。

微笑（ほほえ）みながら尋ねた俺に、金髪が震えながら口を開いた。

「……クラシエル所属のプレイヤーの有志は、時間が空いたら逃げたティシアの王子を探している。辺境は危険だから……俺は適当な転移ポータルを使って、中央国家群の田舎へ出かけて旅人に聞こうかと考えた……」

「ここに王子がいると予想していた？　本気で王子を探すつもりはなかったんだ……。ただ退屈だったから……目撃者のいない場所なら、旅人のNPCで遊んで殺してもバレないし……」

「見事なクズだな、マー君！」

にこやかに断言した俺に、金髪の眉がひそめられた。

「……おまえもプレイヤーだろう？　なんで仲間の邪魔をして、NPCの味方をしているんだよ……ティシアはプレイヤー殺しなんだぞ」

「勝手におまえたちの仲間にするなよ。それに俺に対する質問は許していない。黙れ」

ぴたりと金髪はしゃべるのをやめた。

「よし、次の質問だ。ティシアとクラシエルの戦争はどうなっている？　停戦はしたのか？」

「……していない。俺たちが勝っているのに、何故受け入れなくてはいけない？　目的はティシアを滅ぼすことなのに」

「ラギオン帝国は参戦しているのか？」

「していない……腰抜けが。中立とか言い出しやがって。冒険者ギルドの総本部がビビりやがってる……クソが、クソがぁ……」

「おまえはティシアとの戦争に参加していたか？していたなら詳細を聞きたい」

「……俺は戦場に出ていない。センガが、危険だからと止めやがったんだ。センガの癖に、俺が強くなるのを邪魔しやがって、強くなってもSランクに上がる手段はないからって……」

「──Sランクに上がる手段がない？」

「……〝辺境〟が……俺はよく知らない。知っているセンガは教えねーから……」

ふむ、とあごに手をやって俺は思案する。

金髪からこれ以上聞けることはないな。黒髪の方がいろいろと知っていただろうが、ランク互角の戦闘職から有利に情報を引き出せるとは思えない。

「カリヤ。穴が掘れた。二メートルほどの深さでいいだろうか？」

出来上がっていたのは、長方形の穴。

さすがウォル、指示を出さなくてもいい仕事をする。

「……あ……」

呆然と穴を見ていた金髪の顔から、血の気が引いていく。

これまで〝遊んだ〟後は放置だったのだろうか？　穴が出来上がるまで結びつかなかったのなら、掘っていたのは黒髪の方だった可能性もあるな。

――そういや、まだあちらからは装備を剥いでいなかった。

「ウォル、ちょっと黒髪の方を連れてくる。物盗りの犯行っぽく見せたいから、装備を外すのも手伝ってもらえるか？　あ、多少グロいが気にするな。それとマー君は黙っていような。うるさいから」

断り、ジャンプで街道へ転移する。

俺は道に転がったままの死体に近づいた。

体格的に、ぎりぎりジャンプで運べそうだ……なんでも入るアイテムボックスだが、ゲーム的な事情で生きているモノと人間の死体は入らない。

ジャンプで戻り、草原の上に黒髪を投げ出す。

変わり果てた友人の姿に、だが許可されていない金髪は悲鳴さえ上げられなかった。両目からボロボロと涙だけが零れ落ちる。

一応、友人関係は本物だったのか――かなり歪んではいたが。

溶けた傷口の毒に触れないように気をつけながら、装備を剥ぐ。偽装を提案したのは俺だが、物盗りの犯行にするには無理がある。

Sランクを即死させるためにドラゴンの毒を使っ

た。NPCには出来ない殺し方だ。それだけで同じ転生者が手を下したのだとバレる。

　クラシエルに敵対する転生者は、俺しかいないだろう。ウォルド王子を連れて、タキリン城砦から脱出した俺しか。

　だが装備を残していても、クラシエルが回収して再利用するだけだ。わずかでも敵の国力は削ぐ。

　首のない死体を、掘った穴へと蹴り落とす。

　麻痺しているはずの金髪の体が、びくりと揺れた。

「――復讐をしたいか、ウォル」

　隣でこぶしをきつく握りしめている彼に声を掛ける。先ほど俺が流した血で赤く汚れた少年が、美しい造作に凄惨な笑みを浮かべた。

「……ああ、殺したいとも。炎で焼き殺してやりたい。私の父が、兄が、国の民がクロエで嬲り殺されたように……ッ」

　だが、と彼はあの夜とは違い、涙を流すことなく続ける。

「私はまだ弱い。一撃では殺せないだろう。だからカリヤ、すまないが私の代わりに殺してくれないか？」

「あなたの御心のままに、ウォルド殿下――」

　風の刃が、金の髪を持つ男の首を斬り飛ばした。

襲撃のとばっちり

　東へ、東へ――。

　俺とウォルの逃避行は加速していた。

　クラシエル国所属の転生者二人を殺してしまった。

『反省はするが後悔はしていない』という名言が前世にはあったが、反省もするし、後悔もしている。

　人を殺したことに、じゃない。『もっと上手く殺せなかったことに』、だ。

　戻ってこない仲間に、クラシエルの転生者たちも不審に思うだろう。

そして何かあったのかと疑い、仲間を探す。使用した転移ポータルでどこへ飛んだかは分かるし、探知魔法に必要な魔力登録もしているはずだ。

……一応、物盗りの犯行に見せかけて死体は埋めたが、騙せるとは思えない。

嵌め殺しとはいえSランクを倒した。

止めを刺すのに使ったドラゴンの毒は、即死させるにはそれしかなくて選んだつもりだったが、よくよく考えると〝普通の物盗り〟が持っているアイテムじゃない。

はっきりと、同じ転生者に殺されたと分かってしまうはずだ。

クラシエルの転生者を殺せるだけの力と、殺すだけの動機を持つ転生者……ウォルド王子を連れて逃げている〝俺〟しかいないだろやっぱり。

正直、あいつらは油断してくれていたおかげでさくっと倒せた。

でも次は違う。鎧も身に着けずに、舐めきった態度で無防備に現れるなんて幸運は二度と訪れない。

だから逃げる。

北部諸国連合から脱出するために、東へ、東へ――。

クラシエルがあるから南へは向かえない。西と北は出発地点へと戻ることになる。

北東の砦城シリンをまっすぐ目指したかったが、歩いていた街道の終点なので、現在地だけでなく目的地も知られてしまっただろう。

なら、どのルートを取るか？

〝竜の顎〟と呼ばれるシリンの霊峰越えか、その地下の大迷宮か、もしくは無謀だと外していた霊峰の南に広がる〝狂える森〟へ突っ込むか。

エルフの住む〝大樹海〟は侵入不可能のはずだが、更に南に広がる荒野も行こうと思えば行けるんだ。ルート的にちょっと隣接する〝中海〟の端に突っ込んでしまうけど。Sランクモンスターも跋扈してて、複数同時に相手する羽目になれば生産職の俺は軽く死ぬけど。

とりあえず、最終的にどこを目指すかは棚上げして、まずは距離を稼ごう。もう危険すぎて街道は歩けない。人の住む街へも立ち寄らない。

補給はなんとかなる。アイテムボックス様万歳！

普通の旅人に擬態するのは諦めたので、しっかりと装備も身に着けることにした。

武器防具は共にAランク。魔法効果半減や初手物理攻撃無効などの特殊効果によって、俺の作った中では実質Sランク相当の最高級品。光玉を装飾のように埋め込んでいるので、MP自動補給も出来る優れモノだ。

人に会うつもりはないが、設定は旅の兄弟から旅の冒険者兄弟に変更。

進むのは人の踏み込まない山や森、道なき荒野を移動する。人の姿のない場所なら、〝ジャンプ〟も積極活用だ。

まだジャンプを使えないウォルが、そのたびに俺に抱きついてくるのが……微妙に浮き立つような変な気持ちになってしまう。

ジャンプ時には体の一部を触れさせなくてはいけないし、連続する時にはしがみついていないと弾かれる。それはお互い理解している。

すまない、少年。

告白して断られた相手に接触するのは、そちらも複雑な気分だろう？

俺はその……なんだか役得だと思っている。

付き合ったりは出来ない相手だと分かってはいるが、可愛い子に抱きつかれて嫌な気分はしない。互いに鎧を着ているのが残念なくらいだよ。

――そんな、切羽詰まりながらも一部役得を感じつつの逃避行の最中、転機は転がり落ちてきた。

文字通り、〝転がりながら落ちてきた〟。

「〝風の柔壁〟!!」

頭上に巨大な空気の障壁を展開する。

一つじゃとても受け止めきれない。呪文は〝複唱〟で唱えた。それでも足りないことは分かっているから、更に重ねて唱える。

八回。十六枚の風の壁。

自分のMPを使い果たし、更に鎧に仕込んでいた光玉が次々に弾け飛んでいく。

崖の上から落ちてきた馬車が、目に見えないクッションによって頭上で受け止められた。

それは、大きく切り立つ崖に挟まれた峡谷を抜けようとしている時だった。

流れの速い川によって削られた山の斜面は、中腹に一本の道が通っていた。

崖とはいえ、岩肌はすべてがむき出しという訳ではない。山腹から谷間にかけては緑が豊かで、茂った木々が視界を遮るほどだ。緑の枝が道を隠しているから、誰かが通行しても、その様子は遠目からは窺えない。

隠密行には最適の道だ——歩かなかったけどな。

ウォルと俺が進むのは、更に下の獣道。

もう、まともな道は歩かない。

獣道のすぐ真下を急流が流れていて、水音が谷間に反響してうるさいほどだった。

生い茂る下生えが邪魔でジャンプは使えず、歩いて進んでいたのだが、じきに急流以外の物音に気づいた。頭上から怒号と、金属音が聞こえてくるような気がする。

「——カリヤ、もしかして誰か、盗賊に襲われているのだろうか？」

「……そうかもしれない。待ち伏せて襲うには、条件的に良さそうな場所だったからな……」

頭上を覆う枝の間から、切り立った峡谷を挟んで空まで見えた。たまに小石が落ちてくる。上では激しい戦闘が続いているらしい。

「言っとくがウォル。助けには行かないからな」

「分かっている。はっきりと安全ではないと分かる道だったからな。リスクは承知で、襲われた方も通ろうとしていたのだろう」

「ああ、急いでいたんだろうが……。万が一にも落石やらがあったら怖い。俺たちも一気に抜けてしま――!?」

「ば、馬車!?」

ひときわ激しく響いた音に、頭上を見上げる。

緑の梢越しに見える青い空に、道から飛び出した馬と馬車のシルエットが黒く映っていた。

一度、崖の中腹にあった岩に叩きつけられ、引き綱に繋がれたままの馬と馬車本体が分離した。

バウンドした本体部分が、そのまま俺たちの頭上にせまる。

俺の後ろをついてきていたウォルが、整った顔を引きつらせて手を伸ばしてくる。

だが距離を取ってしまっていた。腰まで届く下生えが邪魔で、彼にジャンプで近づけない。

「〝風の柔壁〟！」

だから落ちてくる馬車を受け止める方を選んだ。

「カリヤ、大丈夫か!?」

崩れ落ちた俺の元に駆け寄ってくるウォルに、なんとか声を絞り出して「大丈夫だ」と答える。

「一気に、唱えたから、反動が来た……」

「――魔法使いか?」

知らない男の声だった。

腰から剣を抜き放ち、ウォルがまだ動けない俺を庇うようにして立つ。

一枚一枚消えていく空気の障壁に、中破した馬車がゆっくりと地面につく。

馬車の陰から現れたのは、軽装鎧に身を包んだ冒険者風の男だった。

「敵意はない。あんたたちが助けてくれなかったら死んでいた。……まあ、死んだ方が私としては良かったかもしれないが」

「――何者だ?」

被っていたフードの下から、力なく呟く男を窺う。

年齢は四十過ぎくらいだろうか。肩の長さまで栗色の髪を伸ばした男は片足をひきずり、両腕もおかしな方向に折れ曲がっていた。

　激しい痛みを感じる怪我のはずだが、こけた頬に……以前はそれなりに男前だっただろう容貌にえくぼを刻み、彼が自嘲する。

「……ああ、ひどい格好になっちゃいるが、怪しい者じゃない。肉体的に痛みを感じないのさ。〝そういう隷属を受けている〟。私は奴隷だよ、使い捨ての」

　説明しながら、男が首元を確認させるようにあごを上げてみせた。

　彼の首には、隷属の首輪が嵌まっていた。

奴隷商人の荷

　栗色の髪の男は木々の枝越しに崖を見上げ、それから折れた自分の腕を見下ろした。

　ため息をつき、俺とウォルへと視線を戻す。

「すまない、せっかく助けてもらったってのに、こういうことを言うのは心苦しいが、私を殺してもらえないか？」

「は？」

「〝主〟のもとに戻らなきゃいけないんだが、この体じゃ崖を上まで登れるとは思えないし、登ったところで今後は使い物にならないだろうから〝処分〟される。どこかに逃げようにも、この首輪は十日に一度、主の魔力を通さないと絞め殺すという仕掛けが施されている。詰んだが、自害も許されていない。楽にしてほしい」

　台詞は悲愴なものだったが、男はすさんだ眼をしていなかった。

「……あんた、名前は？」

「十六番」

「本名じゃないよな？」

「もちろん。以前は違う名前を持っていたが、口に出すことは許されていない」

暗さを感じることもなく男は答えてみせたが、こちらは気分がむかむかしている。

怒りを覚えているのは彼にじゃない。彼をこういう風に扱っている〝主〟とやらにだ。

彼はもしかしたら、俺が辿(たど)っていたかもしれない未来だ。

「——オル」

「カリヤの望むように」

俺の主は、口にしなくても俺の望みを理解し、肯定してくれた。

少年に自分の後ろへと下がるように告げ、男を呼び寄せる。

「俺がそっちに行くべきかもしれないが、まだ動けないんだ。こっちに来てくれ」

「殺してくれるのか？」

「——いいから来い」

近くで首輪を見せてほしい、と頼んだ俺に、快く男は承知してくれた。

すぐ側までやって来て無事な方の膝(ひざ)をつき、首を傾けて少し長い栗色の髪を横に流す。

何枚もの革を重ねた、太く粗雑な首輪だった。鋲(びょう)で固定した革の、重ねた面に呪文が刻まれているのだろう。

瞳(ひとみ)に魔力を込めて〝詳細鑑定〟を発動する。

隷属の首輪自体はBランクだったし、この世界の住人が作ったアイテムなら妥当だろう。男自身も鑑定をしてみたらBランクだった。

「……私の首に嵌まっているものは、ランクが高い物だな。これでも元冒険者だ。逃亡の恐れがない女子供などは、もっと低ランクの首輪が使われる。命令に背いた場合のペナルティも軽く、魔力を継続的に与える必要もない。魔法使い殿は、油断して奴隷商人に捕まらないように気をつけなよ。私よりひどい扱いを受けるぞ」

「あんたは何故奴隷に？」

「それも教えられない。だから忠告だけしておこう。うわさ話程度ならしゃべれるから。二人はどこに向かって旅をしている？　冒険者ギルドに登録していたりするか？　――ならクラシエル国には近づかない方がいいぞ。私のようになりたくなければ」

バチッと音がして、男の首輪を嵌めた首すじに赤いみみずばれが走った。

痛みを感じないという男は、だが眉を寄せて何かに耐えていた。ペナルティは肉体ではなく、精神に作用するのだろう。

「カリヤ」

背後からかかったウォルの声に頷く。

「その話、もう少し詳しく聞かせてくれないか？――これで話せるだろう？」

手を伸ばして首輪に触れ、隷属を解除する。

そのまま一気に顔色を失った男に、あわてて負っていた傷を治すためのポーションをぶっかけた。

順番を間違えた。

ようやく自分のことを話せるようになった男に尋ねたところ、彼の名前はエーリクといった。

元、冒険者ギルドのクラシエル支部に所属していたBランク冒険者。

ギルドからの指名依頼を一年ほど前に受けたのだが、任務に失敗。発生した莫大な違約金を払えなくて身売りしたという奴隷だった。

借金を支払うために労働を対価とするのはよくあることだが、普通は隷属の首輪まで嵌めない。

騙されたのだ、と彼は語った。

「今思い返せば、最初からそうするつもりだったんだろう。事前に受けていた説明と依頼内容がまったく違うものだったし、違約金も法外な金額だった。おかしいと気づいた時には奴隷として売られていた」

冒険者ギルドにはめられた、とエーリクがうなだれる。

肩まで届く白い髪が揺れ、表情を隠す。

栗色だった彼の髪は、首輪を外すと真っ白に変化していた。奴隷契約から解放された場合、その者の髪の色は抜け落ちてしまう。

……そういえば、ナダルの部下だった俺と同じ肌色の青年も、元は奴隷だと言っていたっけ。

フィアスという名で、彼も白い髪だった。

クロエ平原陥落後のタキリン城砦で、彼の姿は見かけていない。俺が気づいていないだけならいいんだが……。

「クラシエルはおかしくなっている。原因は、七年前、冒険者ギルドに所属する転生者たちだと思う。隣国のティシアから奴らが移ってきてから祖国は変わってしまった。王が、転生者の王妃を迎えたことを国民の皆が喜んでいたのに……どうして戦争まで突き進むんだ？」

「はめられた心当たりは？」

「……ギルド内で転生者の力が強すぎると訴えた。ラギオン帝国にある冒険者ギルド総本部にも、クラシエルの内情を伝えた。ラギオンからの返事が来る前に奴隷に落ちたから、返事は分からない。クラシエルの異常に気づいてくれているといいんだが」

――残念だが、ラギオンも転生者の支配下にあるんだよ。

俺は心の中で男に答える。

声に出すつもりはなかった。彼に俺とウォルの正体は明かさない。

知らなければ何も答えずに済む。

知ってしまったら、気づいてしまったら、また彼に不幸が降りかかるかもしれない。

信用出来ないというより、正義感から奴隷に落とされて辛酸を舐めてきた彼に、秘密の重さを背負わせたくないと思った。

「エーリク、これからどうする？」

「西へ向かう。売られた奴隷商に私はそのまま使役されていたが、パーティーを組んでいた仲間が石切り場に売られている。あいつらを助けないと。私ほど重い首輪は嵌められてなかったから、力ずくで壊せる」

「そうか」

「……出来ればあなたたちも……いや、すまん。二人は東に向かっているんだったな。助けてもらった礼をしたいが、今の私は何も持っていない。崖の上の奴隷商は、馬車は川に落ちてもう失ったものだと考えているだろう。乗っている荷は好きなように持って行ってくれ――あ」

壊れかけた馬車に視線をやったエーリクが口ごもった。

「どうした？　何も持っていないなら、あんたも自分の分を持ち出していいんだぞ。装備も金も旅には必要だろう？」

「あ、ありがとう。いや、あの馬車には至急の荷が積まれているんだ……商人と結託しているクラシエルの冒険者ギルドが探していた。だから手に入れた商人も早く運ぼうと無茶をしていたんだ……」

エーリクが眉をひそめる。それは自分の無力を嘆く表情だった。

「……特定の鍵か、魔力がないと開かない箱に納められている。だから私には何も出来ないが、魔法使い殿なら開けることが出来る……かもしれない」

「魔力？」

「ああ。もし二人が本気で金に困っているなら、どこかの冒険者ギルドからクラシエルへ送ればいい。大金が手に入るはずだ。だが必要ないなら、あのまま放置してやってくれ……もう戻せない、死なせてやった方がいい……」

馬車に積まれていた少しばかりの金をきっかり三分の一と、マントと一振りの剣だけを持ってエーリクは去っていった。仲間を助けた後は、クラシエルの手の届かない地に逃げるらしい。

また再会出来るのなら、必ず力になると頭を下げていた……律儀な男だ。

少し離れた場所にいたウォルが戻って来た。今、俺の足元には鍵のかかった美しい長持がある。壊れた馬車の中から運び出してきたものだ。

その他積まれていた馬車の中身は、壊れていなかった物を選んでありがたくいただいてる。アイテムボックス様万歳！　……証拠隠滅を万全にするため、後で馬車の残骸は川に落としておこう。

「——これがその箱か」

「ああ。エーリクの話し方から推測すると、生き物が入っている可能性が高い。どうする？」

「クラシエルの冒険者ギルドが至急で必要としているものなら、ティシアとの戦争に役立つ可能性が高い。確かめておきたい」

「分かった、開けてみる。ウォルは念のため、離れた場所で警戒しててくれ」

もう一度少年を遠ざけ、俺は長持の鍵の部分に触れた。エーリクが言っていたように、魔力認証でも開くようになっている。設定はBランクだ。

Bランクに到達していれば当然解ける手順で魔力を操作すると、鍵が開く。蓋も自動で開いた。

長持の中身を覗いて俺は絶句する。

反応を見せない俺に、いぶかしんだウォルがそっと近づいてきた。同じように中を覗き、彼も絶句する。

柔らかな内張に保護された長持の中には、鎖に繋がれた全裸の少年が眠っていた。

大樹海の子供

切り立った崖と緑の鮮やかな峡谷を抜け、深い山中の奥へと分け入る。

細く通っていた街道からは大きく外れた、獣道さえ通っていない秘境だ。

俺は布に包んだ意識のない少年を肩に担いでいたため、ウォルのフォローは出来なかった。足元が悪い山奥の走破に、彼はよくついてきたと思う。

背の高い木々が立ち並ぶ森の中で、条件のいい平地を見つけ、自作テントを張る。

シェルターハーフと呼ばれる三角形のテントは、小さな見た目とは違い転生者としての技術を惜しげもなく使っている。本来の大きさのスペースだけでなく、両脇に空間拡張を施した、四畳半ほどの大きさの個室が二つ。

その、俺が使っている方の部屋にウォルを招き入れ、連れてきた少年をベッドに横たえる。

裸だったので、簡単な服をスキルで作って着せた。

長持の中で施されていた魔法をまだ解いていない少年は、まぶたを閉じて静かに眠り続けている。

「……カリヤ。私は初めて見るのだが、もしかしてこの子は――」

「――ああ、エルフの子供だ」

エルフ。

ファンタジーの世界ではお馴染(なじ)みの種族だ。

MMORPG《ゴールデン・ドーン》にも存在していた。プレイヤーがキャラクターメイキングで選択することも出来た、人とは違う別種族。

その外見は明らかに人とは異なっている。

同じく別種族のドワーフは、低い身長に豊かなヒゲ、器用な手先と古来からの王道ファンタジー設定を踏襲していた。

《ゴールデン・ドーン》の中だけの特徴だったのは肌の色。ドワーフは炎を映す金属のような、オレンジの肌色をしている。

対するエルフは、背がすらりと高く、尖(とが)った耳を持つ魔法に秀でた美形の種族だ。肌の色は湖面を照らす月の光。

薄く青ざめた肌色をしている。

外見年齢は七歳くらいに見えるまだ幼い子供は、淡い青色の肌だった。

髪の色はミルキーグリーン。癖のないまっすぐな髪を、腰の長さまで伸ばしている。

少年の首には細い鎖で編まれた首輪がつけられ、

更に長い鎖も繋(つな)がって四肢を封じていた。今、鎖だけは首輪から外している。

エルフの少年を助け出してすぐ、長持と馬車は更に破壊し、川へと捨ててその場を去った。

奴隷商人が崖下まで降りてきたとしても、すべてが流されてしまったと思うだろう。

念のためにと山の奥深くまで移動し、テントを張って中に入り、ようやくウォルとこの件について話が出来るようになった。

「……エルフの住んでいる大樹海は、不可侵の結界に閉ざされている。人との交流はほとんどないと聞いたけど」

「ああ、そうだ。こんな幼い子供が大樹海の外に出るなんてありえない。どのような手段を使ったのかは知らないが、奴隷商人が捕らえたのだろう――クラシエルの求めに応じて」

俺の問いに眉根(まゆね)を寄せて頷き、ウォルが片手で自分の顔を押さえる。

彼の気持ちが理解出来る。

どうしてこんな無体なことが出来るんだと。一番最初に裸の子供を目にした時、震えるこぶしをきつく握ったのは俺だけじゃなかった。

「……カリヤは、理由が推測出来るか？」

何故クラシエルの冒険者ギルドがこの子を求めたのか。

「――おそらくは。転生者が……〝プレイヤー〟が自身のランクをBからAに上げる場合、特別なクエストをこなす必要がある」

MMORPG《ゴールデン・ドーン》では、プレイヤーはNPCと同じくBランクまでは、普通にモンスターを倒したりして得た経験値でランクアップが出来た。だがNPCを超えるAランク以上を目指す場合は、特別なクエストが用意されていた。

Bランクから Aランクに上がる場合。

物理系戦闘職志望の場合は、ティシアにいる『剣聖ナダル』のクエストをクリアする必要があった。

金属系生産職は、ドワーフの師匠に弟子入りする。

そして非金属系生産職である俺は、ラギオンの帝都で学院に通った。

前世のゲームプレイ時の話だ。現世はクエストをこなしていなくてもSランクの能力を持っている。

Sランク以上に上がる場合。

ランクアップクエストは中央国家群内ではなく、辺境に用意されていた。

それをクリアした後、ラギオンの総本部にある祭壇に戻って祈りを捧げればランクアップ出来たのだが、あの二人組の転生者は『Sランクに上がる手段がない』と言っていた。転生後の世界では辺境に何か問題があるのだろうか？

……いや、今はS以上ではなくAランククエストの話だ。

「魔法系戦闘職のランクアップクエストに、エルフの協力が必要だった。それを……再現して自分たちの戦力を増強しようと考えたんじゃないかと思う。

大樹海からエルフは出てこない。なら、これまで魔法系戦闘職はランクアップしたくても、出来なかっただろう」

エルフに出会って、信頼関係を結んで、そのエルフから足りないMPを分けてもらってAランク魔法を放つ。

だいたいそういう流れのクエストだった。

「エルフの子を奴隷にして、無理やり協力させてAランクの魔法使いを量産する。クラシエルはそんなことを考えていたのか……？」

「奴らのクソなところはそれだけじゃないぞ、ウォル」

言葉を取り繕うことは出来ず、俺は〝詳細鑑定〟した結果を正直に教える。

「この子が首に嵌められているのは、〝性奴隷〟として隷属させる首輪だ」

「――え？」

「鑑定したとおりに話していくぞ。この首輪は、首に嵌められているがまだ〝主〟を登録していない状態だ。登録はしていないが、首輪をつけているだけで倦怠感に襲われ、ろくに動けなくなる。逃げようとしても逃げだせない。登録方法は性行為だな。犯しながら、自分の体液を首輪に塗れば登録完了だ。登録された時点で、奴隷は発情状態が終わらなくなる。命令を聞かないとペナルティがあるのが隷属アイテムの基本だが、これは普段から性行為を求め、犯され続けないと狂い死ぬ」

「――――」

「解除方法は『登録者の死』のみ。無理やり首輪を外そうとすれば、奴隷が死ぬ……なんというか、厨二病設定満載のエロアイテムだな。作製した転生者、自分の好きな設定を詰め込んで首輪をカスタマイズしたんだなぁと感心する」

「カリヤ！」

「――分かっている。この世界はゲームじゃない。何故奴らはそれが分からないんだろう？　エーリクが言っていた通りだ。この子はまだ奴隷契約が行われていないが、二度とまともに動けない。鑑定すれば首輪の特異性がバレるから、抵抗出来ないまま犯され、なんでも言うことを聞く人形にされる。解放されるのは、自分を犯した主が死んだ時だけだ」

昔、前世でいろいろなライトノベルを楽しんだ。ハーレムや奴隷といった要素にもそれほど抵抗がなかった。それはフィクションだから、ファンタジーだからと分かっていたからだ。

この世界では、ハーレムや一夫多妻制も、非合法だが奴隷制度も実在している。

元から存在するのだから、肯定はしないが完全否定もしないつもりだった。この世界のルールは、この世界の者が定めるものだと思うから。別世界の基準で判断の押しつけは出来ない。

だけど、十歳にも満たない子供が背負う人生としては、あまりに過酷だ――俺も、善意だけでエルフの子を助けようと考えた訳ではないが。

……私は、と落ちた沈黙を破ってウォルが呟いた。

「この子供を、哀れに思っただけではなく、自分に利もあるから助けたいと思った……。ティシアに力を貸してくれる国はない。ラギオン帝国も、南部諸国連合の同盟国も静観するばかりだ。この子を大樹海まで送り届け、魔法に長けたエルフに参戦を……無理なら一小隊の派遣だけでも、協力を仰ぎたいと考えた」

人道的な善意ではないな、と自嘲するウォルに、いやと俺も首を振る。

「俺も同じようなことを考えた。エルフの子を部族まで送り届ける。そこで大樹海の通行許可を得たかった。大樹海は不可侵のエリアで、通り抜けることは出来ないと考えていたが、許可を得ることが出来たら――あの森を南下したら、ゲイリアス山岳地帯に繋がっているんだ。今のままのペースで東へと旅を続けたら、帰国まで二年以上かかる。だけど大樹海を通り抜けることが可能なら、出た先は北部諸国連合の影響下じゃない」

なら〝リターンホーム〟が使える。

「今から大樹海に向かって、来年の春にはティシアに戻れる」

「――っ！」

ウォルがきつく奥歯を噛みしめる。

叫ぶことも吠えることも自制してみせた彼のエメラルドの眼には、これだけは我慢出来なかった涙がにじんでいた。

ようやく、祖国への帰還が現実味を帯びた。

だが希望の糸はあまりに細い。

同胞を奴隷に落とそうとした人間を、エルフは受け入れるだろうか。

そしてウォルはまだしも、俺は転生者だ。彼らは子供をさらった元凶と同じ存在の俺を許せるだろうか。

「――その前に、この子の首輪を外さないと。カリヤ、本当にあなたでも無理か？」

「アイテム全般は、その効果に対処出来る方法を用意しないと流通することはない。この隷属の首輪も、無効に出来るアイテムが存在していると思う。冒険者ギルド総本部なら手に入るだろうが……おそらく、これだろうと思える対処アイテムも思いつくが、ランクはSS(ダブルエス)以上。俺が自作するのは無理だ」

「……そうか」

「だから、本来の手順で無効化するしかないと思う」

眠るエルフの少年の元に近寄り、俺はその首すじの鎖を指先でなぞった。

「……彼と契約を結ぶ。その上で一度、俺が死ぬ。彼の奴隷契約の解除方法は〝登録者の死〟だ。首輪を外すのはほぼ不可能。だからといって、このままの状態ではこの子は生きていけない。ろくに体も動かせず、首輪の意味が分かればレイプされる」

「だが、だけどカリヤそれは」

「ウォルにはさせられないぞ。一度でもあなたが死ねば、ティシアの王国碑がどういう状態になるか分からないからな」

とりあえず、まずはこの子供の眠りを解こう、とウォルに提案する。

眠ったまま、知らずに奴隷に落とされるのは誰でも嫌だろう。少年を助けた経緯を説明し、首輪から解放する承諾を得て、その上でエルフへの協力依頼についても話を通しておかないと。

ウォルが頷(うなず)くのを確かめ、俺は子供の眠りを解いた。

それではおやすみなさい

エルフの子供の眠りの魔法を解いた。

――蛮族、めちゃくちゃ警戒された！　敵認定された！

ヒゲか!?　やっぱりヒゲなのか!?

……まぁ、ほぼ間違いなく、ヒゲが原因だろうなーと思う。

《ゴールデン・ドーン》の設定の中に、エルフとドワーフはいがみあっているというものがあった。

だからエルフは、ドワーフを連想させるからとヒゲ全般を嫌っていたはず。ちょっと配慮が足りなかったかもしれない。

敵ではないと経緯を話し、なんとか子供を落ち着かせる。やりとりはウォルに任せた。本来の身分は王子様だが、彼は人当たりが非常に良いので説得に向いている。

年端もいかない子供相手ということで彼も少し戸惑っていたが、さすが人タラシ。子供を見事に洗脳……じゃなかった、信用させてみせた。

エルフの子の名前は、ルカーシュといった。

年齢は八歳。《ゴールデン・ドーン》ではエルフは長命という設定もなかったので、ごく普通の子供だ。

おびき出されて大樹海の外に出て、奴隷商人に捕まったのだという。狩りではよくある手法だった。動物を繋げておいて、近寄ってきた仲間を捕まえる。

子どもが見つけたのは傷ついた小動物だったらしい。森の境界には近づくなと言われていたが、助けを求める声につい森の外に出てしまった。

──その優しさを、うかつだと責めたくはない。相手が狡猾だっただけだ。

賢い子であったので、ストレートに現状を説明する。

隷属の首輪のことと、その特殊な性質。

捕らえられてすぐ首輪を嵌められ、眠らされたそうだから性的に乱暴はされなかっただろうこと。してしまえば主が確定する危険があるし……初物の方が、価値は高くなるものだからな。

首輪をこのまま外す手段はなく、つけている限り彼がまともに体を動かせないだろうこと。

なので、わざと奴隷契約を結び、破棄をして自由にしたいと考えていること──破棄は信じてもらうしかないが、信じなければ破滅が待っているだけということ。

奴隷から解放し、その上でエルフの住む大樹海まで送り届け、彼らの国を通行する許可を得たいことも伝えた。

クラシエルとティシアの戦争に協力してほしい云々は、大樹海についてから保護者に伝えた方がいい。

「……ボクは、皆の元に戻れるの……？」

エルフの子の藍色の瞳からすべり落ちた涙がベッドのシーツを濡らす。

ああ、とウォルが答える。

「君は必ず故郷に戻れる。私とカリヤが戻してみせる」

青色の肌をした子供の手を包み込むように握り、語るウォルの背中を、俺は少し離れた場所から見つめる。

——きっとウォルの心に見えているのは、霧に包まれた深い森じゃない。

草原にそびえたつ、難攻不落の白い外壁。優美な外観の王城を中心に構成された、白い建築群。

アルティシア。南方の宝石と称えられる、うるわしの白亜の都——。

エルフの子供と王子様を、無事に故郷まで連れて行かなくては。

さっそく俺は準備を始めた。

ルカーシュの首に嵌まる隷属アイテムを更に詳しく鑑定したんだが、装備アイテムの効果での蘇生は、隷属契約が切れないことが判明した。

アクセサリーなどで装備する蘇生アイテムは〝時を巻き戻す〟。すると、死亡判定が下りずに、奴隷契約もそのまま継続するようだった。

なら、完全に〝死亡〟して、それからエリクサーで蘇生するしかない。

エリクサーの場合、転生者である俺が使うと復活

までにタイムラグが発生する。影響で、数日は意識なく寝込んでしまう。その数日間、このテントを使って、ウォルとルカーシュの二人が潜伏出来るように準備しておかないと。

アイテムボックスが使えなくなるので、必要になるだろう物をすべて出しておく。

念のために、一か月分の食料。保存食だけでは味気ないから、冷蔵庫も作って食材を入れておいた。『冷蔵庫』、あるよ？　俺、前世の課金レシピ『現代家電シリーズ』持っているし。

アイテムボックスの中は時が止まるから、あえて作らなくてもいいかと思っていたが、作製するのに必要な材料は手持ちにある。

テント近くに水場はないが、水魔法はある。それでも便利になればと『調理キッチン』と『洗たく機』も作り、使い方を説明した。

ちなみにこれらは、転生者である俺が作ったテント内じゃないと動かない。元々、『ホーム』内に設置出来る家具アイテムだ。疑似ホームとして認識されているテント内だからこそ、謎エネルギーで動く。テントの外に持っていくと動かなくなる。

あ、すまんが二部屋しかない設計上、『トイレ』は諦めてくれ。

外で頼みます。お風呂は防水シートを敷いて、行水セットを使えば部屋で出来るんだけどね。

他にもポーションやら着替えやらこまごまとした必要だと思えるものを。

そして、ウォルとは〝万が一〟について話し合っておいた。

万が一、万が一にも俺が――蘇生に失敗したら。

その場合、俺の死体はこの地で埋めてほしいこと。埋めなくて放置でも、死んでしまった後だし別にかまわないんだが、そう告げようとしたらウォルにすごい目で睨まれた。

テントを含むアイテムはすべてウォルに譲渡する。換金出来る貴金属類も、現金も置いておく。

後はもう、彼の行く末に幸運があることを祈るしかない。

「――それじゃルカーシュ、始めるぞ。俺の髪を口に含んでくれ」

自室のベッドに寝かせているエルフの子に、三つ編みにした自分の髪を差し出す。

少年の体を犯すつもりはない。

隷属契約の条件は性行為とのことだったが、これは『奴隷の体内に、契約者の体の一部が入っていること』で代用出来た。

俺の指を子供の口の中に入れても契約出来る……作製者はナニを入れることを想定していたんだろうが、契約条件が厳しすぎなくて良かった。髪の毛も、体の一部として認識された。

指を口に含ませると俺が動きにくくなるので、髪の毛で。一応、そのままじゃ美味(うま)くなかろうと、シロップに毛先を漬けて甘くしてみた。

背後で、エリクサーの小瓶を持って控えているウォルに頷き、次の段階へと進む。

指先を舐めて唾液(だえき)を塗り、ルカーシュの首に巻かれた鎖に触れた。

びくりとベッドの上の小柄な体が揺れる。

俺の三つ編みをくわえていた唇から甘い吐息が漏れる。着せた服の下で、小さな性器が立ち上がったのが膨らみから見て取れた。

「……奴隷契約は無事に結ばれたようだな」

「カリヤ」

声を掛けてくるウォルに頷く。

俺は、既に装備をすべて外していた。身に着けているのはシンプルな布の上下のみだ。

このまま、自分で命を絶つ。

後は、首輪が壊れてルカーシュの髪の色が白く変化したのを確認してから、ウォルが死んでいる俺にエリクサーを使う。

そのままルカーシュとベッドを交代し、復活するまでの数日間眠りにつくというのが解放計画の内容だった。

　俺はアイテムボックスから指輪を取り出した。

　この前、Sランクだった転生者を殺したのと同じ毒の仕込み指輪だ。もう一度新しいのを作った。

　自ら死を選ぶのは怖い。

　今だけは、ここがゲームの世界なのだと思う。コンティニューするだけだ。数日のラグを経て復活する。

　ウォルが唇を引き結んで俺を見ている。

　死なないでほしいと彼は言えない。自分が代わりに死ぬとも、彼の立場では言うことを許されない。

　王族として生まれた自分の立場を理解している王子様。

　だから俺が死ぬ。

　彼は結果のすべてを、自らの覚悟を持って受け止める。その魂の美しさが、彼の美しい外見をいっそう見事に輝かせている。

　俺を見つめるエメラルドの瞳に、へらりと笑う。

　大丈夫、そんなに心配しなくても。ちゃんと戻ってくるから。だから、

「後は頼むな、ウォル。……おやすみ」

　俺は自分の首すじに指輪の針を押し込んだ。

幕間

　クラシエル国の王都であるアルクラシエルは、この世界における一番活気に満ちた場所となっていた。

　きっかけは昨秋の、南の隣国ティシアとの開戦。

　戦争は人と物の流れを生む。

　クラシエルの所属する北部諸国連合からの人材と物資の流入は加速し、人々の顔は歓びに輝いている。

　戦争は始まったが、自国が戦火に焼かれることはない。クラシエル軍は敵国内に攻め入り、既に砦を攻め落としている。冬以外は国境のクロエ平原が水

に沈むので大軍を動かせないが、それまでは大攻勢の準備に費やせばいい。

敵国の国土を切り取る。肥沃な土地を得、物資を収奪し、労働力を得て。

祖国はより豊かになるだろう。

それもすべて、転生者がティシアから移り住んできたのが始まりだった。

ランクSSの、魔法に長けた美しい王妃。〝悲劇〟により親友を喪ったという彼女を慕い、世界の各地から転生者たちがクラシエルの冒険者ギルドへと集う。ティシアが滅ぶのは〝運命〟だ。あの悪逆なる国は、それだけの罪を犯したのだから。

天誅を下すのは正義である我が祖国。

悲劇の王妃の復讐を遂げさせるために。

その名において破壊と略奪を繰り広げようと、国全体が熱病に侵されたかのように駆り立てられている――。


「…………王妃のために、か」

「イデ、彼女がどうかしたか？」

アルクラシエルの冒険者ギルド支部二階は、クラシエルに所属するプレイヤーたちのたまり場になっていた。

支部長の部屋は堅実だった印象をがらりと変えている。本棚やテーブルといった家具はすべて取り払い、毛足の長いラグを敷いて大きなクッションをいくつも用意した。酒器や食べ物の器は銀の盆に載せられて、ラグの上に直接置かれている。皆で吸う、大型の水煙草もあった。

ランクの区別なく集うのだという建前の、転生者のみが出入り出来るサロン。

そこで交わされる会話は、防音の魔法によって決して外に漏れることはない。

「いやぁ、女は変わるなァと思って」

「ああ、停戦したいとか言い始めているってヤツ？自分でクロエを燃やし尽くしておきながら、ナニ言ってるんだって話だよな。俺、まだ遊び足りてねぇのに」

「どうせ〝遊ぶ〟なら、兵士より若い女や子供相手の方が面白いんだけどな。

ニヤリと傍らに転がる男が嗤う姿に、イデは半分だけ同意する。たしかに女子供は遊んでいて楽しいが、男も悪くはない。男の方が楽しいかもしれない。どちらが絶対的な強者なのか、抵抗しても力ずくで教え込み、その雄のプライドをめちゃくちゃに破壊する方が自分的には好みだ。

心が折れるまで犯す。

自分を強者だと思っていた者の前に弱者を引きずり出し、その命を盾に脅して犯すのもいい。もちろん、犯した後にはどちらも殺すが、先に弱者の方から見せつけるように殺すのが順番だ。それを間違えてはいけない。

だが犯すなら女でも男でも、それなりに美しくないと駄目だ。たとえばサキタのような平凡は論外だ。

〝俺には選ぶ権利がある〟。

先ほどまで、連れてきた奴隷の姉妹で仲間の皆と〝遊んで〟いた。ティシアからさらってきた捕虜だったかもしれない。あいつらが捕虜になるのは、NPCで弱いのだから仕方ない。

泣き叫んでいた声は階下まで漏れていないだろう。誰かが無理やり施した精神支配によって、途中から悲鳴が嬌声に変わったが、かえって萎えた。

すぐに殺してしまったが、仲間たちは苦笑しながら「次はするなよ」と流してくれた——。

姉妹は敷いていたラグで包んで、ギルドの倉庫に積み上げている。

人間の死体がアイテムボックスに入らない仕様は、面倒なのでどうにかならないだろうか。忘れないうちに、適当に捨てておけと下っ端に投げておこう。

クッションに深く体を預け、酒杯を傾けながらイデは思う。

やはり新しいラグの感触は気持ち良い。退屈は苦痛だが、このラグに寝転がるのは悪くない……。

「センガが見つかった！」

　ギルド長の部屋の扉を、音を立てて開けた仲間が怒鳴る。

　先ほどまでの満足感を失い、眉をひそめたイデはオレンジの色の長い髪を掻き上げて上体を起こした。

「あー？　どうせ、いつものように〝マー君〟のわがままに付き合ってたんだろ？」

「好きで腰巾着やってるからな、あいつは。ほうっておいてやれよ、ニュービーのパシリが使命だって言ってる変態だから」

「……殺されて、土の中に埋められていた。腰巾着も一緒だ」

　部屋の中が静まり返った。

　センガはSランクの物理系戦闘職だった。

　そのステータス差から、NPCに殺せるはずがない。どれほど油断をしていたとしても、奴は殺せない。

――〝同じプレイヤーでもない限り〟。

「見つかったかァ、ティシアの王子！」

　顔を輝かせ、イデは立ち上がった。

　タキリン・ステーションの地下で見失ったティシア王族の側には、プレイヤーがいた。冒険者ギルドに所属していない野良が。

〝正義〟の側であるクラシエル支部所属のプレイヤーを殺す可能性があるのは、そいつ一人だけだ。

　死んだかと思っていたが、生きていたらしい。

「どこに埋められていた!?」

「北部諸国連合内だ。座標は『03：04』の――」

「そんなに近くにいたの!?　誰だよ、辺境に飛ばされたって言った奴は!?」

「どうせ腰巾着が足を引っ張ったんだろ」

「ヒャハハ、狩りだ！　狩りだ！」

　酒を飲んでいた仲間が立ち上がり、瞬時にジャンプで消えていく。

「イデ、王城に詰めているサキタにも連絡するか？」

「――いらないいんじゃない？　サキタの旦那も忙しいだろうからサ、ティシアの王子を確保してから教えりゃ。まぁ、せっかく真面目に冬からの戦争の準備をしているのに、こっちで王子を手に入れると仕度が無駄になりそうで申し訳ないかなァ」

「……すぐに連絡しなくてもいいじゃん」

センガの死を伝えた男が嗤う。

「時間が経ってから報告してもさ、〝生きてさえ〟いりゃ、いいんじゃねーかな？」

イデも嗤う。

まだ王族は犯したことがない。女のように綺麗な王子だった。

王子の側にいた野良も美形だった。日焼けではなく、ああいう珍しい肌色なのだろう。ぶっかけて、白濁まみれになった姿が似合うに違いない――。

イデはこの世界に転生したことが楽しくて仕方なかった。

この、前世プレイしたＭＭＯＲＰＧ《ゴールデン・ドーン》より更に面白い世界に。

「……とりあえず、『03：04』にいたってことは、向かっているのは〝アルシリン〟だろ。仲間を散開させろ。目的地であるアルシリン側からしらみつぶしに探していけば、どこかで捕らえられる。さァ、ゲームの定番――ハンティングの時間だ」

フレーメン反応……？

夢は見ていなかった。

ただ、自分が眠りから覚めていくのが分かった。

ゆっくりと周囲の物音が聞こえ始める。

静かだ。

閉じたまぶた越しに感じる光は柔らかかった。風の流れもないから、明るい屋内にいるのだろうと分かる。

「……ォルド様！　カリヤ様が目を覚まします！」

知らない少年の声がした。

敵意はなく、すぐ側にいた気配が離れて……蛙革をめくって部屋の外に向かって声を掛けている。

そうだ。ここは俺の部屋だ。テントの中に作った個室。

「――おはよう、カリヤ」

目を開けると、視線の先には美しく微笑む王子殿下がいらした。

彼の手がそっと俺の頬に触れる。

「……お、はよう、ウォル……」

返した俺の呟きはかすれていた。

しばらくしゃべらなかったせいか、言葉が出しづらい。だがポーションを飲めば回復するはず。

薄い布団の上に出ていた手を持ち上げ、ＨＰポーション瓶をアイテムボックスの中から取り出す。

まだ力の入らない手で握る小瓶を、ウォルがすっと手に取った。

ベッドに横たわったままの俺の体の下に手を入れ、上体を起こす手助けをしてくれる。側に座った彼の肩口にもたれかかるようにして体を支えられ、口元に蓋を開けたポーションの瓶が添えられた。

「さあ、飲んで？」

「…………」

……なんなんだろう、この至れり尽くせりの介護状態……。とりあえず、そのつもりではあったので、言葉に甘えてポーションを飲ませてもらう。

視線を上げると、ベッドの脇に見覚えのあるエルフの子供が立っているのが分かった。

一瞬記憶との違和感を感じてしまったが、それが子供の髪の色が変化したからだと思い当たる。青いリボンで一つにまとめている長い髪は、ミルキーグリーンではなく純白に変化していた。

奴隷から解放された証だ。

俺と目があった子供が、ぴょこんと頭を下げた。

「カリヤ様が命を懸けてくださったおかげで、ボクは隷属の首輪を外すことが出来ました。ありがとうございます」

「……解放されて良かった」

「この御恩は決して忘れません。ティシア王族であるウォルド様のご決断と、カリヤ様の転生者としてのデメリットを知りながらの献身に感謝いたします」

「――――」

俺は、今も体を支えてくれているウォルに視線を向けた。

こ、子供の反応がおかしくないかな？

おそらくエルフが持つ転生者への忌避感は相当なものだと覚悟していた。人間全般に対しても、良い感情は抱いていないだろうと。

子供に対して友好的に接したいとは思っていたが、反発は当然あるものだと思っていたんだ。

なのに、なんだろうこの、蛮族に心から怯えていたはずの彼からの親愛アピールは。

「……カリヤは九日間眠っていたんだ」

ウォルが微笑みながら説明してくれた。

どうやら俺は四、五日という予想より長く眠りについていたらしい。倍近く眠っていた訳だが、ウォルは誤差の範囲内だろうと待ってくれていた。一応、十日目の明日に俺が目覚めなければ、もう一本エリクサーを飲ませるつもりだったようだ。

そうして目覚めを待っている間は、エルフの子ルカーシュとコミュニケーションに努め、互いによく知り合ったのだとか。

仲良くなれたのなら良かった。

ルカは（ルカーシュの愛称だそうだ。そちらで呼んでほしいと言われた。ウォルは既に呼んでいるようだ）自分を救出するためにかかったすべての経費、大樹海まで送り届けた謝礼などは必ず払うと申し出てきた。

いいのだろうか？　ただ働きはたしかにしたくないが、既に使ったエリクサーだけでも時価で十万ゴルドほどしているはず。日本円換算で一千万円超えなんだが……。

まあ彼個人に支払い能力はないだろうから、彼の親か属する部族が支払うことになるんだろう。

なんだか既にエルフの戦士に参戦してもらうことが決定した気がする……ウォルは綺麗な微笑を浮かべたまま、一生懸命感謝の気持ちを訴えているルカを見守っている。

俺の向ける視線に気づいたウォルが、そういえばと口を開いた。

「カリヤ、私は〝ジャンプ〟が使えるようになった」

「え？　もう⁉」

驚く俺に、美少年がうれしそうに頷く。

「エルフの訓練方法の一つだという、体内での魔力循環をルカが教えてくれたんだ」

「ウォルド様は非常に熱心に取り組んでおられました。ボクの里にご案内した時には、せっかくですからAランク魔法を修行されてはいかがかと思います。習得出来るだけの素地がおありですから」

長老はボクの祖父ですので、修行の口添えはさせていただきますと子供が無邪気に笑う。

そうだった。大樹海には〝世界樹〟が生えている。あの葉は万能の素材アイテムであり、ランクアップ効果も持っている。

世界樹の葉を身に着けたエルフの魔法兵は、誰もがAランク魔法を行使する中央国家群一の魔法戦力だった。

Aランクのジャンプを発動するにあたって、ウォルは事前に俺が準備していたランクアップアイテムの指輪を活用してくれたらしい。

どうぞ使ってくれたまえ。お手製だから、デザインとか希望があれば作り変えるよ？

「……まだ唱えただけでMPが枯渇してしまうが、光玉と組み合わせれば数度のジャンプが使用可能になると思う。これでルカを連れての旅でも、それほど速度は落ちないと思うのだが」

「ああ、そうだな。三人連れてのジャンプは不可能だった。ウォルが自分をなんとかしてくれるなら、ルカは俺が連れて跳ぶよ」

眠りにつく前に心配していたことが一つ減って、俺は体の力を抜く。

そうするとウォルに深くもたれかかることになり、そういえば、と新たな心配事に思い至った。

転生者の蘇生時の眠りは、魔法的な状態変化に分類される。だから排せつの心配はない、らしい。前回もそうだった。

だけどさすがに体は汚れているんじゃないかな？　ヒゲは伸びるんだし。

九日間、風呂に入ってなかったって認識になるんじゃ……。

「カリヤ、どうかした？」

「いや……ちょっとウォル。あまり近づかないでくれるかなー？」

「え？　節度ある態度でいたつもりだったが、どこか気に障った？」

「いやー……ふ、風呂に入ってないからね、眠っていた間。だから、あまり側に近寄られると恥ずかしいというか」

「あ、それでしたら大丈夫ですよ、カリヤ様」

ウォルから距離を取っていた俺に、にこにこと白髪の子供が告げる。

「ウォルド様が、毎日カリヤ様をお風呂に入れていらっしゃいましたから。ボクも体を拭く布を運んだり、お手伝いをさせていただきました」

「え？」

「カリヤ様は綺麗好きだとのことでしたので、ウォルド様もがんばっていらっしゃいました！」

「ええ……」

「カリヤ」

バラ色に頬を上気させ、視線を逸らしながらも美少年が訴える。

「旅の当初、私が疲れ果てていた時にあなたは毎日風呂に入れてくれていただろう？　たらいの湯船に浸かって、体と髪を洗ってくれている間、私はされるがままだった……その状態と同じだ。不適切な接触はしていないから」

お、おう。そういえばしていた。

裸にひん剥いて、汗をかいたからと遠慮もなく洗いまくっていた。後を頼むとは告げていたが、まさかそこまで面倒を見てくれていたとは。……なら恥ずかしがるのは悪いか？

その他にも、容体が急変した時に備え、ルカに自室を譲って俺の部屋で寝起きしていたのだとか。

……転生者にさらわれていたエルフの子と、俺を同室にするのはと考えたかな？

でも、今のルカの反応を見る限り、俺が危害を加えられることはもうなさそうだ。

先ほどからキラキラとした瞳で俺たち（というかウォル？）のやりとりを見ている。

ルカいわく、やはり最初は人族と長い時間一緒にいるのは緊張があったらしい。

だけど察したウォルが個室と一人になれる時間をくれ、それがうれしかったのだとか。

さすがウォル。

そういった細やかな心配りは、王族としての人心掌握術でもあるんだろうが、何より彼の優しさなのだと思う。

「……さて、無事に目覚めた訳だがカリヤはこのまま起きる？　それとも、もう少し横になっておく？」

「起きる。着替えて、一応風呂にも入っておく。それから食事だな」

「では、少し早い夕食になるが、外で食べよう。今日は天気がいいから。食事は私とルカで用意する。行水セットはそこに置いているので、ゆっくり湯に浸かってくれ」

ウォルとルカが部屋を出ていく。

部屋の隅に、予備ベッドと行水用のたらいなどが置かれていた。本当に、本気で王子様は俺の世話を焼いてくれていたらしい。

かけていた布団を剥がし、俺はベッドを降りて自分の足で立ち上がった。

体を軽く動かしてみる。

九日間眠っていたはずだが、筋力が低下したとかはいっさいない。すぐにも戦える状態だ。

動いていると、髪を軽く束ねていただけだったリボンが解けて落ちた。

「……伸びたなー、髪も……」

腰の下辺りまで髪が伸びていた。

去年、従軍した時にルイセルの床屋で切ってもらってから、はさみを入れていなかった。山での生活なら途中でちぎれたりもしていたが、ウォルと旅を始めてからはあえて切らなかったというか。

……長い髪の方がいいって言うんだものなー……ついでにヒゲも。

だがすまん。これも必要なことだ。

一人頷き、俺は風呂に入るために服を脱いだ。


テントの外の空き地にはテーブルや椅子が用意され、食事の支度が既に出来ていた。

「おー、いい匂いがしているな」

「カリヤ、用意は出来ている……よ……」

「――――！」

おお、これはフレーメン反応？

猫が匂いを嗅いだ時に見せるポカンとした表情をそう呼ぶのだが、カッと藍色の目を見開き、口も大きく開けて動きを止めている子供の反応がまさにフレーメン反応。

エルフってそういう種族だったっけ、と俺はあごに手をやりながら首を傾げる。

あごには何の感触もない。つるつるだ。

変装のためにと伸ばしていたヒゲを剃った。もう人と交流する気がないから、印象操作とかいらないし、何より、

「……カリヤ、ヒゲ……」

ウォルの指摘が単語になっている。ルカは見えな

い毛を逆立てたままだ。

「ん、剃った。今から大樹海に向かうだろう？　エルフはヒゲを嫌っているからな、ドワーフを思い起こさせるからって。初対面は良い印象を与えた方がいいだろうし」

「……剃った……のか……」

「ウォルは俺のヒゲを気に入ってたよな。悪い」

「いや！　好きだがなくてもいいんだ。ない方がいいかもしれない、というか個人的にはない方がいい。カリヤがヒゲを生やしたいというなら、もちろん尊重するが！」

「お、おう……？」

「いや、すまない。久々にあなたのその顔を見て、動揺した。……タキリン以来だな……」

懐かしさが混じった言葉に、「そうだな」と頷く。

元々生えにくい体質だったから、伸ばすのには苦労した。タキリン城砦（じょうさい）から飛ばされ、人里であるヘレンナに向かうまでの一か月ほどをかけて生え揃えさせた。

生やすのは大変だが、剃るのは一瞬だ。

「で、何故ルカは固まったままなんだろう？」

「……カリヤ、あまりに印象が違いすぎるんだ。彼はヒゲのあなたとしか接したことがない。別人のように見えているんだろう」

フレーメン反応状態のエルフの子は、まだ固まっている。眩（まぶ）しそうに目を細めて俺を見るウォルが、なくなったヒゲを惜しんでいるようだったので、三つ編みにした髪を見せる。

「あ、髪は切らないでおいたから。長い髪の方が好きなんだろう、ウォルは」

「……っ、あ、ありがとう……」

ものすごくうれしそうに笑ってくれた王子様に、どういたしましてと微笑んで応える。

ヒゲはなくなってしまったけど、こっちは切らないから安心しなさい。

長い髪はいろいろとサバイバル的に便利だからな。

あえて切るつもりはない。

白馬との再会

フレーメン反応状態から元に戻ったルカは、しばらく顔を赤くしていた。

当たり前だがエルフは猫や馬と同じという訳ではなかった。ただびっくりしただけで、驚いた自分が恥ずかしかったようだ。

蛮族は蛮族として生まれてきた訳じゃなかったんだよ。

こちらこそ驚かせてすまんな。

食後にウォルも染めていた髪を元の色に戻したが、王子様の金髪は何故かスルーされた。

おかしい、ここでこそ驚くべきなんじゃないか？絶世の美少年、キラキラ度十割増しだぞ？

尋ねると、ウォルは元から王子様で髪も染めていると聞いていたから、予想の範囲内だったらしい。

久しぶりの金髪に見惚(みと)れてしまったのは俺だけだった……それを伝えると、王子様本人が非常に恥ずかしがってくれた。

恥ずかしがる王子、可愛すぎる。

と、まったりしたのは俺の復活したその日だけです。次の日からさっそく移動。潜伏していた山奥からの脱出だ。

ルカの故郷である大樹海の、地図上の座標は『04：05』から『04：06』にかけて。

南東の方角へ向かって移動することになる。

この山地を越えれば後は大きな山はなく、森と平原ばかりだ。森の中ではジャンプは使えないから、平地で多用して移動のスピードを上げる。

歩くには険しすぎる地形とジャンプ可能な平地では、俺がルカを背負って行動することになった。

エルフの子供は恐縮していた。何故かウォルに対して。これまで俺がサポートしていたが、ウォル一人で対処しなくちゃいけなくなったからか？

……エルフの子には申し訳ないが、万が一の事態に陥れば、俺は背中の子供を捨てて王子を助ける。

そう、最初に伝えておいた。知らないよりは、知っておいた方がいい。

それよりも一番大事なのはウォルド王子の存在だ。エルフ族の助力は欲しいが、震えながらも子供は頷き、当たり前だと受け止めてくれた。

——この《ゴールデン・ドーン》によく似た世界では、弱ければ死ぬ。強くないと生き残ることは出来ない。

残念だが、俺は絶対的な強者という訳ではない。

まずはウォル。

そしてエルフの子も、俺の手が届く範囲で助ける。

そう誓って始まった三人旅の途中。

夜の森の中での出来事だった——。

テントを作ってから、寝ずの番はなくなっている。

それまでも野営地の周囲にモンスターの侵入を防ぐ守護結界を張っていたが、六時間で効果が切れるアイテムだった。なので深夜にもう一度新しい結界を張り直してから眠りについていた。

だがテント完成後は、夜更かし不要となった。なんとこのテント、アイテムをセットしておけば自動で結界を延長してくれる機能がある。

結界が破られそうな場合——守護結界があるのを知りながら外部から干渉があった場合は、警戒音が鳴って内部に危険を知らせてくれる。

その警戒音が鳴った。

ナイトウェアに着替えていたが、防具とアクセサリーを身に着け、弓を片手に持つ。矢筒を持たなくても、矢は瞬時にアイテムボックスから取り出せる。

そうして武装して、自分の部屋を出る。

聞こえる警報音のレベルは最低だ。テントに近寄ってきた存在に、敵意はないらしい。

ウォルも武装を終えて自分の部屋から出てきた。

ルカも夜着から着替えて続く。

　俺がエリクサーの眠りから目覚めて以来、アイテム作製のために夜更かしをしているので、二人には同室になってもらっている。

「……カリヤ。警戒音が規則的で、まるでノックのように聞こえないか？」

　ウォルが声をひそめて尋ねてきた。

「そうだな。守護結界の存在に気づきながら接触しているように思う。この中の誰かの知り合いか、もしくは助けを求めるために接触を試みているのか……力ずくで結界を破るつもりはないようだ」

　今から俺が外へ出る、と告げる。

「二人はこのままテントの中で待機していてくれ。訪問者だと仮定すると、可能性があるのはルカを探しに来たエルフか？　ルカ、出入り口から覗(のぞ)いて、知り合いならすぐに教えてくれ。もし訪問者が敵で攻撃をしてきた場合、ウォルは安全な場所までジャンプで逃げろ」

「はい……っ」

「――分かった」

　テントの出入り口の布をたくし上げて外に出ると、夜の森は真っ白な霧に覆い尽くされていた。

「……異界が重なったのか」

　霧の向こうに生き物の気配がする。動く影も見えた。だが、テントの周囲の気配に敵意はない。

　霧がどんどん濃くなっていく。

　神聖銀(ミスリル)の短剣を取り出して確認したが、青く光ってはいなかった。ということは、重なった異界は冥(めい)界(かい)ではないようだ。

　ここは中央国家群だから、神界ということもおそらくない。彼(か)の場所が繋(つな)がるのは、基本的に辺境の奥地のみだ。

「精霊界か」

　肯定するかのように、霧の彼方(かなた)から馬のいななきが聞こえた。

　俺は矢をつがえて構えていた弓を下に降ろした。

精霊界には多少の縁がある。

真っ白な霧は濃く立ち込めているが、最初から敵意のようなものは感じていない。

テントの周囲に二重に張っていた守護結界の、外側だけを消す。テントを守る内側はそのままで、俺だけ結界の外に出た状態になる。

そのまま待っていると、霧の彼方から蹄の音がゆっくりと近づいてきた。

『……久しいな、白き乙女の主』

「バイヤール」

俺の目の前に現れたのは、立派な体躯の黒馬だった。

守護結界をノックしていたのは彼なのだろう。

テントの中からウォルも姿を現した。ルカも、おっかなびっくりという様子で後に続き、こちらに近づいてくる。

二人が後ろに立ち、俺は黒馬を見上げた。

「何か用か?」

『……我の愛する妻が、主であるおまえに助けを求めている。彼女の願いに、耳を傾けてやってくれないか?』

「――ユキがどうかしたのか?」

以前、短い間だが世話をしていた白馬の話題を持ち出され、俺は眉をひそめる。

ついてこい、と黒馬は白い霧の奥へ向かって歩き出した。白い霧の向こうには精霊界が存在しているはずだ。このまま黒馬についていけば、異界に渡ることになる。

背後を振り返ると、ウォルが俺の視線に頷いた。

「行こう、カリヤ」

「――ああ」

このまま二人を残していくつもりはなかった。精霊界への招待に、危険はほとんどない。

はぐれないようにと二人に注意し、俺はバイヤールの後に続いて霧の中に足を踏み入れた。

以前出会った時にはテンションが高かった黒馬は、

今夜は静かで深い悲しみに包まれているようだった。霧の向こうに感じる、いくつもの気配もどこか沈んでいる。

歩きながら黒馬に尋ねる。

「何があった？」

『……乙女が……我が愛する妻が仔を産んだ』

「早くないか!?」

別れてから半年も経っていない。

思わず出た言葉に、前を行く黒馬が頷く。

『我の属する精霊界では、強い願いは力を持つのだ。……妻は、我らの仲間に喜びをもって迎え入れられた。父祖の霊から予言をいただいたのだ。〝白き娘がいずれ王となる仔を産む〟と。皆は願った。早く仔が産まれるようにと。ただ、妻が精霊界の者ではないことを失念していた。願いは力を持ち、彼女は仔を得たが、あまりに早く産まれてしまった……』

白い霧が晴れ、視界が開ける。

これまで見たこともない、不思議な森の中だった。

淡い光を放つ木々。たおやかに揺れる葉は降り注ぐ月の光を弾き、ごく小さな銀の光の粒を撒いている。頭上を見上げると、梢のすきまから大小の月が二つ、夜空に輝いているのが見えた。

精霊界には月が二つ存在する。

ＭＭＯＲＰＧ《ゴールデン・ドーン》の、設定の通りだった。無数に輝く夜空の星々も、二つの月と共に静かに地上を照らしている。

夜の暗闇は真の闇ではなく、向かう先に多くの黒馬が集っているのが見えた。

他の馬が静かに道を譲る。

俺たちを案内してきたバイヤールが歩を進めると、たどりついたのは、森の中でもひときわ大きく枝を広げる木の根元。柔らかな草が生えたその一角に、美しい白馬が座り込んでいた。

白馬の腹の付近に、小さな仔馬が横たわっている。目を閉じて浅い息を繰り返している黒い仔馬には、額の中央に星のように白い毛が生えていた。

仔馬に寄せていた首を上げ、白馬は近づいてきた夫に視線を向けた。

その後ろに立つ俺に気づき、彼女が体を震わせる。

『……見たとおりだ。仔は自分の力で立つことが出来ぬ。母の乳を飲むことも出来ぬ。これでは……生きていくことは出来ぬ。我らはあまりに多くを、強く望みすぎた。半分しか精霊の血を引かぬ仔は、力ある願いに耐えるだけの体を作る前に、望まれるままに生まれてしまった。我らの……我の罪だ』

すまぬ、と黒馬が呟く。

白馬は、夫の後ろにいる俺をじっと見つめていた。

ただの馬である彼女は、夫のように言葉で伝えるすべを持たない。だが、まっすぐに向けられる視線が訴えかけていた。

自分の仔を、助けてくれないだろうかと。俺が母親である彼女を助けたように。

次代の王になる仔

俺は白馬の元に歩を進める。

黒馬の輪が更に広がり、俺と白馬を遠くから見守ろうとする。

「ユキ」

俺は彼女の名を呼んだ。応えるように、白馬が小さくいななく。彼女はただの馬だ。だから俺には彼女の言葉が分からない。

子供の側から動こうとしない彼女は、俺に向かって長い首を伸ばし、夜の闇を溶かした深い瞳で訴える。

『……乙女』

聞こえない声に答えたのは彼女の夫だった。

『その仔は……肉の器を完成出来ずに生まれてきた。ポーションを飲ませても、穴の開いた器からこぼれ落ちるだけだ。自分の力で立つことも出来ぬ仔だ。ひとたびの力で生きながらえても、立てぬ仔は育つことが出来ぬ』

　白馬の瞳から涙がこぼれ落ちる。

　真珠のような、真円の涙をこぼしながら、彼女は我が仔に鼻先を寄せた。

　浅い呼吸を繰り返しているのが分かる腹に、鼻先を寄せる。小さな体をすくい上げるようにして、彼女は子供を立たせようとした。

　何度も、何度も。

　小さな体が母親に持ち上げられては、そのまま下へとずり落ちる。

「……ユキ、やめるんだ」

　白馬の傍らに膝をつき、首すじにそっと触れて彼女に声を掛ける。

　呼びかけに動きを止めた彼女の、月の光を弾いて銀に輝くたてがみを撫でる。

「泣かなくていい。……必ず出来るかは分からないが、なんとかしてみよう」

　子供を預けてくれるか？

　尋ねると、少しの間をおいて白馬が立ち上がる。

　横たわったままの仔馬に近づき、俺はその小さな体に触れた。

　体温が低い。アイテムボックスの中から毛布を取り出して、仔馬をくるむ。

　足の上に仔馬を置いてその場に座り、さて……と俺は自分が収納しているアイテムを思い浮かべる。

　おそらく、治癒魔法は効かないのだろう。

　精霊界にも使い手はいる。試していないはずがない。体が出来上がっていないから、今この状態で治しても、それは父親いわく〝穴が開いた状態の維持〟でしかない。器を満たそうとしても、穴からこぼれ落ちるだけだ。

　この、ＭＭＯＲＰＧ《ゴールデン・ドーン》に似た世界は、ゲームの仕様に酷似してはいるが、すべてがゲーム通りという訳じゃない。

　まず、エリクサーの瓶を取り出して、草の上に置いた。

その横にＨＰ回復ポーションとＭＰ回復ポーションを並べる。それからウォルにも使っている、ステータス強化の意味合いでのドーピングアイテム。

成長時のボーナス効果、数値補正、時間短縮。

そして成長促進。植物の収穫を早めるものだ――ゲーム内では人や動物に使用出来る選択肢は出現しなかった。だけどこの転生した世界には、『選択肢』なんて存在しない。動物相手にも、使おうと思えば使える。

これから俺が取ろうとしている手段は、ただのドーピングだ。

必要なポーションを必要なだけ飲ませて、小さな体を成長させる。だが、ポーションは一定量以上摂取すると状態を悪化させる。〝ポーション酔い〟と呼ばれる現象に陥る。

ポーション酔いは、万能薬のエリクサーで適時治していくことになる。

幼い体が許容出来るポーション量は、ごくわずかしかないだろう。その状態は〝詳細鑑定〟で見極めるしかない。

「――始める」

俺の瞳に、詳細鑑定発動の光がともった。


まるで、ミニゲームをしているようだ、と草の上に並べた各種ポーションの瓶を持ち替えながら思う。

成長促進、ボーナス効果、ＨＰ回復、エリクサー、成長促進、時間短縮――。

今の仔馬は自力でポーションを飲める訳ではないが、元々ポーションは飲まなくても効果は落ちるがちゃんと効く。口元に注いだだけでも効果はあるから大丈夫だ。

ＨＰ回復、成長促進、ＨＰ回復、ＨＰ回復、数値補正、成長促進、エリクサー。

詳細鑑定は常時発動するタイプの魔法じゃない。その瞬間瞬間の状態を切り取って鑑定するものだ。

だから、一口飲ませるたびに確認することになる。

ポーション酔いの兆候が表れたら、すぐさまエリクサーを少量飲ませて中和する。

俺は手を伸ばして、ＭＰ回復ポーションの瓶を取った。

片手だけで蓋を外し、自分で飲む。

ＭＰ回復ポーションは仔馬には必要ないが、俺にとって必要だから準備していた。詳細鑑定はＭＰ消費量が地味にキツイ。

こんな風にぶっとおしで発動する必要があるのは、生体を相手にしているからだ。

ＨＰ回復、ＨＰ回復、ＨＰ回復、ＨＰ回復、エリクサー、……エリクサー。

新しいエリクサーの瓶を、アイテムボックスから取り出す。それから、残り少なくなっている回復ポーションも。

「……カリヤ、これを使って。もうＭＰポーションを七本飲んでいる。このペースで飲んでいたら、あなたがポーション酔いを起こす」

側にやって来たウォルが膝をつき、自分の腰に下げていた光玉を差し出してきた。

そういえば、彼は毎日ＭＰ量を増やすために光玉に自身のＭＰを封じ込めていた。

始めた当初は何日もかかって満たしていた銀色の球体も、最近は日に数回満たせるようになっている。込めたＭＰは、テントの維持エネルギーとして利用させてもらっていた。

礼を言って受け取り、光玉の水晶部分を指で押し込む。

ウォルが込めていたＭＰを充填させてもらう。

「――まだ作れるか？」

「ああ。出来次第渡す」

返した光玉を両手で包み込むように持ち、ウォルが目を閉じた。

膝をついて祈るようなその姿勢は、まるで仔馬に対して向けているようで、実際に祈ってもいるのだろう。

小さく微笑み、俺は作業を続行する。

この仔が助かればいい。

ウォルが、母親が、少し離れた場所から見守っているエルフの子が、父親や一族に連なる大勢の仲間たちが祈っている。

精霊界では祈りや願いは力になる。だからきっと、この仔は助かるはずだ。

――助けてみせる――。


自分の足で立ち上がった仔馬に、周囲から歓喜の思念が届いた。

じっと待つ母親の元までたどりつき、自力で乳を飲み始めた幼い命に、ほうっと息をついた俺は転がる空き瓶の中に倒れ込んだ。

な、なかなかにつらかったよ、耐久ミニゲーム。

一つ手順を間違えれば仔馬が死ぬかもという緊張感が、ゴリゴリ精神を削ってくれた。

発動をしすぎて、灯り続けた光に熱を帯びてしまった両目を閉じる。ぐりぐりと指先で目の周囲を揉んでいたら、ひんやりとした布が手の甲に触れた。

「……おつかれさま、カリヤ。これで冷やす?」

「ありがとう、ウォル。光玉も助かった。俺もエリクサーを空けなきゃいけないところだった」

結局、光玉追加のためにウォルにもMPポーションを飲んでもらっている。だが、リスクを分散出来たおかげで、不調になることもなく最後まで続けることが出来た。

渡された濡れた手拭いを、閉じた目の上に載せる。

先ほどまで取り囲むように群れていた馬たちが移動したので（おそらくユキと仔馬の元に行ったのだろう）、周囲の熱気はなくなっていた。ひんやりとした夜風が頬を撫でていく。

草の上に転がる俺と、隣に座っているウォル。あとの気配は遠くて――、

「――ルカは?」

「はい」

心配した子供の声はすぐ近くから聞こえ、俺は目を冷やしていた手拭いを取ると上体を起こした。

白い髪の毛を輝かせているエルフの子が、銀のゴブレットを差し出す。ほのかな乳白色の輝きを宿している液体が、ゴブレットの中で揺れていた。

「これ、さっきそこの泉で汲んできました。喉が渇いたでしょうから、飲んでくださいと馬さんが言ってくれて……あ、ボク念話が出来るんです。このバイヤールの群れで人の言葉を話せるのは長だけですが、エルフは精霊に近いから、他の馬さんとも会話が出来るので。皆、カリヤ様とウォルド様に感謝しています」

「……カリヤ、もしかしてこれは……」

申し訳ないが、自身のことを照れながら教えてくれるルカの話は聞いていなかった。

どうやらウォルも水の正体に気づいたらしい。

『精霊界の泉の水』は、不老長寿の力を持っているレアアイテムだ。

ゲームの中では、その場で飲めばNPCには緩やかな老いと十年ほどの長寿をもたらし、プレイヤーには微量のステータス増加効果をもたらしていた。

そして精霊界から持ち出せば、アイテムの素材になる。高ランクアイテムはこれがないと作製出来ないものが多い。

前世ではそうそう精霊界に取りに行けなかったので、課金で調達していた代物。今世でもあればいいなぁと思いつつ、入手は不可能だと諦めていた――。

「……カリヤ。バイヤールは飲めと言っているのだから、飲まずに持ち帰るのは……」

「え？　ダメ？」

生産職として本能のままに、ゴブレットの中身を空き瓶に移し替えようとしていたよ！

飲むなんてもったいない。

これは運営のない今、レアアイテムをゲット出来る最大のチャンスだ。

あ、ウォルは飲むように。

ちゃんと半分は残すから、飲んで美貌はそのままに長生きをしてくれ。俺が飲んでもステータスの数値が一つか二つ上がる程度だからなぁ……え？　転生者でも長生き出来るようになるって言い伝えがある？　今世では仕様が変わってる？

だけどこれを原材料に作りたいアイテムが山ほどあるんだが……。

『好きなだけ汲んでいってもかまわんぞ、乙女の主』

やりとりに口を挟んできたのは群れの長であるバイヤール。ユキの旦那だった。

『そなたたちは息子の恩人だ。そして、我がバイヤールの次代の王の恩人、一族全体の恩人でもある。受けた恩には礼をもって報いよう』

こちらへ、と黒馬が長い首を振って案内をし始める。ついて歩いていくと、森の開けた場所にお宝が積み上げられていた。

すべてが精霊界産の素材やアイテムだった。

アイテムランクはEからSSまで幅広い。一角獣や月光鹿の角、花蜘蛛の糸、各種薬草、果物、苗、鱗、宝石、金属。

命を奪わないと手に入らないアイテムはまったくないけれど、それ以外のアイテムはほとんど揃っている。

『まず、これらは謝礼ではない。そなたが我の仔に使った貴重なポーションの対価だ。交易スキルを持つ者が算定したから、そなたが不利益を被ることはないはずだ』

精霊界にも交易スキル持ちがいる模様。

『受けた恩は、そなたたちが生きている限り、バイヤールすべてが返すことを誓おう。まずは〝称号〟を。〝精霊界の友〟だ。この称号により、そなたたちはすべての精霊の好意を得ることが出来る』

……この世界は、ＭＭＯＲＰＧ《ゴールデン・ドーン》とは違うはずなのに、どこまでもゲーム的だ。

ステータスを確認することは出来ないけれど、謎の声が脳内で響き、自分がたしかに称号を得たのだと理解した。これで俺とウォル、ルカはこれから精霊の助力を得ることが出来る。

森で迷うことはない。水で溺れることもないだろう。そこが精霊界と繋がっているのなら。

『そして乙女の主。そなたには次代の王になる仔の、名付け親になる栄誉を。……本当なら我が名付けたかったのだがな！　愛する妻が、命の恩人に息子の名をつけてほしいと言って聞かぬのだ！』

ぷんすかと黒馬が怒っている。

集まっていた黒馬の群れの中から、白馬が姿を現す。小さな仔馬が母親の側に寄り添ってついてくる。仔馬が母親に向かって首を伸ばし、そして俺の方へ視線を移した。

黒い瞳が、じっと俺を見つめる。

「……バイヤール。たしかおまえ、王の第百三十九子だったな？」

『そうだが？』

「なら、父親から名付けを。――〝イサク〟と。父親のように偉大に、母親のように聡明になるように」

『――！』

数字をそのまま読んでみたんだが、父親由来の名前であることは変わりない。

理解した黒馬が、声にならない喜びを爆発させている。そんなに喜んでもらえるとは。

白馬もうれしそうに夫の元に近づいていく。

だが、仔馬は両親よりもこちらに興味を示しているようだった。とことこと近づいてきた仔馬が、細い首を伸ばして俺の顔を窺っている。

しゃがんで目線をあわせてやった。

手を伸ばし、額に浮かぶ白い星に触れる。

精霊界では――精神体に近ければ近いほど、名前の持つ重みは大きくなる。

だけど名付けをしたからと、この小さな命を束縛する気はない。彼は自由に生きればいい。

俺は小さな仔馬に微笑みかけ、祝福を贈った。

「――君のこれからに幸いがあらんことを、イサク」

黒馬の協力

精霊界からテントに戻った後、まずは寝た。

ベッドに倒れるように横になったと同時に寝ていた。肉体はそれほど疲れなかったんだが、精神は思いっきり酷使したものなぁ。

戻ってきたのも遅い時間だったから、次の日は昼まで眠り続けた。

ウォルとルカは普通に起きたらしい。

野外に用意されたテーブルで、一人分残されていた朝ごはんを手を合わせて食べている間、彼ら二人はにこにこと昼食を食べていた。

やはり食事は皆が揃って食べるべきだよな。……寝坊しすぎてごめん。

「カリヤ様には、昨夜は一番負担がかかってましたから、仕方ないと思います。ゆっくりと休めましたか？」

食後、マイルームに戻って作業を始めた俺の側で、助手役のエルフの子が尋ねてくる。

本日は夜までアイテム作製の予定だ。ウォルも自分の部屋で作業中。彼には剣を研いだりといった装備のメンテナンスを頼んでいる。テント内の部屋は微妙に狭いから、道具を広げた状態で一室に三人入るのは無理だった。

おかげさまで、と起こすことなく休ませてくれた子供に礼を言い、そういえば……と俺は作業の手を休めることなく問い返す。

「少しルカに確認しておきたいことがある。いいかな？」

「ええ、カリヤ様。ボクに答えられることでしたら」

「……本題に入る前にその口調なんだが、ウォルド殿下はティシア国の王族だから様付けにすべきだけど、俺はただの平民だ。別に様付けなんてしなくてもいいぞ？　言葉遣いも丁寧にする必要はない」

俺の言葉に、子供は白い髪を揺らしながら首を振った。

「命の恩人の名を呼び捨てるなんて出来ません。ウォルド様にも言われています。カリヤ様は遠慮するかもしれないけれど、自分を助けるために尽くしてくれた相手に対して、礼を失ってはならないと」

「……なるほど、了解した」

正論だった。

たしかに普通なら恩人のような存在に対して、タメ口や命令はありえないよな……普通に考えたら。

ちょーっと今世の自分が、どちらかというと生まれや育ちで虐げられる立場だったから、当たり前に受け止めていたかもしれない。差別とか、そういった類のものを。ウォルは身分上、俺に対して上位の立場にいなくてはならないけど、権力をかさに着たことはない。きちんと礼をもって相対してくれている、と感じている。

つまり、正論を語って実行出来ているウォルド王子すげぇってことだ。

そのすげぇ王子だが、俺がユキの息子である仔馬とキャッキャウフフのふれあいをしている間に、親のバイヤールとすげぇ話をまとめていた。

なんと交渉の結果、俺たち三人は大樹海まで精霊馬に送ってもらえることになっていた。

彼らは夜にしかこちらの世界に出現出来ないため、しばらく昼夜逆転の生活を送ることになる。夜通しの乗馬は身体的にはきついが、十日ほどで大樹海にたどりつけるなら無理をする価値はあるだろう。

そんな王子、以前バイヤールたちと会った時には髪を黒く染めていた。俺は蛮族姿だった。

外見が変わっていたのによく同一人物と分かったなと感心していたのだが、精霊やモンスターといった生き物は、外見より魂の輝きとやらで人の見分けをつけるらしい。黒髪だろうが金髪だろうがヒゲだろうが、魂が一緒なら気にしないそうだ。

そしてユキも何故か判別していたが、その周囲にいた彼女の仲間である普通の馬は戸惑っていたという話に、なんだかこちらの方がゴメンねと反省しきりだった。

「あ、そうそう本題だ。ルカ、今から大樹海に向かう訳だが、エルフの認識について聞きたいことがある」

はい、と頷く子供に直球で尋ねる。

「俺は転生者だが、エルフにおける転生者の扱いはどんな感じだ？」

「敵です」

子供の返答も直球だった。

「昔、転生者は大樹海に許しもなく押し入り、森を無残に荒らしました。アイテムを得るためだと世界樹さえ切り倒そうとしたのです。その蛮行にボクたちの祖先は怒り、転生者と彼らに協力していた人族が侵入しないよう、大樹海全体に不可侵の結界を張りました。ボクたちは森のもたらす恵みだけでも生きていけますが、やはり手に入れたい物もあります。ですからこちらから森の外に出向く形で、細々と人族と交流は続けていますが、転生者はまったくこれっぽっちも信用していません」

「そ、そうか……」

「ですが、例外もあります。これまでも何人か、エルフと交流を持つ転生者が大樹海に招かれたことはあります。転生者のすべてが悪い訳じゃないと、例外もいるのだとボクたちは知っています。カリヤ様はボクの命の恩人です。両親や一族を必ず説得し、力にならせていただきたいと思っています」

「……よろしく……」

ルカは小さなこぶしを握って健気に訴えるが、取りあえず俺は先に腹をくっておくことにした。

ただの人族だとごまかそうとしても、転生者と間違いなくバレるだろうからなぁ……。

なにせ、ルカを助けるために自作のエリクサーを使ったんだ。

Sランクアイテムを作れるのは転生者しかいない。それに取得可能Aランク以上のジャンプも自在に行っている。

干渉阻害アイテムで自身のランクを隠したとしても、事実を組み合わせていけばバレる。バレないなんて思わない方がいい。

さすがに、発見次第殺しにかかってくるなんてことはないと思いたい。余計な波風を立てないうちに、ルカを親元に届けたらすぐにも大樹海を出るしかないか……あ、無理だった。

そういえばうちの王子、エルフの元で魔法を修行したいと言っていた。彼のスキルアップのためにも、可能なら短期滞在をさせてもらって修行をした方がいい。生産職を選んだ俺はAランク以上の魔法や戦闘職スキルが使えないから、そちら方面は教えられない。

「――ま、そうひどいことにもならないだろ」

エルフは理知的な種族だ。前世のゲームではそういう設定になっていた。

早熟で思索を好み、森の賢者と呼ばれる。

ルカーシュなんて、とても十歳にも満たない子供とは思えない受け答えをする。物分かりがいい子なので、世話をするこちらも助かっている。

……そんなエルフと比べ、ドワーフは大人になっても中身は子どものままだったなぁ。

奴らとの会話は最終的に、こぶしで殴り合う。で、友情が生まれたりしていた――ゲームの中での話だ。

意識を切り替え、エルフの子と会話の続きをする。

「ルカ。無事に大樹海の縁に着いたら、結界を越えるのは任せていいんだな？」

「はい。ボクがお二人に触れていたら、拒絶されることなく森の中に入ることが出来ます」

「バイヤールに乗ったままで入るのは無理か」

「ですね。弾かれて振り落とされると思います。降りて、手を繋いだりして向かった方がいいでしょう」

「カリヤ、私の方の作業は終わった。こちらを手伝おう」

青蛙(ブルーフロッグ)の革で区切った出入り口から、ひょいとウォルが顔を出す。

「おつかれー、ウォル」

「ウォルド様、こちらにどうぞ。カリヤ様の正面の席です」

　にこにこと笑いながらルカが立ち上がり、ウォルに自分の席を譲る。

「お二人ともずっと作業をしていますし、ボク、お茶を淹れてきますね。ウォルド様、ゆっくり休憩してください」

　入れ替わりに部屋を出ていく子供を見送り、俺の前に座った少年に視線を移す。

「……何か？　カリヤ」

「いや、二人とも仲が良いなぁって思った」

「え!?」

「俺が眠っていた間、ずっと一緒だったしな。起きたら二人が仲良くなってて、良かったと思ったよ。ルカは人族全般に苦手意識を抱いていたと思う。それをウォルが消したっていうのも良かったと思うし、ウォル個人としても年下だけど友人が出来たようで良かった」

　王子様って友人が作りにくいだろうっていうのが、俺のイメージだったんだよな。

　ウォルは立場的に難しいんじゃないかって。

　でも、俺は知らないだけで幼馴染とかはいるだろう。大臣の息子とか、騎士団長の息子とか？　ラノベ知識だけど。

　タキリン城砦を落ち延びてからは、彼の側には年上の俺しかいなかった。

　……俺は、王子である彼の〝友人〟にはなれないだろう。

　〝愛人〟は断ってしまったし。

　転生者としての立場なら、王子の友人になれるだろうか？　ティシアでは転生者への受けは悪そうだが――。

「……カリヤ。どうかした？　なんだか寂しそうな顔をしている」

　ウォルが心配そうに俺の顔を覗き込んでいた。

エメラルドの瞳の中に、ものすごく情けない表情を浮かべた男の姿が映っている。

「……いや、ちょっと……ごめん。多分、その、少しだけ……複雑な心境になったというか……」

「安心して。ルカも誰も、私にとっては決してあなたの代わりにはなれない」

王子様はとても美しく微笑みながら囁き、視線を部屋の出入り口に流す。

「ルカは遅いね。そろそろお茶の支度は終わったと思うけれど」

「お待たせしました！」

タイミング良く、エルフの子どもがティーカップを載せたトレイを手に戻ってきた。

そのまま和気あいあいと年少者二人はお茶を飲み始めたが、年長者は悶えるのを自制するので必死だった。

バレてる。

ちょっぴり疎外感を感じていたことがバレてる……っ。

その上で大丈夫だよと慰められたというか、彼の言葉が正直うれしかったというか！　やばい、戻ってこい年上としての余裕！

出来た二人は、挙動不審な俺の様子を優しく眺めていただけで、指摘することはなかった。

――やっぱり仲良いな、この二人。


テントをそのままアイテムボックスの中に片づける。夜の暗い森の中で、バイヤールからもらった笛を吹くと、どこからか白い霧が流れてきた。

近づいてくる軽快な足音に、馬のいななき。

十頭ほどの黒馬の群れが、白い霧の中から現れた。

ユキの旦那はいない。彼は一応、群れを束ねる立場なので滅多にこちらの世界にやって来ないそうだ。

通訳役のルカが黒馬と念話で話し、前に進み出た二頭の馬の背に鞍や馬具を取りつける。

一晩に乗る馬は交代制だ。

俺たちを乗せる馬が疲れるからという訳ではない。

スタミナがあるから二頭だけでも足りるのに、好奇心旺盛（おうせい）な若いバイヤールたちがこちらの世界に来ることを望み、収拾がつかなかったからだそうだ。

うんうん、ちゃんと運んでくれるなら何頭来ようがかまわないぞー。ただしサボるんじゃねーぞー。

寄り道でもしようものならぶっ飛ばす。

俺は一人乗り。ルカはウォルが担当する。俺の乗馬スキルのランクが低いので、ルカと相乗りは無理だった。

すまん、代わりに遊撃で動くから。

もし落馬しても、ジャンプでなんとか鞍の上に戻ることが出来るから安心してくれ。

「――さぁ、出発だ」

周囲をバイヤールの群れに守られながら、俺たちは大樹海に向かって移動を開始した。

突撃準備

エルフの住む大樹海まであとわずかという距離で、とうとう俺たちはクラシエルの転生者に捕捉（ほそく）された。

見つかった原因は……テント内にトイレを作っていなかったからです。

構造上、個室は作れなかったんだよ。

外で済ませればいいだろうと考えた俺のミスだ。

夜に属する精霊であるバイヤールで移動しているので、俺たちは昼夜逆転した生活を送っていた。

だから、そういう〝理由〟で早くに起きたルカが、まだ明るい日中に外に出た。

テント本体は背景に溶け込むように偽装を施し、そこにあると知られないようにしていた。周囲には守護結界が張ってあるので、中には侵入出来ない。

エルフの子供は、結界内は安全だと理解していた。

だけど侵入が出来ないだけで、外からはテント以外の中の様子がばっちり見えてしまうんだな……。

大樹海全体に張られた巨大な結界の内部で暮らしていた子供は、そういう仕様を正確に理解していなかった。

だから、生理的欲求を解消した後もまったり周囲を眺めていた彼は、たまたま俺たちを捜索していたクラシエルの転生者に見つかってしまった、らしい。

はっきりと分からないのは、一瞬しか奴らを見なかったからだ。

ルカの悲鳴に気づいて、テントからジャンプで飛び出した俺とウォルが見たのは、守護結界の向こうにいた転生者があわてて姿を消した瞬間のみだった。

一瞬だったが、鑑定はした。

冒険者ギルドのクラシエル支部に所属している、Cランク物理系戦闘職。

Cランクということは、ランクアップアイテムを使ってもジャンプは出来ないだろう。離脱するために〝リターンホーム〟を唱え、自分の本拠地へと戻ったのだと推測出来た。

大急ぎでテントをアイテムボックスに収容し、その地を離れる。

昼夜問わずの逃走が始まったが、一度昼間に追手と森の中で遭遇した。既に目撃されていたルカはエルフなので、大樹海を目指していると判断して、ヤマを張られていたのだと思う。

その時に分かったこと。

どうやらジャンプやリターンホームといった転移系スキルは、体重差だけではなく相手が同意しないと発動しないっぽい。

二人組の敵にルカがさらわれかけたが、転移で連れて行かれなかったのですぐに取り戻せた。

ついでに俺も彼らの体に接触してジャンプを行おうとしたが、キャンセルされた。

近くの木立に突っ込ませる気満々だったのだが、やはりそう上手くはいかないものらしい。前世のゲーム内もそういうテクニックはなかったが、今世はもしかしたらと思ったんだけどなぁ。

それほど戦闘慣れはしていなかったのだろう。追手だったBランクの二人組を逃がすことはなかった。

だいたい遠近揃えたつもりかもしれないが、何故槍使いと弓使いのコンビで臨もうと思ったんだ？

障害物だらけの森の中だぞ。弓矢は通らないし、槍も振り回せない。それをようやく理解した追手が真っ青になっていたが、そこまでだった。

――もう穴は掘らなかった。埋めてもどうせすぐにバレる。


「……かなりの人数が待ち伏せているなぁ……」

暗視機能付きの自作望遠鏡で、俺は森の縁に身をひそめながら前方に広がる草原の様子を観察する。

月のない夜だ。

だから遠くからでもはっきりと、草原を一直線に伸びるように焚かれているかがり火の炎が見える。

熱量探知に視界を切り替えれば、三十人は下らない人らしき形が判別出来た。馬もいるようだ。

草原をゆるく封鎖するように陣取っている一行の、その奥にある大樹海にも、小さな光が瞬いている。

こちらは遠すぎて、詳細が分からない。

だがおそらく、森の外の異変を警戒するエルフたちが集まっているのだろう。

アルシリン方面に逃走しているのだと思わせたかったんだが、その後ルカーシュを目撃されてしまった。エルフの子供を案内人に、大樹海に逃げ込もうとしているのは読まれている。

だから接触地点から最短ルートのこの草原で待ち伏せされている。

遠回りをして、別の場所から大樹海へ突入を試みるのは難しいだろう。時間を置けば置くだけ、待ち伏せする敵の数は増えると思った方がいい。

しかし、

「……どのくらいの人数が、転生者なんだろう？」

鑑定が出来ないほど距離は遠かったが、俺は夜の闇に向かって目を細める。

あの集団に、ＮＰＣであるこの世界の住人は参加しているのだろうか？

おそらく草原に集結している彼らは、転移ポータルで移動してから、ジャンプなり馬での移動なりでここまでやって来たのだと推測出来る。

ランクＡから使用可能なスキルのジャンプだが、ランクアップアイテムを利用してマスターしている住人はそれほど多くないはずだ。ジャンプが使えるのはイコール転生者だと考えていい。

なら、あそこに集う三十人ほどは、すべてクラシエルの転生者なのだろうか？　生産職が来るとは思えないから、全員ランクＢ以上の戦闘職？

ならば疑問が変化する。

――〝数が多すぎないか？〟

「カリヤ」

掛けられた声に、俺は思考の淵に沈みかけていた意識を引き上げた。

仮眠から目覚めたウォルが側にやって来る。

特に望遠鏡で覗かなくても見えるだろうかがり火の炎に、彼も目を細めたのが分かった。

「待ち伏せされているな」

「ああ。はっきりとは分からないが数は三十以上。……全部がクラシエルの転生者だと思うか？」

「他国からの応援も含まれているのかも」

答えたウォルが俺の隣に立つ。

望遠鏡を渡すと、彼も前方の草原を確認し始めた。

「ルカは？」

「起きて、テントの中で夜食を用意している。休ませてくれてありがとう。カリヤは徹夜になるけど大丈夫？」

「エルフの里に無事たどりつけたら、ゆっくり眠らせてもらうさ」

ウォルが草原の様子を一通り見たのを確認し、戻ろうかと声を掛ける。

テントの中に入ると、エルフの子が調理キッチンの前に立って、作り置きのシチューを温めていた。

添えるパンもスライスし、フライパンを使って両面を軽く焼いている。立派すぎる夜食だ。

「ルカ、ちゃんと眠れたか？」

「はいっ、カリヤ様。緊張していたんですが、いただいたお茶を飲んだらぐっすりと。ありがとうございました」

「それは良かった。よし、じゃあ食べながらこれからの手順を確認していこうか」

約束の時間にはそれほど余裕がある訳じゃなかった。

テーブルにつき、夜食を口に運びつつ俺は今夜の作戦の説明を始めた。

「この森を出てから大樹海まで、距離はおよそ八キロ。間には人の背丈ほどもある岩がいくつも転がっている草原がある。木は生えていない。そのちょうど中間辺りに、クラシエルの転生者たちが陣を敷いている。そこを、夜明け前に、バイヤールに乗って大樹海まで駆け抜ける」

陣の薄い部分を一気に突破する。

「……さいわい、奴らは俺たちが精霊界の馬に乗って移動していることをまだ知らない。まず、ルカが空に向かって救援信号を上げる」

「はい。エルフ族に伝わる魔法の伝達手段です。森の中で動けなくなった時に上げると、光と魔力の波長で助けを求めている者がいると分かる仕組みです」

「どうせクラシエル側は、俺たちがこの森に潜んでいるだろうと知っている。大樹海に逃げ込みたがっていることも。だからこその封鎖だ。エルフは樹海を囲むように集まっている人族を警戒し、見張りを立てているようだ。仲間がいると知らせれば、突っ込んでいっても攻撃されることはないだろう。むしろ助けを得られるかもしれない。信号を送ったら、バイヤールに霧を作り出してもらって、それに紛れて一気に突撃だな。ウォル、ルカを頼む。俺の乗馬技術じゃ守りきれない」

「分かった」

力強く頷く王子様、マジ格好良い。

「二人は大樹海に向かうことだけを考えてくれ。追走している俺が、接近してきた相手を処理する。スピードを落としたくないから、決して振り返らないこと。了解？」

「イエッサー、です！」

片手を上げて元気に答えてくれるエルフの子に、微笑みながら頷いている王子様。

……うん、ちょーっとだけ新人向け基礎訓練を手ほどきしていた。

ルカ君、乗ってくれてありがとう。

それからウォル、乗らないでくれてありがとう。王子のあなたに対応されたら、俺は間違いなく女官長のリザさんに怒られるのです。

——夜明けまで、あと一時間。

『あやつらを好きなだけ蹂躙してよいのだな？　楽しみだな、乙女の主！』

「蹂躙じゃないからな？　突破だからな？　攻撃して来たら受けて立ってもいいが、逃げるのを追いかけるなよ？」

『些細なことだ、すべて屠ればな！』

準備を終えた俺の隣で、ふははとユキの旦那が笑っている。

何故おまえが来た？　忙しいんじゃなかったのか？

昨夜まで俺たちに付き合ってくれていたバイヤールは、毎回十頭ほどだった。だが今夜は数が違う。三十頭は軽く超えている気がする。

『いや、百頭はいるはずだぞ？　霧を生み出すにも、かく乱するにも数は多い方が良いだろう？　だから我以外の群れにも声を掛けてみたのだ。皆、面白がって来ているぞ！』

「……いのちだいじに、を忘れないでくれよ、頼むから。敵にはSSランクもいる」

『うむ。深入りはせん。集った者たちにも、身の危険を感じればすぐさま精霊界に戻れと言い含めてある』

鼻息荒く答えた黒馬は、太い前脚で地面を蹴った。

『さあ、早く我に乗れ、乙女の主！　夜明けは近い。心地よい夜の闇に抱かれたまま、走り抜けようではないか！』

「――ああ、よろしく頼む」

あぶみに足を掛け、俺は巨大な黒馬の背に乗った。

座りが良くなるように鞍の上で体を揺らし、手綱を手に取る。

それから、アイテムボックスから取り出したマントを身に着けた。まだ乗馬の腕はそこそこだから、マントをしたまま騎乗するのが難しいんだよな……。

丈の長いマントは、バイヤールから持っているなら着てくれと頼まれている。

ここに乗ってますと、目印にでもするのかね？

隣にやって来た黒馬の上には、ウォルとルカが二人乗りをしている。二人もマントを身に着けていた。

王子の前に座っているエルフの子が、俺と視線をあわせてこくりと頷いた。

次々と黒馬の周囲から生まれた霧が、夜の森の中を白く満たし、草原へと海の波のようにあふれ出す。

「合図を！」

ルカが体を伸ばし、両手を高く掲げる。

合わせた手のひらから虹色の球体が出現し、夜空へと高く打ち上げられた。

いざ、突撃

ミルクのような濃さの白い霧。それが、堤防を決壊させた水流のように勢いをつけて森からあふれ出す。夜の草原にさあっと広がり、白く染め上げていくその波は、無音ではなかった。

とどろく雷鳴にも似た響き。霧に紛れて駆ける黒馬たちの蹄の音だ。森から飛び出した黒馬の群れの、足音はすさまじいの一言だった。

黒馬――バイヤールの体躯は大きい。前世、北海道のばんえい競馬で見た馬と同じくらいだから、その重量も一トンはあるだろう。

その巨躯が、三ケタの数で一斉に駆け始めたのだ。太い足が足元の土をえぐり、大地だけではなく大気までをも揺らし、震わせている。

それはすさまじい光景だっただろう。月のない漆黒の闇の中だったが、俯瞰で見ることが出来るならば。

――うん、渦中の当事者には何も見えない。

周囲は見事に真っ白だ。

手綱を握り締めた俺は、バイヤールの背に乗り、前斜姿勢を取りながら視線だけは前にやっていた。濃い霧は視界をふさぎ、まったく見通すことが出来ない。

分かるのは音だけだ。

周囲を取り囲むようにして走っているはずの他の馬はぼんやりと窺えたが、前方を走っているウォルの、身に着けたマントが翻る様子は見えなかった。まだ、進路の途中にいるだろう敵とは接触していない。

ここは大小の岩という障害物が、あちこちに転がっている草原だ。バイヤールも本気の速度で走れている訳じゃない。だけど彼らのスピードと距離を計算して、そろそろかと手綱を放す。

鞍から足で挟む力だけで腰を浮かせ、俺はアイテムボックスからAランクの七連弓を取り出した。

戦闘職でない俺の地力は、物理攻撃も魔法攻撃もランクBしかない。

そのまま射ても、矢に魔法属性を付加しても、転生者相手の攻撃としては威力が低すぎて通用しない。七連弓の、魔力で精製した矢はほとんど牽制にしかならないだろう。

だから特殊効果を付加した矢じりを使って、確率で通る状態異常を狙った方がいい。

「——目くらましに引っかかってくれよ！」

アイテムボックスから取り出した矢をつがえ、霧の向こうに放つ。

まったく何も見えないが、七連弓で射た必中の矢は、敵を自動で捕捉して飛んでいるはずだ。

そして命中するか排除される瞬間、激しい閃光を放つ。

夜だものなぁ。

暗視の呪文を掛けているか、夜目の利くアイテムを身に着けているだろう？

ほんの十秒ほどでもいい。光で視界を潰しとけ。

霧の彼方に向かって矢を射続ける。

激しくとどろく蹄の音に紛れて、誰かの悲鳴が聞こえた……大丈夫、ウォルとルカのものじゃない。

クラシエルが敷いていた陣地に突入したようだった。霧の中、走り抜けながら聞こえ始めた絶叫と、何か金属がひしゃげる音と、重い物同士がぶつかりあう響きと、攻撃魔法らしき爆音と、馬のいななきと、

『——敵陣を突破したぞ、乙女の主！』

巨大な馬体はすべてを蹴散らし、バイヤールの群れは転生者たちを蹂躙しながら突破した。

「ああ、このまま大樹海まで足を止めるな！」

体をねじり、背後に向かって牽制の矢を射続ける。

もう目くらましは対処されている。次は紫蝶の鱗粉だ。

麻痺がすぐに効かなくても、防具に付着したら即刻拭き取らないとなぁ！　麻痺判定は継続し続けるぞぉ！

『む？　乙女の主よ、伏せろ！　敵の風が霧を吹き飛ばすぞ！』

黒馬の警告に、浮かせていた腰を落として手綱を握り締める。

斜め後方からぶつかってきた暴風にマントが煽られ、体を持っていかれそうになった。周囲の白い霧が、魔法の風によって強制的に散らされていく。

このまま霧が消えれば、敵の視線が通るようになる。俺はアイテムボックスの中から、矢の代わりに手のひらに収まる大きさの少女像を取り出した。

クロエ平原に向かう魔法使いの少年に、餞別に渡したアイテムの別名は『魔法使い殺し』。

あれは五分間だけ、指定した〝魔法〟を無効化した。

このアイテムの別名は『プレイヤー殺し』。

任意の〝スキル〟を五分間だけ無効化する。

たった一つしか作れていない。

下準備に二年かかった。罠を仕掛け、そして二昼夜死闘を繰り広げて……というと格好良いが、嵌め殺し状態を維持し続けて狩った、ランクSのフロストドラゴンの素材を使っている。

正真正銘の、俺の〝切り札〟。

使うことはないかもと思っていたのに、まさかその機会が訪れるとは。

右手の中に出現させた少女像を使用しようとして、ぞわりと全身の毛が逆立つような感覚に襲われた。

「――見つけたァ！」

左手の中空にジャンプで出現したオレンジの髪の青年が、俺と視線をあわせ、唇を三日月の形に吊り上げた。

とっさに突き出した左手に持つ七連弓が、刀の一振りにへし折られた。

左手に装備していた手甲が、攻撃に反応してギミックを起動させる。不可視の盾が手甲を中心に展開し、斬撃を受け止めてそのまま砕け散った。

攻撃の余波に押されて、自分の体がバイヤールの背から吹き飛ばされる。

嗤ったままの青年の視線が、俺を捉え続けていた。

次のジャンプで距離を詰められる。次の刀の一振りで、俺は殺される――

――出来るならな。

俺は右手の中に出現させていたアイテムを、握りこんで使用した。

『プレイヤー殺し』。

五分間、そのエリア一帯で指定したスキル――

〝ジャンプ〟を封じる。

「なんだァッ!?」

もう一度跳んで俺に肉薄するはずだったオレンジの髪の青年がそのまま下に落ち、追走していた黒馬の群れの中に消えた。

ざまあみろ。

そう思いつつ、吹き飛ばされていた俺の体も、地面に落下していく。

ジャンプが使えないからユキの旦那の背には戻れない。このまま地面に落ちて、オレンジ頭のように後続のバイヤールの群れに踏みつぶされるか、踏まれなくてもダメージがきつくてすぐに動けないだろうから、後を追ってきているクラシエルの転生者たちの捕虜になるか――。

（……まぁ、ウォルは無事大樹海にたどりつけるだろうから、いいか）

ごめんな。ティシアまで連れて行けそうにない。

そのまま体が地面に激突しようとした時だった。

風が俺の体の周囲に渦巻く。マントが不自然に上へと持ち上がり、後ろを走っていたバイヤールの一頭が、噛みつくようにそれを口にくわえた。

ぶん、と振る首に、風に包まれたままの俺の体も振り回される。

風が支えている俺の体がすとんとその黒馬の背にまたがり、よし、と頷いた馬はくわえていたマントを放した。

「――なんだこれは!?」

『落とした人間を拾うために、我らが編み出した風魔法のテクニックだ！』

ふははと、下がってきたユキの旦那が笑った。

『腕や頭はかじるともげるからな！　マントにも歯形がつくが、それくらいは我慢しろ！』

俺を乗せていたバイヤールが、群れの長である旦那の前に出る。

背中のマントが不自然に風に持ち上げられ、その端に旦那がかみついた。

また体が風に包み込まれる。俺の体がふわりと浮かび、旦那の背へと移動する。

『そなたは危なっかしいからな。鞍に乗っていた方がいいだろう?』

「……ありがとう……」

そうか、霧を生み出すことが出来るのだから、彼らは水と風の魔法にも長けているのか。接触型の魔法のようだから、対象に触れていないと使えないのだろう。

それでマント着用だったのか。なるほど。

直接かじられなくて良かった。

納得した俺の前方、白み始めた空へ漆黒の輪郭を浮かび上がらせた大樹海に、無数の火がともった。

弓なりに放たれた数十を超す炎の矢が、弧を描いてバイヤールの群れの上を通り過ぎ、背後の転生者たちに降り注ぎ始める。

ジャンプを封じられ、大樹海からの攻撃を受け、それでも追ってこようとする転生者はいないようだった。

バイヤールの走る速度がゆっくりと落ちていき、大樹海の境界まで来て立ち止まる。

森の手前に、既に黒馬の背から降りた二人がいた。ルカがこちらに向かって手を振っている。ウォルが、じっと俺を見つめているのが分かった。

『朝が来るから我らは戻るぞ。大樹海には結界が張られているため、我らは中まで入れぬ。為すべきことを済ませ、森を出たらまた呼ぶがいい』

さらばだ、乙女の主!

バイヤールの群れが、生み出した霧の中に次々と消えていく。頭を下げて彼らを見送り、待っていた二人の元に近寄った。

「……おつかれさま、カリヤ」

「お待たせ。さあ、行こうか」

心に染み入るような笑みを浮かべるウォルに、俺も笑い返す。

ルカが伸ばしてきた手を、二人で両方から取った。

エルフの子供と手を繋ぎ、森に向かって歩き出す。

森を形成する大木の、根元や枝の上に大勢の武装したエルフがいた。弓につがえられた矢が向けられている。それでも、射られるとは思わなかった。

「ルカーシュ！」

「――お母さん、お父さん！」

最初に打ち上げていた救助信号が解読され、連絡がいっていたのだろう。

平服を着たエルフの男女が、武装した兵士の後方から現れた。俺たちと繋いでいた手を放し、エルフの子供が両親に向かって走り出す。

「お母さん、お父さぁんー！」

駆け寄る息子の姿に母親が膝をつき、手を大きく広げて抱きとめた。

「……再会出来て良かった」

「ああ」

ウォルの呟きに頷く。

子供が、両親の元に戻れて本当に良かった。

もう大樹海の結界内に入っているようだった。

頷きあい、俺とウォルは周囲のエルフを刺激しないようにゆっくりと歩き始めた。

タキリン城砦陥落からおよそ半年――。

敵である北部諸国連合の影響下を逃げ切り、ウォルド王子の身柄は無事、エルフの国に保護されることになった。


転生者である俺の身柄は牢屋にぶち込まれた。

牢屋というのは人を殺しにかかってくる
ゲイリアスのカリヤさん、大樹海の牢屋内にて飲まず食わず生活を始めています。
エルフの子供であるルカを親元に送り届けるため

に大樹海を目指し、昨日の朝、結果オーライで無事に到着した。

全面協力してくれたバイヤールたちには感謝しかない。馬の本気の機動力すげぇ。

事前に救援信号で連絡を入れていたからか、ルカは待っていたご両親にすぐ再会することが出来た。

そしてエルフの敵と認定されている転生者の俺は、そのまま捕縛されて世界樹の根元にある牢屋にぶち込まれた。

……これはまあ、警戒は仕方ないと思う。

転生者(おなかま)の過去の暴れっぷりを聞いていたから、それくらいはされるかもと覚悟はしていた。

ウォルがきちんと説明をしてくれて、ルカの口添えもあるだろうから、誤解が解けて解放されるのを抵抗することなく待つつもりだった。

だがしかし、牢屋内で食べ物はおろか水さえ与えられないっていうのは予想外。

牢屋の床に転がって、高い天井を見上げる。

太い根の中身をくり抜いて作っているのだろうか？　牢屋の壁は綺麗(きれい)な木目で、床は固く踏みしめられた土で出来ている。

壁の上方に明かり取りとも換気口ともつかぬ小さな窓がついているが、部屋を満たしているのはそこから差し込むか細い陽光じゃない。

天井全体を埋め尽くしている緑の蔦(つた)。

そのあちこちで咲いている光の花が、部屋の中を明るく照らし出していた。

MMORPG《ゴールデン・ドーン》でも咲いていた、エルフの国の照明。

夜は花びらが閉じて消灯モードになったりする。

ゲームの世界と同じ設定だ……と、朝から感じている軽い頭痛に眉(まゆ)を寄せながら、俺は目を閉じた。

《ゴールデン・ドーン》の大樹海エリアでは、プレイヤーにはいくつかの制限がかかっていた。

この森の国では、リターンホームやジャンプといった移動スキルはいっさい使えない。

　そして罪を犯した場合は牢屋にぶち込まれる訳だが、大樹海に何本も存在する世界樹の、根元に作られた牢屋内では魔法もスキルも無効化されるのは有名な話だった。

　それは承知していたのだが、アイテムボックスまで封じられてしまった。

　そうだねー、転生者のアイテムボックスは厄介だからねー。

　海賊映画に出てくるような穴の開いた木の板に両手首を通し、挟むようにして拘束されている。手枷にはびっしりと封印の一種らしき文様が彫られていて、いつもなら手のひら付近に取り出せるアイテムが、何も出てこなくなっていた。

　足首にも鉄の環を嵌められている。ある程度の長さの鎖と鉄球が繋がっていて、引きずりながら牢屋内の移動は可能だが、脱獄しても走って逃げるのは無理だろう。

　牢屋の隅には、蓋のついたトイレが存在した。

　トイレというか、地中に瓶が埋められているだけなんだけど。中はそれなりの深さ。排せつ物の処理にスライムを使っているのか、匂いがほのかな沼地みたいな感じに変化しているのが地味にありがたいかも。

　しかし、ＯＵＴはオッケーなんだが（手首を拘束されてるけど）、ＩＮがない。

　昨日の朝に牢屋にぶち込まれてから丸一昼夜、見事な放置状態だ。

　牢屋からは見えないけれど、地上へと繋がった階段の前に立っているはずの見張りに、声を掛けても来ない。どれだけ大声を上げても誰も来ない。

　聞こえても無視をしているのか、見張り自体がいないのか。

　一日飲まず食わずでも、人は死なない。転生者の身体スペックなら、おそらく三日くらい放置しても大丈夫だろう。そんな感じで嫌がらせされているんじゃないかなーと思うんだが、うっかり連絡時の不手際でもあったんだろうか？

　わざとなのか、わざとじゃないのか。それが問題だ。

　ため息をつき、俺はゆっくりと目を閉じた。

　……ウォルは無事だろうか……。

　俺と違って一国の王子なのだから、立場的に身の安全は保障されている、と信じたい。

　すぐに解放するように交渉すると別れ際に言ってくれてたけれど、かなり難しいんだろうなぁ。会いにも来られないみたいだし。

　――彼が俺を見捨てるとか、裏切るとかは思わなかった。

　今、ウォルが俺を切り捨てるのは、デメリットの方が大きい。

　大樹海にたどりついて終わりじゃない。ティシアまで戻って、それからが本番だ。戦争はまだ続いている。彼は賢いから、唯一自国に味方するSランク生産職を切ることはないだろう。

……そういう意味ではなくて、れ、恋愛的にというか、好意的にはどうなんだろう……？

　告白を拒絶した後、少年は聞かなかったことにしてほしいと言っていた。

　だけどその後も、主従や同志といった関係での情は変わっていないと思う。嫌われているという気がまったくしないから。

　これまでは二人きりだった。互いしかいなかった。だけどこれからは違う。ルカを助けたことにより、エルフの協力を得ることが出来るだろう。

　大樹海にしばらく留(とど)まり、故郷(ティシア)に帰る。

　もう今後、彼に接するのは俺一人だけじゃなくなる……エルフの綺麗なお姫様と、恋に落ちたりするかもしれないな。これが物語だとしたら、それは王道のストーリー展開だ。

　透き通った青い肌を持つ、美しい乙女の手をウォルが取る。

　エメラルドの瞳(ひとみ)が愛(いと)おし気に細められ、彼は優しい眼差しで乙女を見つめながら、愛の言葉を囁く。

『あなたのことが好きなんだ、カリヤ』

「脱水症状ー！」

思わず閉じていた目を見開いて叫んでいた。

やばい、なんだか幻聴が聞こえた気がする。

頭痛もするし、喉の渇きはひどいし、やはりこれは脱水症状だ。

水分を取らないと正常に頭は働かなくなるからな。どうにかして、何か飲まないと……、

みず？


あどけない声が牢屋の中に響いた。

気づくと、横たわっていた俺の周囲に小さな女の子の精霊がいた。身長は十センチほど。見事な三頭身の、幼くて可愛らしい外見をしている。

背に羽根はないし、葉っぱの衣服を身に着けているから地属性なのだろう。牢屋の壁からにじみ出るようにして姿を現しては、次から次へと俺のもとへと集まってくる。

この世界に転生してから、初めて見る〝妖精〟だった……バイヤールは〝精霊界に住む馬〟なので、同じ精霊の枠内でもちょっと種類は違う。


かりやであってる？


名前を尋ねられたので、頷いて肯定する。

むふん、と妖精の子供が満足そうに頷いた。


やっとみつけた。

さがしてたの。

みずがのみたいんだって。


シンパシー能力を使って、次々に話し始める妖精の子供たち。数人が頷き、壁際に駆けて行ったかと思うと頭上に向かって口々に訴え始めた。

おかあさーん、おみずちょうだいー。
のどがかわいてるんだって。
げんきのでるおみずがほしいの。

妖精がお母さんと呼んだのは、この牢屋を内包する世界樹だったのかもしれない。

何もなかった壁から小さな枝が伸び、ピンク色のつぼみがついたかと思うと見る間に花開いた。すっと地面に向かって降ろされた枝に、子供たちが礼を言って花を受け取る。

よろよろと数人がかりで運んできた器形の花の中には、何かの液体が入っているようだった。

のんで、げんきがでるよ。

吸いさしの形をした花びらの先が唇をつつく。

口を開けると、ほのかな甘さの水が注ぎこまれる。

おいしいねー。
かんぜんふっかつ。

注がれる水を夢中になって飲み干し、一息つく。

喉の渇きも空腹も、完全になくなっていた。体調も良くなっている気がする。まるで――、

「『世界樹のしずく』を飲んだ……みた……い……な……？」

かりや、ものしり。
おかあさんのしずくだよ。
げんきになった？　よかったー。

『世界樹のしずく』。

SSS（トリプルエス）ランクの消費アイテム。パーティー全員のHPを一瞬で上限まで回復する。同時に複数の蘇生（そせい）も可能。

素材アイテムでもある。クエストで入手可能だが、大樹海のみで販売されており、販売価格は一本につき三百万ゴルド。

――三百万ゴルドを×百倍の転生後価格で計算すると、日本円にして……さんおくえん……。

俺は死んだ。

か、かりやー!?
しっかりしてー!
めでぃーっく、めでぃーっく、えーせーへー!

〝無事〟に合流

転生者お断りの鎖国状態な大樹海だが、実は時々招待されて滞在していた者もいるらしい。

そう知ったのは、妖精たちが話していた単語が発端だった。

メディックってなんだよ、メディックって。

ハリウッドの戦争映画展開でよくある、仲間が敵に撃たれた時の台詞だろう?

そう突っ込んだら、幼女の妖精に真顔で『おれ、このせんそうがおわったらけっこんするんだ……』と呟かれた。

ぜったい来てる。しかもノリの良いオタクが。

前回の訪問者は百二十年ほど前にやって来たらしい。

ユキナガという名前の剣士で、ランクはSS(ダブルエス)だったとか……あれ？　名前が日本語に聞こえるんだが。

ちなみに俺の名前は、今世の親が名付けたそのままだったりする。

他の転生者も、普通のNPCから生まれて名を付けられていると思うんだが、成長したら改名したりするのかね？

大樹海の妖精は、親である世界樹と意識を共有しているので、記憶も同じものを持っている。前世のゲームではそういう設定だった。

妖精自体の寿命は分からない。数は適当に増えたり減ったりしてたっぽい。

はっきりしないのは、大樹海の妖精は、ゲーム内ではあまりプレイヤーと絡むことがなかったからだ。

ほとんどその無邪気な行動を眺めるだけ、見ているだけのモブ。声を掛けると逃げられる。イエスロリータ、ノータッチ。

……たまに起きるイベントで絡むことが出来たプレイヤーは、『ロリコン』の二つ名を与えられていたっけ……。

（〝二つ名〟はプレイヤーが同じプレイヤーに対して付けていたあだ名で、〝称号〟とは違うものです）

見た目そのままの幼児の思考を持ち行動しているが、幼女はけっして怒らせたり不興を買ってはいけない人外の存在だ。エルフも世界樹の眷属（けんぞく）である彼女たちを、自由に行動させている。


だからまぁ、俺も好きに行動させていたんだが……。

彼女らはまず、俺の髪の色に興味を示した。

うん、エルフは青か緑系統ばかりだからな。黒って珍しいだろうね。

で、勝手に遊び始めた。

耳の横の毛は細い三つ編みにされ、ブランコとなった。

頭の上半分は、どこからか持ち寄った小枝がぐさぐさと挿され、結い上げられているっぽい。残念ながら鏡がないので確認出来ないが、複数の妖精が潜り込んでいる気配がある。トンネルでも作っているんだろうか？

背に流した髪は大小に編まれ、ひたすら登ったり降りたりしているようだ。

何匹（何人？）も体によじ登られ、遊ばれているんだが、重さはほとんど感じない。

そうしているうちに、髪のあちこちにどこからか持ち寄った花や葉っぱが飾られ始めた。有志による大作が出来上がりつつある。

両手首を拘束していた手枷は破壊された。

『いやなきもちになる！』らしく、文様はお気に召さなかったらしい。

げしげしと数人がかりで蹴っていたら（匹はやめておこう……）、あっけなく壊れた。破片も残さず消滅したのにはどうしようと思ったが。

後で尋ねられたら、妖精に壊されたと正直に話そう。足環もついでに壊そうかと聞かれたが、辞退をした。

大人しく捕まっている最中だからなー。手枷は壊れてしまったけど、その他は現状のまま反抗する気はないよアピールに残しておこう。

手の拘束がなくなり、アイテムボックスが使えるようになった。

前世の記憶を思い出しつつ、大樹海の妖精が好きだったはずの花の蜜を取り出して振る舞う。

アイテムランクの高い、この前手に入れたばかりの精霊界の花の蜜だ。

熱狂的に歓迎された。妖精の数が更に増えた。

何故だか座る俺を中心にして、身長十センチ三頭身の幼女たちが踊り始めた。

――そんな中、ある妖精に宝石をもらった。

昨夜、金色の髪をした人間に、これを対価に俺の捜索を頼まれたらしい。そして困っているようだったら、助けてくれないかと言われたそうだ。

綺麗な宝石は好きだが、花の蜜はもっと好きなのだとか。お代わりをねだられたので、新しい壺を渡すと喜んでいた。

宝石は、ティシアの宝冠を飾っていたものと同じ色合いをしていた。


そして大樹海到着から一日と半分。

ようやく牢屋から解放される時が来たらしい。

階段を降りてきたのはエルフの兵士と、兵士に守られたエルフのお偉いさんが五名ほどと、ルカと、ウォルだった。

ルカはエルフの国の服装に着替えているけれど、ウォルの姿は昨日と同じままだ。

俺お手製の革鎧一式と、背には長いマント。ただ、頭上にしばらく見ていなかった宝冠が輝いていた。

腰に差している剣が取り上げられていないことに、ほっとする。

彼が王族として丁重に扱われていた証拠だ。

きゃーっとわざとらしい悲鳴を上げながら、周囲で騒いでいた妖精たちが牢屋の壁の中に消えていった。

何人かは興味の方が勝ったらしく、俺の肩の上や髪の中に留まっている。

やって来た一団は、牢屋の前で立ち止まり、まじまじと目を見開いて俺を見ている。

そこで俺は、今現在の自分の姿に思い至った。

両手の拘束具がなくなっている。

さっきまで妖精たちとはしゃいでいた――いや、俺は見守っていただけなんだが。彼女らが体によじ登るので動けなくて。

そしておそらく髪の毛は、前衛芸術作品と化している……これが一番注目を集めているかもしれない。

二十六歳にもなった男が、花や諸々でこれでもかと自分の髪を飾りたてているのか。

恥ずかしさに、頬が熱くなっていくのを止められなかった。こういう趣味ではないんだ。アイテムをありがたーくいただいているつもりなんだ。

ヒゲ姿でなくて良かった……ヒゲ有りは間違いなく犯罪のビジュアルだっただろうから、まだマシなはず……？

いや、ギリギリアウト？

「……カリヤ、あなたの装備は？」

牢の柵越しに、形の良い眉をひそめてウォルが問いかけてくる。

「……下着しか身に着けていないようだけど……」

「ああ、ここに入る時に、武装は解くように促されて全部外した。兵士に一式預けているよ」

「――封印は自力で破ったのか？」

前に進み出たエルフの老人の問いに、何も着けていない両手を上げる。

「俺の力で手枷を壊した訳じゃない。妖精が壊したんだ」

「コロポックルたちが？」

うん？

「……コロポックルって、アイヌの小人じゃなかったっけ？」

肩に座る妖精に視線を向けると、うんと幼女が頷く。

ころぽっくる！
なまえがないとふべんだからって、ゆきながが
なづけたの。
ひゃくにじゅうねんまえじゃなくて、ろっぴゃくごじゅうねんまえの、ゆきながが。

転生者の先輩の名前が出てきて、そういやそうだったっけと前世の記憶を探る。

大樹海の妖精はモブ扱いだった。

プレイヤーとほとんど接点がないから、皆が好き勝手に愛称で呼んでいた覚えがある。

ユキナガ氏はコロポックル派で、今世ではそれが定着しているらしい。

しかしどちらもユキナガなのか。珍しいな。マイナーっぽい名前なのに。

ガチャリと牢屋の鍵が外される。

開いた扉に、エルフの兵士を制してウォルが中へと入ってきた。

身に着けていたマントを外し、立ち上がった俺の肩に掛けてくれる。

「――とりあえず、ここから出ようか、カリヤ。今から、エルフたちとこれからのことを話し合った。今から、

あなたも交えて話をまとめる予定だ」

足環を外した俺の体を、ウォルが支える。

別に支えてくれなくても歩けるのだが……と不思議に思っていたが、彼の動きたいように補助を任せる。するとやはり、狭い階段を上がる時になって、姿勢的に互いの顔の距離が近くなる。

触れそうなほどに近い唇が、小さく動いた。

「……これからの話し合い、どんな不利な要求だと感じても受け入れてほしい」

「――分かった」

階段を上りきり、俺は世界樹の根元の牢屋から地上へと出た。

牢屋にぶち込まれたのは、まだ外が薄暗い時間だった。

だが今は昼を過ぎた辺りだと思う。頭上を覆い尽くした世界樹の葉を透かして降り注ぐ緑色の光の下、目前に広がるエルフの里の光景を鮮やかに見通せた。

背の高い木々に、枝の上に作られた美しく繊細なヒスイ色の建物。建物や枝の間を縦横に繋（つな）いでいる、曲線が印象的な半透明の橋や階段。木々が根を張る地面にも石畳の道がカーブしながら延びていて、樹上よりも濃い色のヒスイの建物と繋がっている――。

大樹海の中に存在するエルフの里は、地上と樹上に生活空間を持つ、緑を基調とした立体的な造りの街だった。

ルカから聞き取っていた情報と俺の前世知識を統合して推察すると、ここはエルフの西の里のはずだ。

大樹海は中央に王の住む都、そして東西南北に中規模の里が存在する。ルカの祖父はこの西の里の長老の一人らしい……今、ルカの隣に寄り添って立っているご老人が祖父なんだろうな。

ゲームの記憶の中では小さかった里も、今世ではかなりの広さになっていた。

周囲を兵士に囲まれて、ひときわ巨大な地上の建物へと案内される。たしかエルフの集会所として使われていた。長老たちが集まり、里の運営方針を決定する。その建物の、前世は足を踏み入れたことがなかった控室に案内される。

部屋に入るとすぐに、俺の着替えと軽食が届けられた。

エルフの育てている森カイコの糸で織られた絹の普段着一式。かなりのお値段の代物ではあるんだが、没収された装備一式の方が価値はある。お値段的にも、自衛的にも。

マントの中は下着の上下だけの姿だから、すぐにも着替えないといけない。

それは分かっているけれど、服を前に困惑している俺に、給仕のエルフを下げて手ずからお茶を淹（い）れつつウォルが説明する。

「あなたは転生者だから、武装をさせたくないのだろう。今はその服を身に着けてほしい。すぐに話し合いは始まる。その前に食事をしておこう」

言われ、部屋に置かれていた衝立（ついたて）の陰に入って、エルフの服装に着替えた。

ゆったりとしたズボンに、同じくゆったりとした裾（すそ）丈の長いシャツ。エルフの着ている服は、イメージとしてはインドやパキスタンで男性が着る民族衣装に似ている。正装なら襟元のかっちりとした裾丈の長い上着も身に着けるはずだが、今はない。

エルフ女性の場合は、インドのイメージはなくなる。男物より丈の短い上着にスカートを穿（は）くのだが、ふんわりとしたスカート丈は子どもの頃は膝下（ひざした）、妙齢になるとくるぶしまで長くなる。

ブーツを没収されて裸足（はだし）だったので、これも用意されていたサンダルを履いた。

髪はそのままだ。まだ残っているコロポックルたちが、頭上でくつろいでいる。

……それにね、この部屋で花や諸々を外してしまうと没収コースだけど、後で誰もいない場所で外せばアイテムボックスに放り込めるかなぁーと。

世界樹の葉に花、小枝。

生産職には垂涎（すいぜん）の素材アイテムだ。コロポックルが持って帰るというなら返却するが、くれるというなら欲しい。いや、土下座で下さいとお願いするレベル。

　早く話し合いとやらが終われればいいのになぁと、浮かれながらウォルの元に戻る。

　一瞬眩しそうに目を細めて俺を見たウォルだが、すぐに表情を沈ませた。

「……カリヤ。今ここで聞くのは酷なことかもしれないけれど、あなたがどういう扱いを受けたのか、先に確かめておきたい。内容によっては話し合いの前に医師の手配をする。——乱暴なことはされた？」

「いや、別に？　扱いは丁寧だったよ。無視というか、放置されっぱなしだった。食べ物や水が与えられなかったのはきつかったけど、妖精たちが助けてくれたしな……ウォルが彼女たちを差し向けてくれたんだろう？」

　ありがとう、と伝えると美少年がかすかに微笑んだ。

「……あなたの活躍で与えられた称号の効果だから。夜に私の部屋に入ってきたから、駄目で元々と頼んでみた。彼女たちが助けになったのなら良かった」

「——後で返す」

　休憩しろと言われたが、当然のように監視はついている。俺たちを警護するという名目で。

　部屋の出入り口に立っているエルフの兵に見えないようにしながら、アイテムボックスから取り出した宝石を手のひらに出現させ、すぐに仕舞った。

　ウォルが美しい微笑を浮かべたまま、視線を伏せる。彼は何も言葉にしなかった。

　そして俺は、ようやく質問の意図に思い当たった。

　彼は、自分と引き離されている間、従者扱いの俺が〝暴力〟を振るわれていなかったかと心配しているのだ。

「——大丈夫。ちょっと装備を全部没収されて、手枷でアイテムボックスも封じられて、足環に鉄球をつけられただけだから。牢屋の中はスキルも魔法も使えないけれどそれが仕様だし、丸一日飲まず食わずはきつかったが、コロポックルたちが助けてくれた。乱暴なことは、何もされていない」

「良かった……いや、良くはないが。そのことは話し合いの場で切り出そう。教えてくれてありがとう」

　何も食べてなかったのなら、これも良かったら食べて、とウォルが自分の分の軽食を差し出してくれた。

　彼はしっかりと食べることが出来ていたらしい。

　言葉に甘えて、食事は二人分頂いてしまった。

『世界樹のしずく』で回復はしていたが、何か食べた訳じゃなかったからな。

　やわらかい鳥肉と野菜をはさんだサンドウィッチ、ハーブの味付けが美味しかったです。

傷物にされました

　エルフとの話し合いが始まった。

　俺の席は、円卓についたウォルの斜め後ろ。話し合いに加わっているルカも、祖父の後ろに椅子をもらって座っている。

　タキリン城砦と同じように、ウォルの背中越しに会合の場を眺めながら、俺は改めて彼の凄さを思い出していた。

　弱冠十五歳——十六歳にして、場を支配していたのはウォルド王子だった。

　王家の英才教育というやつなんだろうか。ディベート能力すげぇ。

　ひびく声音の美しさ。穏やかながらも緩急のついた見事な語り口。言葉の選択やずれていった話題の修正力。

　美形揃いのエルフの中で、彼ら以上に美しく微笑み、若い人族の王子は場を支配する。

クロエ平原での大敗の件で揶揄されても、彼が挑発にのることはなかった。自国の敗北を嘆き、敵国クラシエルの主力になっていた転生者に触れ、そこから彼らの非道を語り始める。

クラシエルの転生者が、エルフをさらって自らの強化に使っているのだと。

（……なるほど、敵を共有するのか）

彼らはエルフの子、この里の長老の孫であるルカーシュを罠に嵌めた。

俺たちが助けなければ、さらわれた彼はクラシエルで性奴隷として一生を終えるはずだった。望まれるままに転生者を強化し、肉体を弄ばれながら。

そしてウォルは心配そうに尋ねる。

これまでも、行方不明になったエルフは他にいないかと。

――おそらく他にも存在する。

奴らのやり口は手慣れていた。そして、魔法攻撃におけるクラシエルの強さは、この世界の〝常識〟から逸脱したものだった。

後方支援としてタキリン城砦でアイテムを作り続けていたが、今ならあの時の異常さが分かる。

ティシアは魔法的な妨害によって最後までクロエ平原に『白の天蓋』を設置出来なかった。

魔法使いの質と数に差がありすぎた。

だが証拠は何もない。

たまたま、クラシエルには優れた資質の者が多いだけなのかもしれない。

そういった疑惑を真実と巧みに組み合わせながら、ウォルはエルフたちの会話を誘導していく。

反論があっても、反論では返さない。

代わりに彼は穏やかさを崩さないまま別の話題を持ち出す。

ルカが置かれていた哀れな境遇。彼は全裸で捕らわれていた。

同情を示す王子に話を振られ、子供はいいえと顔を輝かせながら答える。

「ウォルド殿下とカリヤ様に助けていただいたので、不自由はありませんでした。カリヤ様は何も持っていなかったボクに、何着も服を作って与えてくださいました。下着やパジャマだけでなく、靴や防具といったものまでもボクの体に合わせて、ボクのためだけに……」

「――うん。君のサイズに合わせて作ったものだからね。後ですべてあげるよ」

「あ、ありがとうございます、ウォルド様！　おじい様、カリヤ様のお作りになった服はすごいのですよ。矢を弾くし、魔法も」

「王子の庇護下で本当によくしていただいたのだな。ルカ、服の話はまたあとで聞かせておくれ」

　祖父と孫の一見微笑ましいやりとりを、綺麗な笑みを浮かべながら聞いているウォルの後ろで、俺はそっと視線を伏せる。

　ルカ……君は立派なスナイパーだ……。

　お仲間の背を全力で撃っている。ウォルが撃たせている。

　うん、君は服を与えられたね。

　俺は奪われたよ。抵抗しなかったのに、まだ返してもらっていない。

　先ほどは逃亡時の食事の話を振られていた。

　子供は〝事実〟を話す。お腹いっぱい食べてました、美味しかったですと笑うルカから、視線を逸らした大人が何人もいた。

　あ、俺が食事を与えられなかったのは牢屋番引継ぎ時の〝連絡ミス〟だと、公式に謝罪がありました。

　そういうこともあるかもしれないね、と微笑んだウォルが、鷹揚に謝罪を受け入れた。

　エルフたちは、まだ幼い子供を連れてくるべきじゃなかった。

　だけど公の場で確認を取るためには、子供の存在が必要だった……と、そう思わせたのは誰なんだろう？

　――すごいと感心するのは、ウォルに、小賢しさとかいったマイナス感情をほとんど覚えないことだ。十六歳だというのに、彼は堂々とした王者の風格を有している。

　エルフ側に非があっても、追い詰めるまではしない。相手にも余裕を与え、そのプライドまでは傷つけないように気を配っている。

　話し合う、ということだったが、話題の終着点は既に決まっていたようだった。

　おそらくある程度は詰めていたのだろう。

　ウォルと俺の大樹海への滞在は了承された。

　いつまでいてもいいそうだが、ウォルは固辞する。あくまで目的はティシアへの帰還だ。休養し、準備が整えば大樹海を出る。

　滞在期間中、ウォルは魔法訓練に参加出来ることになった。Aランク魔法の取得、頑張ってくれ。

　ティシアとクラシエル間の戦争への介入に関しては、この里だけの問題ではないので、大樹海の中心にある王都でこれから審議されるのだそうだ。

　まだ共闘するかは分からないけれど、エルフは同胞を迫害したクラシエルに対する報復を行う。

　……ルカの救出に関する経費と謝礼は払ってもらえるそうです。

　里の滞在時、ウォルに関しては制約がない。

　彼は他国の王族だから、身に着けた武器防具を取り上げられることもない。

　だが俺は違う。エルフが長年敵とみなしている転生者だ。なので大樹海に滞在中は、武器の携帯や防具の着用は許されません。

　自作の、防具ではないただの服もダメなのだそうです。いろいろと仕込みをしているから。

　袖口から服に縫い込んでいたミスリル線を抜き出して、相手の首を絞めるとかあるかもしれないからね……うん、ある。そういう仕掛け。

　滞在中は、今着ているようなエルフが用意した衣服のみを身に着けないといけないらしい。

　そして、

「……魔法とスキルを封印？」

呟きに、目の前のエルフの長老が頷いた。

「どちらに頼らなくても普通の生活は出来るだろう？　身を守る手段を失う訳だから、警護はつけよう。同胞を安心させるためにも、受け入れてもらう」

決定事項らしい。

俺は前に座っているウォルに視線をやった。

振り返った彼は、困った風に形良い眉をひそめてはいたが、何も言わなかった。

「アイテムボックスも封じたいところだが……」

「そちらは拒否する。彼には我が王家の資産を預けている。彼のアイテムボックスは、彼だけのものではない」

涼しい声でウォルが反論する。

「ティシア王家のものでもある」

「だが、武器を取り出されては困る。武器だけはアイテムボックスから他の場所へ移して保管するということでよろしいかな、ウォルド殿下」

「ああ。――カリヤもそれでかまわないな？」

「……殿下が望まれるままに」

俺は大人しく頷いた。

……なるほど、さっき彼が言っていたのはこのことだったのか。

魔法とスキルを封じる――体に馴染みきってしまったこの二つが、使えなくなる。

恐怖さえ覚えるだろう、普通の転生者なら。

だけど俺、十七歳まで自分が転生者だと気づかなくて、まったく使っていなかったからなぁ。

意識しないと魔法は発動しない。スキルも意識しないとアクティブにはならない。

だが今世がゲームの世界に転生していたのだと気づかなかった俺は、ずっと頼らず生きていた。だから封じられてもそう不自由は感じないだろう。

十七の頃よりステータス自体は上がっている。ならば十分だ。

と、封印を大人しく受け入れる気になったのだが、異を唱えたのは頭上にいたコロポックルたちだった。

俺の体の平坦(へいたん)な部分に、封印の文様を刺青(いれずみ)のように焼きつけないといけないのだが、それが彼女たちにはお気に召さないらしい。

封印の刺青は、大樹海を出る時に消す。だが、それでは俺（の髪）で遊べない。


べっそうなの！

ころぽっくるのかくれがなの！

いれずみされると、きもちわるくてながいじかんあそべない！


ぷんぷんと頭の上で怒っている幼女たち。残念ながら俺からはまったく見えない。

だが、どうしようかと苦り切った表情を浮かべているエルフの長老たちの顔は見ることが出来る。

ウォルと彼らで作っていた筋書きとは違う、イレギュラーなのだろう。

コロポックルと長老の話し合いの結果、封印はとりあえず月の満ち欠けが一巡する間だけ施されることになった。

その間様子を見て、俺に害はないとエルフが判断すれば、刺青は消されることになる。その後、コロポックルたちは俺（の髪）で存分に遊ぶ。

渋々納得した幼女たちが、俺の髪の中から出てくる。


かりや、はやくいれずみけしてね。

またくる。

べっそうはかたづけていいよ。ざいりょうはあげる。

あそんだおれい？　やちん？


口々に話しては、部屋の壁に向かって走り、消えるコロポックルたち。

嵐のように去っていった小さな妖精に、エルフが疲れたため息をついていたのが印象的だった。

かき回されているんだろうなぁ……。

出来るならずっと俺を封印で拘束したかっただろうが、あれでは無理だろう。

エルフがよほどの理由を作り出せない限り、俺は約一か月後には自由になりそうな予感。

鎖骨の下、胸の中央部分。

封印の文様はその場で刻まれた。

刻まれたというか、スタンプみたいに型で押された。痛みは感じなかった。

大きさは横にした名刺サイズ。色は黒。

白い肌なら目立つだろうが、俺のオリーブの肌色ならそこまで気にならない。

シャツの胸元を緩め、いつでも封印は見えるようにしておかないといけないらしい。一般市民のエルフの皆さんが、それで安心するというなら仕方ない。

——おまえらコレ、本当は罪人に対する処置だろうとか、突っ込みはしないぞ。

気にせず笑って受け入れてやるー！

封印の文様は、なんとも厨二（ちゅうに）テイストあふれる代物（褒め言葉）だった。

人生最高のモテ期がやって来るらしい

一仕事終えた。

エルフから提供された客室の改装を終え、俺は自分の仕事の出来に満足の汗をぬぐった。

大樹海の建物なんだが、実は基本的に窓や扉が存在しない。壁に適当な大きさの穴が開いているという仕様だ。

エルフは個々のプライバシーという概念が薄いなど、理由はあるかもしれないが、俺の前世に培われたゲーム脳はストレートにこう考える。

——ゲーム内で個性を出すためだ。

普通は作るだろ、窓。

エルフの居住地は結界に守られているため、強風もないし雨も室内に降り込まないけどな。

普通は作るだろ、扉。鍵(かぎ)をかけるだろ。

ない。出入り自由だ。

奴らにノックという習慣は存在しない。一応、宝物庫と牢屋は柵(さく)で封じて出入りに制限をかけているが。

ウォルに提供された客室も、窓もなければ扉もなかった。

樹上の建物だからまだマシだけれど、内部は覗(のぞ)き放題立ち入り放題だ。その気になれば暗殺もし放題だろう。

だから入室するなりウォルを風呂(ふろ)に突っ込んで、とりあえず安全に滞在出来るように手を加えてみた
——あ、改装の許可はしっかりともらいました。

こういう、外部から来た貴人を泊めるための部屋は、改装は自由に行える。だが退去する時は、それら家具の類はすべて置いて去るのが慣例だ。

……前世のゲーム内で、似た内容のクエストを受けたことがあるのです。わがまま姫の外遊に同行し、自作のアイテムで面倒を見るという生産職向けの内容だった。

必要経費だ。

ウォルの身の安全のためにも、俺はアイテムボックスを解放する！

この貴賓室、間取りは２ＬＤＫだったりする。

応接用リビング、ダイニングキッチン、寝室、護衛の待機室、そして風呂とトイレだ。

まず、すべての窓枠に薄布をカーテンのように垂らし、外部からの視線と射線が通らないように防ぐ。

認識阻害効果と防刃効果がついた布を使った。色は揃えられなかったので、部屋ごとにカラフルになっている。

客室と寝室の出入り口には、人の背丈を隠す高さの衝立を置いた。

これで中は覗けない。

衝立は〝ゲート〟の効果をつけている。なので、許可を出した相手しかすり抜けて通ることは出来ない。

応接室のソファーにはクッションを並べ、テーブルには花瓶を置いて美しい花（薬草だけどな）を飾った。

食事は別の場所で作って持ってきてもらえるため、キッチンはお茶を淹れるくらいだ。その場合の食器も持ち込みなんだが、ティーセットはもちろん保有しているとも！

茶葉も、お茶菓子もな。

すべて自作だが、訪れた客人に出しても大丈夫な出来だ。見栄を張ってランクAだ。

寝室に備えつけのクローゼットにも、ウォルの服を詰めておいた。

俺の服は支給されるが、彼の服は自前だ。

これまでは庶民として行動していたから、ウォルは一見安っぽい物ばかり（性能は保証するけど）を身に着けていた。

だが！　王子様なら身分にふさわしい衣類を身に着けなきゃな。大樹海を目指すと決めてから、夜なべして量産していたとも－。遠慮なく好きな服に袖を通してくれ！

前世の記憶をフル動員して、普段着、室内着、昼間用宮廷服、夜間用宮廷服、ついでに軍服と、ゲームで王侯クラスが着用していた衣服を用意している。

一種類につき、礼服は切りよく十着。普段使いは三十着ほど。寸法はきっちり彼の体型に合わせたので、シルエットはバッチリだ。

クローゼットに全部入りきらなかったから、中身は適当に入れ替える予定。

……風呂後の着替えを出すついでに披露したら、ウォルが申し訳なさそうな表情を浮かべていたので、ちょっとやりすぎたかもしれない。高級な布は山の蛮族時代には無縁だったが、タキリン城砦で報酬として大量にもらっていたのでつい！

寝室には絨毯も敷いた。備えつけの机には、筆記具も置いておいた。

大人が四〜五人眠れそうな巨大なベッドの、寝具はまるっと寝心地がもっと良い物に変えておいた。

だけど、寝室のセキュリティには個人的に不安が残っている。

バルコニーに通じる出入り口にも衝立は置いてある。だけど窓部分が無防備だ。

カーテンのように掛けた布では、視線や飛び道具は防げても侵入は防げない。

俺が使う予定の護衛の待機室は、ウォルの寝室の横にあるが、廊下を経由しなきゃいけないので何かあった時にはすぐに駆けこめない。

大樹海はエルフの結界に守られている。彼ら以外の結界は発動しないので、野営の時に使っていた守護結界は使えない。

俺もジャンプを使えないいし、衝立を増やせたらいいんだが、もう手持ちがない。

アイテムの追加生産はちょっと無理だな。戦闘だけじゃなく生産スキルも封じられている。

……ウォルの寝室の隅に、俺のベッドも置かせてもらえないか、後で相談しよう。

しかし、こういった自分で好きなように手を加えることが出来るのって、生産職にとってはものすごく楽しい。

うむ、と改装の出来栄えに頷き、俺はダイニングの椅子へと移動した。

腰を下ろし、中途半端に放っていた自分の髪の編み込みを解き始める。

部屋に入った途端、髪を飾っていたアイテムはアイテムボックス内に収納した。

ナマモノのアイテムって、時間が経って鮮度が落ちたらランクも落ちるんだよ……特に世界樹の葉。

これは採取してから二十四時間放置すると、ランクアップの付与効果が失われる。時間の止まるアイテムボックスに入れておかないと。

アイテムは即座に回収したが、後には複雑に編み込まれた髪の毛が残った。

身長十センチのコロポックルたちの手は小さい。

そのせいで三つ編みがかなり細かい。

ナイフでブチ切りたい誘惑と戦いながら丁寧に解いていると、ウォルが風呂から出てきた。

「お待たせ。お湯が冷めないうちに、カリヤも風呂を……大変そうだな。私も手伝おう」

「助かる」

ウォルが俺の背後に回った。

遠慮なく後ろの部分は任せ、俺は耳の横のブランコを解体する……編みが細かすぎる……。

無言で苦戦していると、作業をしながらでいいから聞いてほしい、と俺の髪を解きながらウォルが切り出した。

「……大樹海に到着する前、ここに滞在する期間について話していただろう？　春までエルフの世話になるだろうと」

「ああ」

すぐにも大樹海経由でティシアに戻りたかったが、そう出来ない理由があった。

季節だ。

そろそろ秋も深まろうとしている。大樹海の木々も、黄色く色づき始めている。

だが俺のホームが存在するゲイリアス山岳地帯の奥地は、既に雪が積もっているはずだった。

俺だけなら雪のゲイリアスでも行動出来る。

だがそれは、あくまで自分一人なら。うっかりと調子に乗って山岳地帯最奥をホームに設定したから、俺でさえホームから出身の村までの移動に二昼夜かかる。

Sランクモンスターと戦いつつ、戦闘でも移動でもジャンプを駆使して二昼夜だ。とてもウォルを連れては行えない。

……出身の村からホームまでは、〝リターンホーム〟で一瞬だから、まあいいかって思ってしまったんだよ……。

大樹海にも転移ポータルはあるけれど、ティシアまでの直通はない。

転移ステーションを経由しなくちゃいけないのだが、中央国家群の転移ステーションはすべて冒険者ギルドが押さえている。そこで捕まるだろう。

だから〝リターンホーム〟しかない。

しかしゲイリアス奥地のホームに転移しても、春まで足止めをくらうのだ。

それなら雪が解け、Sランクモンスターの脅威が弱まって移動が容易になる春まで、エルフの元で身を潜めておこうとルカも交えて話し合った。

魔法や剣術の腕を磨いたり、足りなくなったアイテムを補充したり。

クラシエルの追手が入り込めない大樹海なら、春まで潜伏するには都合がいいんじゃないかと。

「その件についてだが、おそらく大樹海は早々に出ることになると思われる。そのつもりでいてほしい」

「……理由は？」

「——あなたにかけられた封印が、早い段階で撤回されるだろうから」

やはりか、と俺は思った。

俺のスキルと魔法を封じたのは、転生者をエルフが警戒しているからだと思っていた。

おそらく最初に、主君であるウォルに対して打診があり、彼はエルフの望みを受け入れた。

「カリヤ、あなたは自己評価が低い。ずっとゲイリアスの山中で暮らしていたあなたは、前世の基準で物事を捉えている。今のこの世界が、前世とは違っているのだと受け入れつつあるが、それでもあなたは自らを軽く受け止めている。それは違う。この世界では、エルフにとっては——いずれティシア王となる私よりも、Sランクアイテムマスターのあなたの方が価値があるんだ」

「……〝エリクサー〟を作れるから？」

そうだ、と背後でウォルが肯定した。

「エルフは、大樹海でしか育たない世界樹の葉を材料として蘇生薬を作る。それは〝エリクシール〟と呼ばれているがランクはA止まり。正式名称ではなく〝劣化エリクサー〟と呼ばれることの方が多い、蘇生も万全ではない代物だ。万能の蘇生薬であるエリクサーは、Sランク生産職の転生者しか作れない」

「……大樹海滞在中に、エルフは俺にエリクサーを作れるだけ作らせるから逃げようということか？」

「違う」

三つ編みを解く手を止めることなく、背後の少年はしばらく言葉を選んだ後、ゆっくりと語り始めた。

「――すまない、カリヤ。思考をまとめていた。私も、最初はエルフがあなたを使い潰すつもりで、生産活動を強制しないかということを危惧した。だから転生者の存在を短絡的に恐れているように見えた、封印を推したエルフの主張を呑んだ。生産スキルを悪用出来ないようにしたつもりだったが……封じたかったのは戦闘スキルの方だったのかもしれない。あなたを怒らせても、被害がないように」

「怒らせるようなことを仕掛けてくるつもりだと？」

「……たとえば、エルフが私の命を盾に取り、エリクサーを作れと命じたならあなたはどうする？」

「相手を殺す」

何を言い出すんだ、ウォル！

答えはするっと口から出ていたが、俺は改めてそうなった場合を考えた。

ウォルが人質にされるのか。そんなの受け入れられる訳がない。あ、でもスキルも魔法も封じられて反撃出来ないのなら、悔しくてたまらないけど作るかもしれない……。

「意に沿わぬことを強制させたら恨みが残る。彼らも極力そんな手は取らないはずだ。なら、私がエルフの娘と恋に落ちた。もうティシアに戻るつもりはない。ずっと大樹海で暮らしていくつもりだが、そのためには金が必要だからエリクサーを作ってくれと言い出したら？」

「ウォル、それは騙されている！」

「そうだな。その場合の私はある意味では幸せだろうが、完璧に騙されている状態だ。ああ、大丈夫。さすがに今、祖国を捨てて恋愛を選ぶことはない」

　では……とウォルが続ける。

「あなたがエルフと恋に落ちる。エルフはあなたの代わりに私を祖国まで送るし、全面的に戦争にも協力してくれるそうだ。何故ならあなたに、生涯自分の側にいてほしいから。そして幸せに暮らし始めているうちに、いろんなことが起こるだろう。恋人が困っている、恋人の同胞のエルフが困っている、エルフが豊かに暮らしていけるよう、恋人とずっと幸せに暮らしていけるよう、エリクサーが必要だと言われたら？」

「……それは……」

　完っっぺきに、騙されているなそれも！

　色仕掛け怖すぎる。

　なるほど、と俺はウォルの伝えたいことについて考える。

「……とりあえず先に牙は抜いておこう。騙しても俺が気づかないのなら、俺とエルフのどちらも幸せになるからいいよねって考えているのか？　奴らは」

「エルフは美しい種族だ。彼らも己の美しさを自覚している。怒らせないよう、怪しまれないようにゆっくりと口説く気だったかもしれないが、コロポックルの主張であなたが封じられる時間は短くなった」

　封印がなくなれば、リターンホームが使える。

　いつでも私たちは大樹海を出ていけることを、彼らは理解している。

　半年ほど世話になると伝えてはいるが、封印の期間が短くなったことにより、早めにこの地を去る危険が出来たことも。

「大樹海を去る可能性がないうちに、封印が効いている間にあなたを取り込む。そういった画策があるだろうことを覚悟しておいてくれ」

　つまり……と俺はウォルの忠告を考える。

　ゲイリアスのカリヤ氏、偽りのモテ期到来の予感？

モテ期、襲来（ただし男に限る）

「……それとカリヤ。あなたはなかなか気づかないと思うので、先に教えておきたいのだが……」

　俺の三つ編みを解きながら、ウォルが言いよどむ気配がする。

　指摘しづらいことなのだろうとか、と少し不安になったが、辺境暮らしで世間知らずな自覚はある。

　俺のことを気にかけての忠告だと分かっていたから、覚悟を決めて発言を促した。

「――ん、それなら先に教えてもらえると非常に助かる。言ってくれ」

「あなたは、私の愛人だと思われている」

「へ？」

　あいじん？

　だれが？

「あなただ、カリヤ。……私は、あなたに執着している様子を彼らに見せた。牢(ろう)からの解放を強く主張し、あなたの身の安全を望んだ。先ほども、別の部屋を与えられそうになったあなたを、自分の側に置いた」

　ああ、と俺はこの部屋に入る前の、彼とエルフのやりとりを思い出す。

　実は最初の予定では、俺の部屋はウォルとは別の場所になる予定だった。王族のウォルは樹上の建物で、臣下の俺は地上。客人の身分によって振り分けられるものだと言われたが、側から離れるつもりはないと同室をごり押しした。

　こんな美少年を一人きりになんて出来る訳がない。美形揃(ぞろ)いのエルフの中に交じっても遜色(そんしょく)がない、それどころか彼らよりも美しいと断言出来る美少年なんだぞ!?

俺の代わりの護衛をちゃんと側に置くからと言われたが、そう簡単に信用出来るか。その護衛が狼にもなりかねない。

自国の王子を守るのは、その国の民の仕事だ。ウォルの貞操は、俺が守る！

……ウォルも賛成していたので、考えることは同じなんだなーと思っていたんだが、

「それだけで愛人!?」

「普通はそういう邪推はされないものだが——あなたは美しすぎる」

「はい？」

なんか、ウォルの口から変な単語が出た！

思わず振り返ると、絶世の美貌を持つ王子様は、とても困った顔をしていらっしゃった。

風呂上がりで上気した顔が色っぽい……ではなく！

「コロポックルが、あなたを飾り立てていただろう？——あれが目立ちすぎた。そのままの姿で会合に出たのが、エルフたちの誤解の元になったのだと思う。自分の身を美しく飾り立て、主人に媚を売る者なのだと、エルフはあなたをそう誤解している。あなたは本当に自分の美しさに無頓着だが、会合の場では、誰もが美しく装ったあなたに惑わされていたんだ」

……コロポックルの前衛芸術、エルフの美意識に合致していた模様……。

「素材を手放したくなかったのだろうなと、もちろん私は理解しているが」

ウォルにはバレていた。

えーっと、つまりだ。

俺はウォルのボディガード兼、夜のお世話係だと思われているらしい？

ウォルド殿下、十六歳。もう成人しているものな。王族ならやっぱり、そういう担当がいたりするん

だろうきっと。で、俺がそれだと思われてしまったと？　男同士でも大丈夫な世界だし。

やはりヒゲか!?　ヒゲを剃ったのがいけなかったのか!?

「――あなたには申し訳ないが、その誤解を利用してほしい」

動揺していた俺を正気に戻したのは、ウォルの力強い声だった。

「誘いがあっても、私の名を出せばある程度は拒絶出来るだろう。私の愛人だと思われるのが嫌なら、別に私を慕っている様子を見せなくていい。執着しているのは私で、美しく着飾るのも私の命令に従っているだけだとしておけば、あなた自身の尊厳は傷つかない」

……一生懸命にウォルは説明しているけれど、ふと気づいてしまった。

俺は、愛人止まりなんだ、と。

性のはけ口に使う、肉体だけの関係――。

身分の差がありすぎるし、仕方ないか。でも、愛人じゃなくて恋人とし――いやいやいや、今はモテ期の偽装について話し合っているんだった。

「ウォル。だいたい理解した。愛人と誤解されているから、それを利用したうえで上手く動けってことだな」

「……ああ」

「そういうことならこちらからも提案がある。ウォルの寝室で、俺も寝てもいいか？」

「――え？」

あれ？

美少年が固まった。

「そう誤解されてるならちょうどいい。護衛の待機室からじゃ、窓を使って寝室に侵入されたら対処しにくいんだ。だから、同じ部屋で寝泊まりしたいなって」

「あ、うん。そうだな、護衛」

「ベッドが一つ増えたら狭くなるかもしれないけど、

それは我慢してほしい」

「いや、あの部屋のベッドは広いから！　半分使ってくれ。二人でも余裕で眠れる。それに、そういう関係なら、同じベッドで眠った方が信ぴょう性が高くなるし……っ」

たしかに、ウォルの使うベッドは巨大だった。俺が三人くらいお邪魔しても大丈夫だろう。

旅の途中で泊まっていた宿屋のベッドは、二人で眠ると抱き合ってないと落ちそうなほど狭かった。あれに比べれば、充分以上の広さだ。

ちょうど髪も解けたし、ウォルに礼と、先に眠っておくように伝えてお風呂に入る。

樹上だというのになかなかの広さの湯舟だ。さすが王侯貴族用の宿泊施設。

……昨夜、ウォルは鎧を着たまま、剣を抱えた姿勢で横にならずに眠ったらしい。

いくらもう安全だと言われても、たった一人しかいない臣下を牢屋に入れられた状態で、知らない場所で無防備に寝るなんて出来ないだろう。

だけど今夜からは俺がいるし！

さっき寝室に敷いた絨毯は、登録した俺とウォル以外が踏むと電撃で攻撃する代物だ。就寝中の侵入者対策になる。

安心して、昨日の分もゆっくりと眠ってほしい――……なんてことを思いながら風呂を出ると、まだ王子は眠っていなかった。

魔法が使えない俺のために、人間ドライヤーとして待ってくれていたらしい。

温風は出なかったが、髪は乾かしてもらう。

そして、何故か大きなベッドの上で、パジャマ姿のまま対面で正座した。

「――カリヤ、これを」

傍らに置いていた鞘に入った剣を、ウォルがベッドの中央に置く。

「眠る時には、私とあなたの間に置いておく。あなたは武器を取り上げられたが、私の物を使うなとは言われなかった。スキルを封じられても、反応はあなたの方が速い。身の危険を感じたら、これを使ってくれ」

「――分かった」

ウォルの配慮に頷く。

金属製の武器は苦手だが、そこそこは使える。最初の襲撃さえ凌げば、すぐにウォルが魔法で介入する、ということだろう。

だけど、鞘に入っているとはいえ剣が間にあったら、前のように寄り添って眠るとかは出来ないんだろうなぁ……。

「……間に置いておけば、抑止力になるはず……」

「ウォル？」

何かを呟いている声は小さくて、首を傾げて尋ねると、なんでもないと少年が綺麗に笑った。

「この部屋、就寝の挨拶を声に出すだけで室内が暗くなるんだ。……そろそろ眠ろうか。おやすみ、カリヤ」

「おやすみ、ウォル。良い夢を」

天井を這う蔦の各所に咲く光の花が、キーワードを合図に灯りを落とした。

……こうして、俺とウォルのエルフの里での生活が始まった。

朝起きると、この客人用の建物で働くエルフが、ワゴンに朝食を載せて運んできてくれた。

食卓の側で給仕もしてくれるそうだが、それは遠慮しておく。

実はウォルド殿下は旅の道中で、自分のことはすべて自分だけで出来るようになっている。俺の食事の支度もしてくれるくらいだ。

俺がするから大丈夫ーと断ったが、それでは掃除と洗たくはどうするかと尋ねられた。

掃除は俺（とウォル）がやる。

洗たくだけは頼んだ。外の廊下に洗い物を入れた籠を出しておけばやってくれるそうだ。

客室内には、出来るだけ他人を入れない方向で。

本来なら、王族クラスの外遊は料理人から下働きまで同行し、馬車を何十台と連ねて行う。食料や食器類、消耗品、衣服や家具までも持参する。

だけどウォルと俺の二人だけで、そこまでこだわるのは不可能だから、手を抜ける場所は抜いてしまえ。

それから、建物の維持管理をしている担当者を、全員紹介してもらった。

護衛につく兵士も挨拶に来た。面通しをしておけば、見知らぬ顔を警戒することが出来るだろう。

それから俺が入牢時に預けていた武器防具を返却してもらって、代わりに用意されたエルフの服を受け取った。

……シャツの刺繍が華やかだ。いや、派手だ。シンプルで良かったのに。

客に用意する服が貧相なのは、迎えるエルフの沽券に関わるっていう感じなのかね？

「一応、あなたは王族の愛妾と見なされたので……配慮したつもりなのだと思う」

「……そうか……」

説明ありがとうございます、王子。

しかし、王子のお相手ということで、俺は同性愛者だと思われているようだ。

朝起きてからここまで、現れたエルフがすべて見目麗しい〝男〟なのには乾いた笑いしか出てこない
――なるほど、これがモテ期というものか。

双子のボディガード

「ウォルド様、カリヤ様、おはようございます！」

キラキラと輝く笑顔で朝の挨拶をくれたのは、応接室に入ってきたエルフの子供、ルカーシュだ。

俺とウォルの二人が揃ってから改めて礼を言うのだと、親族と共にやって来た。

昨日、この里の長老の一人として紹介された老人と、長老の息子であるご両親、そしてもう一人エルフらしき青年が同行している。

エルフだとすぐに言い切れなかったのは、彼の肌色がウォルのように白く、髪の毛の色も金だったからだ。

よく見ると耳の先は尖っていて、ルカの父と顔立ちに共通点があった。

ご老人と一行が床に膝をつき、エルフ式の最敬礼で頭を下げる。

「……この度は、我が孫を奴隷商の手から救い出し、隷属の首輪から解放したうえに大樹海まで連れ帰ってくださり、誠にありがとうございます……っ」

そうして順に感謝の言葉を伝えられる。金髪のエルフは長老の末の息子で、ルカの叔父だった。

突然いなくなったルカが、おそらく人族によって連れ去られたのだとエルフたちは知っていた。

大樹海の結界の外に、子供が履いていたはずの靴が片方だけ落ちていたらしい。

彼らは伝手をたどって、大樹海を出て子供を探した。ルカの叔父も、肌と髪の色を染めて人族に変装し、捜索に加わっていたらしい。

だが大樹海の外の世界は広く、非合法に連れ去られた子供の行方は杳として掴めなかった。

たまたま青年が情報交換のために里に戻っていた時に、俺たちに連れられたルカが帰ってきたのだそうだ。

「ありがとうございます、カリヤ様。怪我一つなく甥が戻ってきたのは、あなたとウォルド殿下のおかげです」

腰までの金色の髪を複雑に編んだ青年が、美しく微笑む。なんというか……非常に男らしい色気を持つ青年だった。

瞳の色はルカと同じ藍色。

俺より背が高く、すらりとした体つきに見えるけれど、おそらく着やせするタイプだと思う。男のエロスというかフェロモンが放たれている、あまりエルフにはいないタイプだ……普通のエルフ男性はルカの父親のように、線の細い綺麗系が多い。

「アンゼリーンと申します。どうぞアンゼとお呼びください、カリヤ様。本日から一族を代表して、カリヤ様の護衛を仰せつかることとなりました」

「カリヤ様。アンゼ兄さんには、双子の弟がいるのです。大樹海の外にお仕事で出ていて、まだ戻ってきていないんですけれど。戻ってきたらボクの叔父二人が、交代で里に滞在中のカリヤ様をお守りすることになります」

「ウォルド殿下の御身は、里の長老会が選んだ者が護衛にあたります。カリヤ様もそうなる予定でしたが、殿下のたってのご希望で、我が一族の者がカリヤ様のお側につくことになりました」

——俺がモテ期を無事にやり過ごせるよう、ウォルがルカの祖父に頼んだらしい。ルカの親族なら個人的に感じている恩も大きいから、良い防波堤になってくれるだろう、ということか。

「世話になります、アンゼ。俺のこともカリヤとそのままで。平民ですから敬語はいりません。口調も普段通りでどうぞ」

「カリヤ様は一族の恩人です。敬称を外すことは出来ません。……それに私があなたを呼び捨てにしたら、周囲の者からいらぬ誤解も招きかねませんからね。このままがいいでしょう」

ルカと同じように、にっこりと笑って否定されてしまった。だがしかし、確かに特定の誰かと親しい様子は見せない方がいいのかもしれない。モテ期真っ最中だからな。

遠まわしに教えてくれた相手に、了解したと笑って頷くと、青年は色気のある笑みで応えてくれた。

「……そういえば、カリヤ様はおいくつなんですか？」

「二十六歳です」

「ウォルド殿下より十歳年上でいらっしゃるのです

ね。私は二十八です。ルカーシュは、私が二十歳の時に生まれた甥なんですよ。兄の子ですが、歳が離れているからか自分の子のようにも思っていました。ルカを連れ帰ってくださってありがとうございました、カリヤ様」

にこやかに話し合っているので、もう大丈夫だと思ったのだろう。部屋の隅で俺と叔父との顔合わせを仲介していたルカが、母親の元へと戻っていく。

彼の父親と祖父は、まだ応接室の中央でウォルと話し合っている。なんだか真剣な様子での話し合いだったので、邪魔をしないように部屋の隅で顔合わせは行っていました。

この打ち合わせが終われば、ルカが里の中を案内してくれる手はずになっている。

そのままウォルをこれから通うことになる魔法の訓練場へと送り、俺はエルフの用意した武器庫に、アイテムボックス内の武器を封印しに向かう予定。

「……カリヤ様。牢屋内での扱いは、申し訳ありませんでした。改めてお詫びいたします」

そっと俺の側に身を寄せ、ひそめた声でアンゼが告げた。

「水や食料が与えられなかった件です。そのことについて、お耳に入れておいた方が良いかと思いまして……」

「――ああ」

コロポックルたちのおかげで飢えはしなかったが、あれは完全にエルフ側の失態だろう。

謝罪はウォルが受けているが、何故そうなったのかという理由などは曖昧にされてしまった……連絡ミスはないよなぁ。

「里の兵士長が、牢屋番に命じていました。転生者だから、すぐに死ぬことはないという言葉に、部下の牢屋番は従うしかなかったそうです」

「俺に対する今後への脅しか、嫌がらせということですか？」

「……兵士長の個人的な怨恨でしょう。彼は、父親を転生者に殺されていますから。……十七年前、中央国家群の東部にあるハム諸島で起こった戦乱。そこにちょうど交易に出向いていた彼の父親は、攻撃に巻き込まれて死にました」

「……ハム諸島……」

「カリヤ様も肌の色からして、ティシアではなくその辺りのご出身ですよね？　神槍と呼ばれるSSSが、敵対した島を一閃で沈めて滅ぼしたあの戦乱です」

戦乱のことは知らなかったが、〝神槍〟という二つ名に覚えがあった。タキリン城砦にやって来ていた、ランクA金属系生産職のイルマちゃん。

あのラギオン帝国の少女の兄だったはず。

冒険者ギルド総本部に所属する、二人いるというSSS戦闘職のうちの一人だ。

その彼が十七年前にハム諸島であったという戦争に参加し、その攻撃で島が一つ海に沈んだ。

――事実なのだろう、と思う。

SSSにはそれだけの戦闘力がある。

父親が戦闘に巻き込まれて死んだのか。

ならばその兵士長には、転生者に対する強い怒りがあるだろう。

たとえ十七年前の出来事でも、それを知る他のエルフは同情し、内々に隠蔽しようとしてしまったのか。

「他にも、この里では二人がその戦乱で、神槍によって命を落としています。犠牲者にゆかりのある者は、転生者に対する恨みが深い。今後も充分に気をつけてください」

「……教えてくださってありがとうございます」

逆恨みがあるかもしれないから気をつけろ、という青年の忠告に、俺は頭を下げた。

ウォルと長老たちとの話し合いも終わり、客室のある建物を出て地上へと降りる。

さすがに魔法の訓練場は、樹上ではなく地上にあるらしい。ルカが先頭に立ち、周辺の建物の名前や用途などを誇らしげに教えてくれる。その後ろをついて、ウォルと俺、アンゼが歩く。

長老とご両親とは、木を降りたところで別れた。

エルフの里自体に危険はない。

単独で歩いていて人気のない場所に迷い込んだり、引きずりこまれたりしない限りは安全だろう。

ウォルの本日の護衛は、訓練場に着いてから紹介されるそうだ。俺はこのままアンゼが護衛してくれる。

「――ルカ！」

悲鳴じみた男の声が、里の中に響いた。

石畳の敷かれた通りの向こうから、一人の青年が駆け寄ってくる。

彼もまた、エルフにはいないはずの黒い髪にオリーブ色の肌色をしていた。俺と同じ色――中央国家群の東の果て、ハム諸島近辺の色彩だ。

「ヴェン兄さん！」

「良かった、ルカ、ずっと、ずっと心配してた……！」

駆け寄ってきた青年が、ルカの前で膝をつき、思いきり子供を抱きしめる。

苦笑を浮かべたアンゼが、俺たちに青年を紹介した。

「ウォルド殿下、カリヤ様。お見苦しい様を見せて申し訳ございません。私の双子の弟のヴェンデリーンです。大樹海の任務で中央国家群の東部にて活動していますので、あのように髪と肌色を染めています。ルカが帰ってきたと連絡を入れたので、急いで戻ってきたのでしょう」

男に抱きしめられたルカが、よしよしと短い黒髪の頭を撫(な)でている。

だが、腕に込める力が徐々に強くなっているようだ。ポカポカと必死に頭を叩(たた)き始めた。

「ヴェン、ルカが苦しがっている。そこまでにしておけ。それにウォルド殿下の御前だ。もう少し見苦しくない行動を心がけろ」

「……うっせー、アンゼ。いい子ちゃんぶってんじゃねーよ。連れ去られた可愛い甥が帰ってきたんだ。再会を喜ぶのは当たり前じゃねーか」

名残惜し気にルカを放し、黒髪の青年が立ち上がった。双子だというアンゼとほぼ同じ身長だが、彼よりも筋肉質だ。優美なイメージで語られるエルフとは真逆の、野性味を帯びた美貌(びぼう)の男だった。

対照的な印象を持つ双子だが、かもしだす男の色気は共通している。

藍色の鋭い眼差しが、ウォルを値踏みするように見つめ、そして俺に向けられた。

(……おや)

一瞬浮かんだのは、侮蔑(ぶべつ)の表情——。

出身地や生い立ちなどの境遇で蔑(さげす)まれることは、これまでの人生で何度も経験があった。

俺に向けられるそういった感情は別にかまわない。慣れているし、無視すればいいいだけだ。

なのにこいつは、俺を見た後にもう一度ウォルに視線をやり、同じような表情を浮かべやがった。

「……例のティシアの王子に、その従者か。ルカーシュを助けてくれた命の恩人だというのなら、礼を尽くそう。俺の名はヴェンデリーンだ。里での警護は引き受けた。よろしく頼む」

尊大な名乗りに、俺はにっこりと浮かべた笑みを深くしていくのを止められなかった。

今、おまえ、ケンカを売ったな？　売りやがったな？

俺だけならまだしも、ウォルに対してのその態度、

——絶対に許さん。

アイテムボックスご開帳

〝この世界は、ＭＭＯＲＰＧ《ゴールデン・ドーン》と同じ設定を持つ異世界である〟。

それが前世の記憶を持って転生した〝俺〟と、お

そらく同じような境遇の〝転生者（元プレイヤー）〟の持つ共通認識だろう。

転生したこの世界は、《ゴールデン・ドーン》の設定に沿って存在している。

同じ（ような）アイテム、同じ（ような）スキル、同じ（ような）魔法。

〝転生者〟が出現するようになったという九百年前を境に歴史は変わり、世界のスケールも巨大になってしまっているが、それでも基本はゲームと同じだ。ゲーム《ゴールデン・ドーン》をプレイしていた転生者たちには、〝経験〟という名のアドバンテージがある。

実際に体験し、ネット上の攻略サイトや掲示板を駆使し、積み上げていた〝記憶〟で最適解を導き出せる。

だから案内されたエルフの里の訓練場を目の当たりにした俺は、そっとウォルを呼び寄せていた。

不審がっているエルフたちをその場に残し、訓練場の隅まで連れて行った少年に小声で囁く。

「……いいか、ウォル。エルフはいろいろと魔法に関する訓練を提案してくるだろうが、一切乗るな。実行するな。まずは『瞑想』一択だ。あの奥に生えている木の下。そこで胡坐をかいて精神統一を続けろ。期間は、休息日を入れずにぶっ続けで十日間」

「――そうする理由を聞いていいか？　カリヤ」

「〝エルフの里・魔法訓練コースのベストクリア方法〟だから。訓練場を利用出来る時間は、午後から夕方までで、その間休憩を取らずに瞑想に充てろ。十日後からは訓練・訓練・瞑想のセットの繰り返しだ。五セット繰り返せば、Aランク魔法を最大限の威力で覚えられるようになる」

と、ゲーム攻略サイトが仰っていました。

いやー、びっくりだわ。まるきりゲームと同じ造りをしてたよ訓練場。

タキリン城砦もそういえば、一階の玄関ホールと地下のステーションの構造は前世とほぼ同じだった。

魔法系戦闘職プレイヤーにお馴染みだったこの『エルフの里の訓練場』も、記憶にあるそのままの構造をしている。となると、活用方法も同じと考えていいんじゃないだろうか。

攻略サイトいわく、最初に『瞑想』をこれでもかとやっておくと、上昇率に補正がかかって効率が良くなるのだとか。

訓練場のエルフが「一緒に違う訓練をやろうよ！」と誘惑してくるが、乗ると効率が落ちる。ハニトラ（と呼ばれていた）に引っかかってはいけない。

……まあ、本当に今世でも上手くいくかは分からないけど、瞑想が効くのはたしかだから、試してみる価値はあるだろう。

ウォルに攻略方法を教え、彼とはここで別れる。待っていた護衛に彼を任せ、訓練が終わる夕方頃に再合流する予定だ。

そして俺はエルフの求めに応じて、アイテムボックス内の武器を預けに向かう。双子の護衛も一緒だ。

本日は二人揃って俺のボディガードをするらしい。

案内されたのは、一本の巨木の洞だった。

世界樹の木と同じく、エルフの里を構成する巨木の根元には空洞がある。魔法やスキルを使えないといった、内外の干渉を無効にするそこは、物やら人やらを収納する場所に活用されているようだ。

入り口で待っていた立会い役の長老と兵士たちに先導され、地下へと降りる。

あ、かりやだ。

べっそうだ。

わんるーむだ。

——コロポックルだ。

地下室の中央。葉っぱの服を着た小さな幼女たちが大の字になって寝転がっていた。

降りてきた俺たちの姿を認め、むくりと起きだす。

べんもいる。
かえってきてたんだ、このいえでやろー。

「仕事で里を出てるんだっていつも言ってるだろ、ちび共！」

なんと、妖精はヴェンデリーンとも親交があるようだった。舐め——とてもフレンドリーな口調だ。

身長十センチの幼女たちが、こちらに向かって走ってきた。が、俺を前にしてぴたりと足を止め、じりじりと距離を開けて周囲を回り始める。

……やっぱりきもちわるい。
おのれ、いれずみ。
ねんがんのまいほーむを。ゆるさん。

おこ状態になったコロポックルたちが、きっと俺の背後に立つヴェンデリーンを睨みつけた。

べんのあほー！
ぜんぶべんがわるい！

「俺か!?」

黒髪のエルフに向かって突進し、その足元を蹴り始める幼女たち。容赦がないが、威力もない。

周囲は誰も幼女たちを止めない。

仕方ないなぁと、苦笑しながらその可愛らしい狼藉を見守っている。

やがて疲れたらしい幼女たちの襲撃が終わった。

うう、これでおわりとおもうなよ。
おれはしてんのうのなかでもさいじゃく……。
かりやはいれずみはやくけしてね。
べんのあほー。

やりたい放題、言いたい放題だったコロポックルの姿が、地下室の壁である木の幹の中へと消えていった。

絡まれていたヴェンデリーンが疲れた様子を見せている……どうやらコロポックルは、エルフ全般と交流を行っている訳ではないらしい。彼と、俺以外に対して、妖精は見事なノーリアクションだった。

「ヴェンはコロポックルたちに好かれているのですよ。この里では、弟とあと数名が資質を持っています。彼女たちを介して世界樹と対話が出来るので、弟もいずれは長老の一人に選ばれるだろうと言われていますが――」

「アンゼ！　その話は今はなしだ」

黒髪が、ぶっきらぼうに双子の兄の言葉を遮った。

そして長老が仕切り直そうと咳払いし、俺にこの部屋の中へアイテムボックス内の武器を移すようにと促してきた。

「――念のために確認しますが、武器として分類されているアイテムをすべて出す、のですよね？弓はもちろん出しますが、矢もすべてですか？」

「念のため、保有するすべてを出していただけますか？」

丁寧な口調の長老に、残念ですが……と俺は首を横に振った。

「不可能です。部屋の中に入りきりません」

「「は？」」

おお、エルフたちの声がハモった。

たしかに地下室はそれなりの広さだったが、百聞は一見にしかず、と俺は矢筒を一つ取り出してみせる。

本来の背に背負うタイプの矢筒なら、矢は入って二十本というところだろう。だが俺の取り出した矢筒は備え付け型で、容量は三百本。はっきり言って半分に切ったドラム缶だ。

「これが、アイテムボックス一枠分に九十九個入ります。で、俺は矢の分だけでこの枠を切りよく二十使っています。二十×九十九だから……この矢筒千九百八十個は、さすがに重ねても無理じゃないかなぁ」

「……どこと戦争をするつもりなんだ……」

クラシエルとの戦争用？

いやー、前世のゲーム内でたった一度参加した戦争イベントが鬼でなぁ。生産職は酷使されまくったんだ。

その時、矢ってのは消耗品だと魂に刻み込まれた。《ゴールデン・ドーン》ではMPで矢を生成する弓も存在したが、無限湧きはなかった。アイテムボックス内から自動で矢を補充する矢筒も存在していたが、その場合もしっかり実物の矢の備蓄が必要だった。

生産職一人当たり、作製ノルマは五十万本。おそろしいことにこれは一日で溶ける。

弓兵が千人いたら（NPC含む）、一人当たり五百本程度しか回らないからな。豊富に支給されるHPMPポーションのドーピングで、限界を超えて射続けられるし。

暇な時に作り溜めておこうと考え、あの時のノルマと同じ五十万本を備蓄していた。

大量生産スキルを使えば、一度に百本、謎の光と共に作れるし。それほど面倒でもない。

——そういう訳で、矢以外を出すことになった。

エルフの面々はどこか引いている様子だったが、残念ながら武器はあまり数を持っていないので、もう衝撃が走ることはないと思うぞ？

クロエ平原で、ティシアの国軍相手に売りまくったからな。

「……七連弓だ、ランクAの」

「魔法弓を量産出来るのか!?」

「見ろ、あの美しい装飾を」

忘れていた。

俺のメイン武器は弓なので、本気で作製した物はかなり凝っている。そして、エルフの種族的なメイン武器も弓だった。

カリヤコレクションの数々、宝の山に見えるらしい。

……美術的価値のあるような高ランクのブツは、クロエで売らなかったからな。今の手持ちはランクBとランクAだけで、エルフも含めてNPCの作製限界はBだ。

弓掛け（地面に直置きをしたら痛むので出した）に立てた長弓の、整然と並ぶ様は壮観の一言だと思う。

他、短弓もクロスボウもあります。弓以外に棍や長杖、短杖もあります。レシピがあれば一度は作ってみるのが職人というものです。

自作ではないが、普段使いのナイフや包丁、手斧に鎌などを忘れず出しておく。

クラシエルの転生者からせしめた刀剣も追加だ。三本あるのだが、Sランク武器なのでどよめいているエルフたちの態度がちょっと悔しい。

俺だって、と武器防具作製のランクをAからSに上げたくなった。


今は無理だけどなー。

アイテムボックスの中から出した武器をリストにし、記された内容を確認して、俺とエルフの長老のサインを入れる。

俺が大樹海を出る時か、エルフが返却してくれるという時まで。地下室の出入り口の柵に鍵を掛け、巨木の結界の中で保管されることになった。

そして、マジックアイテムが運ばれてきた。

鑑定球の一種だ。

〝質問に対する答えの真偽を見抜く〟能力を持っている。まあいうなれば、嘘発見器みたいなものだろう。その球に触れながら、質問に答える。嘘を言ったらバレる。

おそらくこれを持ち出してくるだろうと思っていた。

長老が両手で持って差し出してきた水晶球に、俺も上から自分の右手を乗せた。

「……〝あなたのアイテムボックス内の武器は、この部屋にすべて収められましたか？〟」

「〝はい、これですべてです〟」

水晶の中を青い光が走った。――嘘をついた場合は赤く光る。

満足げに頷く長老の手元から、黒髪のエルフが水晶球をもぎ取った。

「どうかしたか、ヴェンデリーン？」

「――転生者、俺の質問に正直に答えろ」

右手を取られ、水晶球に押しつけられる。

強い光を放つ藍色の瞳が、至近距離から俺を覗き込んだ。

「本当に――ルカーシュに対して暴力は振るっていないな？　一度は奴隷に落としたんだろう？　本当にあの子に、あらゆる理不尽な行いをしていないんだな!?」

霧が晴れたような気がした。

ああ、そうか、と俺は目の前の男の胸中を理解する。

彼はただ、甥の身を案じているだけなんだ。

ルカが無事に戻ってくるとは思っていなかったんだろう。このゲームに似た世界は、ゲームとは違いとてもシビアだ。

見目が良く希少価値のあるエルフの子がさらわれた。凌辱されていたとしても、肉体や精神に深い傷を負っていたとしても、せめて命だけでも無事ならと誰もが願っていたのだろう。

だが奇跡的に、ほぼ無傷で子供は帰ってきた。

ただ髪の色は失われていて、一度奴隷に落ちたのはたしかだった。

大丈夫だったと言う、子供を信用するべきか。

大丈夫だったと言う、逃亡中の王子とその愛人の言葉は信用出来るのか。

（……俺なら、王子はともかくその寵愛を驕っている十歳も年上の愛人とやらは、胡散臭すぎて信用しない）

ルカの両親や他のエルフは、命が無事であったことに満足することにした。だけど彼は、甥の今後のためにも明らかにしたかったのだろう。

水晶球に俺の手を押しつけた、その指先が小さく震えている。向けられる鋭く険しい藍の視線は、どこかすがるような必死さを帯びていた。

精霊の一種であるコロポックルが気に入っている人物だ。けして悪人ではないはず。初対面で向けてきた視線も態度も、余裕のなさから出たものだとしたら納得出来る。

甥を深く愛している青年に、俺はゆっくりと微笑(ほほえ)みを浮かべた。

こういう、他者のために一生懸命になれる存在は、嫌いじゃない。

「――大丈夫。ルカーシュに対して暴力は振るっていないし、奴隷商に捕らわれている時にも振るわれていないはずだ。売られる前に助けることが出来たから。だが既に彼には隷属の首輪が嵌(は)められていて、解放するためには一度契約を結ぶしか手段はなかった」

契約上の主人には俺がなった。

すぐに契約は解除し、彼を解放している――解除条件は主人の死亡だ。

エリクサーがあったから出来たことだな。

「ルカーシュは、少し怖い思いはしたかもしれないが、以前と同じままだ。髪の色は残念だが、白髪は運命に打ち勝った象徴として扱われると聞いている。その髪の色以外、彼には何一つ傷はつかなかった。優しい、いい子だ。彼が無事で本当に良かったと、俺もウォルド殿下も思っている――」

水晶球は静かに青くきらめき続けていた。

プライドと偏見

一日が終わったー！

ふーと満足の息をつきながら風呂を出て、自作のパジャマに着替えた俺は寝室へと向かう。

他人の目のある客室の外では、エルフの用意した服を着るけれど、中では着ない。だって防御力ゼロだからなー。

ウォルいわく、俺は彼の愛人認定をされているので、気を利かせたエルフたちのサービスがひどい。用意された下着がエロい。パジャマというか、ネグリジェ？　もエロい。

エロくても防御力があれば着てもいいかもと思うが(だって衣類に変わりはないし、他人に見せるものでもないし)、でも防御力ゴミはひでぇ。俺はゴミを着て寝たくはない。

という訳で、部外者は誰も見ないのをいいことに、自作パジャマ着用だー。

寝室に入ると、ウォルが髪を乾かそうと待っていてくれた。

好意に甘えて今夜も髪を乾かしてもらう。冷風ドライヤーは、温かい湯で火照った体に気持ちいい。

「カリヤ、今日は武器を預けた後に生産施設に行ったそうだけど……」

風魔法を操りながら、背後のウォルが話しかけてくる。

「──不愉快な目には遭わなかった？」

心配そうな声に、大丈夫だったよと答える。

「俺がウォルの訓練中、ぼーっと待っていても仕方ないからな。これからその時間に通うつもりで下見に行っただけ。ああ、そういえばエリクサーを作って見せてくれないかと言われた。ここは世界樹の葉が用意出来るから」

万能の霊薬エリクサーを作る方法は二種類ある。材料に世界樹の葉を用いる方法と、用いない方法だ。

これまで世界樹の葉が手に入らなかったから、俺は後者の方法で作っていた。だが、世界樹の葉を使えば、実は他に用意する材料は聖水だけで済む。なんてお手軽ーと思われがちだが、

「スキルを封じられているからなぁ。世界樹の葉の下ごしらえに『瞬間乾燥』と『粉砕』が必須なんだ。今の俺が作ってもほぼ失敗するか、ランクが派手に落ちる。無理だって断ったら、かなりがっかりしてたな」

くすくすと、背後のウォルが笑った。

「……他のスキルを使った作業も難しくはないか？　別に私は、訓練場であなたが見守ってくれているだけでうれしいのだが」

「衝立を、もっと作っておきたくてさ。あれの彫刻部分の透かしとかは全部手彫りになるから、そういったスキルを使わない作業をするつもり」

「あなたは本当に、そういった何かを作る作業が好きなんだな」

「生産職ですからー」

ふふふと、俺も笑いながら答える。

髪を乾かしていた風が止んだ。

そのままブラシで梳かしてくれたのが昨日の流れだった。

だからそのままの姿勢で待っていたのだが、彼の右手は何も持たず俺の視界に現れた。

背後から現れた白い手が、パジャマの上から俺の胸元を押さえる。

「……すまない。私の力が足りなかった。あなたに、罪人のような扱いを受けさせてしまうことになった」

布越しに彼が触れているのは、エルフに施された刺青だ。

分かっているはずなのに、心臓が大きな音を立てた。

彼の手はそっと重ねられているだけだ。

なのに、俺はその熱を意識していた。

意識しているのだと、自覚してしまった。

――以前、雨の降る町で、ウォルから告白されている。

その時は正論でねじ伏せた。

少年が年上の存在に惹かれることはあるものだし、

命の恩人に依存するのもあることだ。だから告白を聞かなかったことにして流した。

あの選択に後悔はしていない。彼のための選択だった。だけど、

……おそらく、少年の気持ちはあの時から変わっていないのだろう。

言葉にすることはなくなっていたけれど、眼差しが、行動が、まだ俺のことが好きなのだと伝えてくる――。

「――気にしてない。大丈夫だ、ウォル」

重ねられた手を指先で軽く叩く。

心配ないよと伝えたつもりだけど、頭の良い少年は触れないでほしいという、警告の意味も気づいてくれるだろう。

「スキルや魔法がなくても基礎能力だけで身を守ることは出来るし、俺が封じられていることで困るのはエルフたちの方だからな。コロポックルも抗議しているから、早いうちに封印は解かれるだろう」

「……ああ」

少年の手が胸元から離れ、ブラシが俺の髪を梳かし始めた。

そのままどちらともなく、今日一日にあったことを話す。ウォルは訓練場での出来事を。俺はコロポックルの襲撃の様子や、作業施設での出来事を。

改めて聞いてみると、ウォルはコロポックルたちに好感を持たれはしたが、俺ほど懐かれてはいないことが判明した。なので明日にでも小瓶に分けた花の蜜を渡すことを決意。

俺が懐かれているのも、単純にワイロが効いたからだと思うしな。ウォルも彼女たちに懐かれて悪いことはない、はず。

素直な気持ちで、よろしくお願いしますと渡せば、受け取ってくれる気がするぞ。

「……そういえばカリヤ。転生者には『ユキナガ』という名を持つ者が多いのだろうか？　特別な意味があったりする？」

質問に、髪を梳(す)かれながら俺は首を傾げる。

　コロポックルたちに、オタク知識を伝授した転生者の名前が『ユキナガ』だった。

　同じ名前を持つ者が二度、過去に鎖国状態の大樹海を訪れているらしい。たしか百二十年前と六百五十年前だったっけ。

　何か気になるのだろうか？

「いや？　前世でその名の武将が過去にいたけれど、他と比べるとそれほど有名でもないいかな。特に意味のある名前でもないはずだ。もしかしたらゲームの中で、どこかのパーティーやクランといった集まりがその名を使っていたのかもしれないけど、俺は聞いた覚えがないなぁ」

「そうか。いや、計算してみれば年齢が合わないようだし、きっと他人なのだろう……」

「知っている名前だった？」

　ああ、とウォルが頷く気配がした。

「老師の名前だ。我が父とナダルの剣の師だった転生者で、ＳＳ(ダブルエス)ランクの剣士だった」

「……へぇ……？」

「ただ、彼は十年ほど前……十二年前、だな。七十二歳で亡くなられた。年齢が合わないし、大樹海に行ったことがあると聞いた覚えもない。細君はエルフだったが、彼女も夫より前に亡くなられている」

「エルフ！　それは珍しいんじゃないか？」

「そうだな。馴(な)れ初(そ)めは知らないが、仲睦(なかむつ)まじいお二人だったようだ。私は細君に実際にお会いしたことはなかったが、老師が懐かしく話をされていたのは覚えている」

　王子であるはずのウォルの口調からも、その老師と呼ばれる転生者が、ティシアでは尊敬を集めていたのだと分かった。

　タキリン城砦(じょうさい)で会ったクラシエルのＳＳランクもその存在に触れていた。影響力のある人物だったのだろう。

　コトリとブラシがテーブルの上に置かれる。

髪を梳き終えた合図に、俺は椅子から立ち上がった。振り返り、少年に向かって感謝の気持ちを込めて笑いかける。

「ありがとう、ウォル」

「……いや、いつもしてもらっていたことだから。そろそろ眠ろうか」

「ああ」

大きなベッドに、互いに両脇から潜り込み、ウォルが中央に剣をセットする。

就寝の挨拶を交わすと、寝室の照明が落ちた。

「……ウォル」

俺は天井に残る光の花のつぼみを見上げながら、彼の名を囁いた。

「聞いてほしいことがあるんだ。相槌はいらない。返事もしないでほしい。ただ、黙って耳を傾けてくれないか……?」

返事はなかった。

ただ、彼の身じろぎにベッドが少しだけ揺れたのが分かった。

頭上で閉じたつぼみの、花びら越しにぼんやりと放たれる光によって、夜の寝室の中をうっすらと見通すことが出来る。隣に横たわる少年の表情も、目を凝らせば分かっただろう。

だが、視線を横に向けるつもりはなかった。

そんな勇気なんてなかった。

「……あのな、ウォル。……前は言えなかったけれど、好きになってくれてありがとう……。俺からあなたに向ける感情は、好きか嫌いかって気持ちだけど、『嫌い』ってことだけはないよ。だけど、嫌いじゃないなら『好き』なのかと考えたら……『嫌いじゃない』で止まってしまう……」

たとえば前世の学生時代。

クラスメートに告白されたとかそういうシチュエーションであったなら。『嫌い』でなかったのなら、俺は〝彼〟と付き合っていたはずだ。

淡い好意は付き合っているうちに、すぐに『好き』へと変化するだろう。

元から『嫌い』ではなかったのだし。相手のことを知るにつれ、相手の気持ちに触れているうちに、ゆっくりと好意は育っていく。

相手が俺を好きでいてくれる限り、俺も相手のことを好きになっていって、そうしていつか『両想い』になるのだと。逆に俺の方が相手を先に好きになって、この気持ちを受け入れてもらえるのなら、いつかは『両想い』になれるだろうと。

『両想い』になった後も、互いに尊重しあい、寄り添いあい、愛し続ける。

前世でも、今世でも。恋愛とはそういうものだろうと俺は思ってきた。

「――俺にとって、あなたは『好きになってはいけない相手』だ。あなたの立場も考えているつもりだけど、俺は……自分のことを考えてそう思ってしまう」

男同士だからなんだろうか？

同性同士でも恋愛感情を持てるものだけれど、前世はどちらかというと俺は異性愛者だった。

年齢差があるからだろうか？

十歳の差は、俺の方が年上だという事実はひどく大きい。

十年後、彼が今の俺と同じ二十六歳になったら、俺は三十六歳だ。彼が三十六歳になれば、俺は四十六歳。

美しいと褒めてくれた外見も、歳をとるにつれていつかは色褪せるだろう。だが俺が老いても彼は美しいままだ。俺より十歳も若いのだから。

ぽつぽつと内心で自分に問いかけながら語る俺の言葉を、少年は黙って聞き続けてくれている。

「……十歳も年下を誑かしたという罪悪感も気になるし、将来、十も年上なら先に老いた姿に幻滅されないかという不安もある。他には、互いの出生かな。王子様。あなたは王族で、俺は平民で――ただの平民とか、農民じゃないんだよ」

ゲイリアスに住む者は、〝山の民〟と呼ばれている。やせてろくな植物が育たない地だからさ、そこに暮らす者を見る周囲の目は変わってしまうんだ。

ゲイリアスの麓で暮らす農民にとって、山の民は狩った獲物で作物を分けてくれないかとへりくだって頼んでくる存在だ。

山じゃほとんど何も育てられない。だから物々交換は足元を見られる。山の民がモンスターを狩って、被害が麓まで及ばないようにしているんだけど、彼らにはそんなことは関係ない。

「豊かな農地を持つ者から、持たないゲイリアスの民は自分たちより一段下の存在だと思われているな。戦闘力は評価されているんだけどね。……ああごめん、なんだか話がずれた気がする」

出生を卑下するようなことを言うつもりはなかったのにな……と、俺は反省する。

自分がかなりネガティブになってしまっている気がする。楽しいことを話している訳じゃないからなぁ。

「……うん、あなたが俺を愛妾とするのは無理だろうな、ないかなという話だ。ただの愛人も無理じゃないかな。身分が低すぎて。タキリン城砦で間違われた、実は体は男だけど心は女なんだと主張をしたなら。転生者の女性は権力者に喜んで迎え入れられるようだから、側には上がれるかな……その場合、正妻じゃないと駄目なんだっけ？　まぁでも、心は女だと言い張っても体は男だ。子供は出来ないから、あなたは王室を存続させるために、誰か他の女性も迎え入れる必要がある。——でもな、ウォル。俺は、それが嫌なんだ」

——『好き』になった相手には、自分一人を好きでいてほしい——。

ウォルほどの立場なら、複数の相手を迎え入れることはごく当たり前だと理解はしている。

彼も、身分に伴う責務の一環だと考えているだろう。この世界はそういう世界だ。

だから、もし俺がウォルを本気で好きになったとしたら。

身分的には不可能だからと日陰の扱いになってもいいと思う一方で、もしその立場になった場合、同時に迎え入れるだろう幾人もの存在を考えるとつらくてたまらなくなる。

今世は婚約していた相手に裏切られた。前世も、待っててほしいと言ったはずの相手は戻って来なかった。

嫌いになった訳ではないと言いながら、彼女たちは他の誰かの方がいいのだと俺を捨てた。

——もう傷は癒えたつもりだけれど、あの時感じた胸の痛みを思うと、他の誰かと愛する人を共有なんて出来ない。

「ウォルを『嫌いじゃない』。でもあなたがあなたである限り、俺はウォルを『好き』だとは言えない……」

……まだ大丈夫。まだ踏みとどまれる。

淡く照らされる闇の中で目を閉じて、俺は自分に言い聞かせる。

同性同士という障害も、年上としての矜持も、帰国後に思い知るだろう身分の差も、他の誰かにも同じように向けられる優しい眼差しも。そういった未来に惑うことなく、今の俺は彼の側に立てる。

胸元に触れた白い手に、向ける感情を自覚してしまったけれど。

気持ちがうれしい、実物は更にうれしい

朝、目覚めると隣にウォルの姿はなかった。

ベッドの上に置かれていた剣も消えている。俺はいつも通りの時間に目が覚めたので、少年はそれより早く起きたのだろう。

何の障害物もなくなった隣に手を伸ばしかけ、ぱたりとシーツの上に落とす。

……き、気まずいというよりも恥ずかしい……っ。

前世、真夜中にラブレターやポエムの類は書くなと言われていたが、それを朝に読み返した時のいたたまれなさに似ている。

おまけに俺、ポエムを当人の前で朗読したような気分なんだが！　恥ずかしさここに極まれり！

薄い掛け布団を体に巻き付けたまま、ベッドの上をしばし転がる。

……いや、セーフだ。肝心な部分はしゃべってないはず。

事前に、聞いても忘れろって意味合いを伝えていたし。彼ならちゃんと、何も聞かなかったことにしてくれるはずだ……してくれる、うん。

その辺り、真面目で誠実な彼の性格を、俺は信用している。

寝室に彼の姿はなかったけれど、隣室に気配は感じたので起き上がる。

身支度を整えて向かうと、応接室のテーブルで書き物をしているウォルの姿があった。

「おはよう、カリヤ。朝食はあちらに用意している。私は既に食べさせてもらった。この手紙を書き終えたらすぐに出るつもりだから、あなたはゆっくり食事を取ってくれ」

「付き添いはいらない？」

「ああ。下でアンゼリーンを待たせている。午前中は彼と行動して、午後から訓練場へ向かうつもりだ。カリヤはヴェンデリーンと行動してほしい。後で来るそうだ」

「……了解ー……」

急ぎの書類なんだろうか……とじっと見下ろしていたら、ウォルが小さく苦笑した。

食事前ですまないが、少し時間をくれるかと言われ、正面の席に座る。

ウォルからの提案の形を取っているが、俺の疑問に答えてくれるのだろう。

「――ティシアへの手紙を書いている。大樹海を昼前に出ていく者に託すつもりだが、どうやら〝外〟は面倒なことになっているようだ」

「とは？」

「冒険者ギルドの移送システムだが、ギルド間で移送を受託している荷や手紙の検閲をつい先日強化したらしい。こと手紙に関しては、中身を確認する可能性を事前に説明されるようになった」

「……」

「そしてティシア文部への移送は、戦争中ということで不可能になった。クラシエルへは、例外的に可能だそうだが」

──冒険者ギルドのシステムを使ってのティシアとのやりとりは、検閲されない訳がないと既にこちらも分かっていた。

だから、元から利用しようとも思っていない。

今、ウォルからもたらされた情報の意味は、冒険者ギルド側がなりふり構わず妨害に出始めたという事実だ。

「商業ギルドの転移システムは使えるが、どうやらティシアへ直接送られる物は、冒険者ギルドの要請により中身を検閲されている。また、大樹海の転移ポータルと繋(つな)がっているポータルのすべてに、これまではなかった監視がついた。ポータルに関しては、大樹海側の結界が機能しているので、あちらからこちらに向かっては侵入出来ない。だから大樹海自体は安全だが、エルフ側も転移ポータルを使えなくなった……これまでは無人のポータルをこっそりと利用していたらしいな」

外で活動しているエルフからの報告だという情報を、淡々とウォルは語る。

追っていた獲物に目の前で逃げられ、クラシエルは──冒険者ギルドは本気で動き始めたのだろう。

「……なら、どうやって手紙を？」

「ポータルは監視がついたが、大樹海の境界線は特に監視されていないらしい。まあ、広大な樹海全体を監視するのは不可能だろう。ヴェンデリーンやアンゼリーンのように肌の色まで変装したエルフに手紙を託し、直接運んでもらうつもりだ。途中で適当な転移ポータルを使ったとしても、ティシアの国境も自力で越えてもらうことになるから、かなり時間はかかるだろう」

手紙を書き終えたウォルが、丁寧に折りたたんだ手紙を封筒に入れる。

「封は？」

「運んでくれる者に任せる。今回は経由の際の複写がないから、乱暴だがインクに私の血を混ぜた。符丁も入れているし、現物さえ届けば私からだと分かってくれる」

「あとはエルフを信用するしかないか……」

無事届くのか。手紙の中身を改変されないか。

ウォルの現在置かれている状況を、エルフが都合の良いように説明してしまわないか。

それらすべてを考慮しても、彼は祖国と連絡を取ることを選んだのだろう。

生死だけは王国碑で確認出来るが、それだけなのだから。

「では、出かけてくる。カリヤは今日一日、自由に過ごしてくれ。また夕方に会おう」

立ち上がった少年に、客室の入り口まで送ろうと俺も立ち上がる。

そして、目線の高さの変化に改めて気づいた。

初めて出会った時、彼の背は俺の肩ほどだった。

その頃の彼は十五歳。同年の〝少女〟にしては高い身長だと感じていた。

今、彼の背丈はちょうど目線の下辺り。

大きくなーれと、せっせとドーピングしていたからなぁ。筋肉の増量だけでなく、身長も順調に伸びている。

すくすくと育っている王子を見下ろしていたら、エメラルドの瞳(ひとみ)と視線があった。

強い意志を秘めたきらめく瞳が、まっすぐに俺を見る。

「――カリヤ。私は昨夜、何も聞かなかった。だからこれは私の独り言だ」

美形が多いと言われる転生者よりも、種族的に美を誇っているエルフよりも。

俺が他の誰よりも美しいと思う少年は、その鮮やかな美貌に慈愛に満ちた笑みを優しく浮かべる。

「初めて出会った時から、今この時まで――私のあなたに向ける敬意の念と、抱いた気持ちは変わらない。これからも、変わることはないだろう」

「……おい、そんなところにしゃがみこんでどうした？」

「カリヤ様、どこかお加減でも!?」

ルカとその叔父の声に、頭を抱えて悶え転がっていた（精神が。肉体は一応動いてなかったと思う）俺は、のろのろと顔を上げた。

既にウォルの姿はなかった。

うん、一応彼が階段を降りるところまでは、平常心を維持して見送った覚えがある。

そこで力尽きた。

まだ続いている動揺を、ごまかしつつ立ち上がる。

客室のある大木の下で待っているのかと思っていたヴェンデリーンだが、今日はルカを同行したために上がって来たらしい。

ルカはというと、俺に届け物をしに来たとのことだった。

せっかくなので客室の中へと招待し、ダイニングキッチンで飲物と軽食を振る舞う。

俺はまだだった朝食が食べたい。だけどその間待たせるのも申し訳ない。

なので食べながら受け取りだ。

招待をすれば入り口の衝立に拒絶されず、客室の内部に入ることが出来る。

旅の間、気に入っていた果物ジュースと、焼き菓子の盛り合わせを子供の前に置いた。

朝ごはんを食べてお腹いっぱいかもしれないけど、

俺だけ食べるのは気が引けるから付き合ってもらえるとうれしい。

　叔父の前にもついでに置いておいた。好きに食え。

「カリヤ様。助けてくださったお礼です。どうぞお納めください」

　そう言って子供が差し出してきたのは、三枚の世界樹の葉だった。

「家族で話し合って、生産職であるカリヤ様にはボクの家族が権利を持つ世界樹の葉を、滞在中はお渡ししようということになりました。カリヤ様はご存じだと思いますが、世界樹の葉は七歳以上のエルフでしたら毎日、一人につき一枚取ることが出来るのです」

　前世のゲームで知っている事柄だった。

　エルフが手に入れることが出来る世界樹の葉は、一日に一枚。これは重複して所持出来る。

　対して、プレイヤーは一度の滞在につき一枚しか、手に入れることが出来ない。

　プレイヤーが複数枚、世界樹の葉が欲しい場合。低確率で宝箱からドロップするのを狙うか、エルフの店から買うしかなかった。

　一人につき一日一枚取れるエルフの世界樹の葉は、数量限定で店売りされることがあるのだ――運営の課金アイテムなら、金さえ積めばいくらでも買えたがな！　バカ高かったけど！

「父の分と母の分、そしてボクの分です。五日に一度、里に供出しなきゃいけないのでその日はお渡し出来ませんけど、それ以外の日でしたら家族の分をお渡し出来ます。ウォルド様とも話し合って、これがカリヤ様への一番のお礼になると思って決めました」

　ルカの笑顔が眩しい。

　ランクアップ効果は採取から一日しか効果がないし、素人でも煎じればそこそこの薬にはなるが、世界樹の葉は加工が難しい。

　一般のエルフは、自分たちに必要な分以上はあえて採取しないのだと聞いたことがある。

今世でもおそらく配慮をしているのかもしれない。

だけど俺は、あればあるだけ欲しい。

だって生産職なんだもの。

最大容量のアイテムボックスを持っているんだし、くれると言うならもらえるだけもらうとも！

喜んで受け取る俺を、ルカは微笑ましそうに見守っていた。

叔父の方はなんだか呆れた様子で眺めていたが、焼き菓子をつまむ手が止まっていなかったので、それなりに口に合ったのだと思う。

叔父貴、攻略

世界樹の葉を届けに来てくれたルカと、午前中は行動を共にした。

もちろんその叔父も一緒に。本日の俺担当のボディガードですから。

まずはルカに里の商店へと案内してもらう。

大樹海産のアイテムを買い求めるためだ。そろそろ薬草やら補充をしておきたいんだよ……自分で採集には出向けそうにないから、店買いだ。

ゲーム《ゴールデン・ドーン》の中には、クエストをこなさないと特殊なアイテムの購入許可が下りない商店が存在する。

大樹海のエルフの店もその一つだ。

ＨＰポーションやＭＰポーションといった通常の販売品や基本の素材は売ってくれるが、特殊アイテムはクエストをこなさないと購入出来ない。だけど今世では、クエストの起こし方が分からない。

該当クエストを受注出来ていた冒険者ギルドが、大樹海内には存在しないからな……。

という訳で特殊な素材は買えないだろうと諦めていたのだが、ボディガード氏が本来の意味以外で役に立ってくれた。

なんと叔父、鑑定スキルと交易スキルを持っていた。おまけに商人とは顔見知り。

ヴェンデリーンが仲介に立って、大樹海産の特殊素材を無事、適正価格で購入出来ましたーっ！

甥のルカいわく、大樹海を出て活動をするエルフは、交易スキルが必須なのだそうだ。

叔父は中央国家群の東部地域まで、大樹海では手に入らない海塩や海産物を手に入れるために出ているのだとか。

なるほど、それで黒髪にオリーブ色の肌の変装か。

買い物と、ちょっとした里の観光案内をルカにしてもらい、自宅にお邪魔して昼食までいただく。

改めて拝見するルカの母親は、おっとりとした柔らかな笑顔の美人だった。そしてルカ、実はお兄ちゃんだった。

三歳になるという妹を紹介してもらったんだが、とても可愛らしい幼女です。彼が年のわりにしっかりしているように感じたのは、がんばって立派な兄になろうと努力していたから、らしい。

藍色の瞳をこぼれそうなほど大きく見開いて、青髪の幼女が俺を見上げる。

視線が俺と、俺の横に立っているヴェンデリーンを行き来している。

「……ベンおにーしゃんの、あたらしいおよめしゃんでしゅか？」

「ミルカ!?　カ、カリヤ様、申し訳ありません！」

並んで立ってはいたが、まさかそう来るとは思わなかった。

しかし嫁か。

おそらくヴェンデリーンはモテてモテて大変で、これまでも恋人をルカの家族に紹介していたんだろうなと勝手に推測。

そうかー、ヒゲがなくなった俺の姿は、もう泣く子がギャン泣きに変化する蛮族とは見なされなくなったか。

必死にルカとご母堂が頭を下げているけど、とりあえず、コロポックルたちも言っている。

全部、ヴェンデリーンが悪い。

「――俺はまったく悪くねーぞ!?」

ルカの家で昼食をいただいて、作業施設へ移動した。

なんだかエルフの娘さんが部屋の向こうから熱い視線を送っていたので、さっきの姪っ子の件も踏まえてからかってみたら、返ってきたのは嫌そうな反応だった。

「……ったく。おい、このバルコニーがあんたの作業スペースだ。アンゼが用意した。枝の下に訓練場が見えるだろう？　ティシアの王子が何をしてるか気軽に確認出来るから、安心だろうってさ」

「ありがとう」

双子の兄貴は気が回るな！

案内された作業施設は、大木の上に建てられていた。

たしかに、バルコニーの真下に訓練場がある。

木々の梢に遮られて視線が通らない場所もあるが、場内にいる者の様子を見ることが出来た。

ちょうどウォルが瞑想場所に向かって歩いている。アンゼと、他にも兵士がついてくれているようだ。

俺の視線に気づいたらしいウォルが、こちらに向かって手を振ってくれたので、笑顔で手を振り返す。

「あんた……いや、まあ仲が良いのはいいことだけどさ」

子どもっぽく手を振る俺を見て、肩を竦めたヴェンデリーンだったが、部屋のどこからか椅子と小さなテーブルを調達してきた。

俺用らしい作業机と椅子は既に置かれていたので、自分用だろう。それらをバルコニーの隅に設置し、腰を下ろす。

「あんた、魔法もスキルも封じられているだろう？　ここでバルコニーに結界を張っておく。俺は俺でやることをやっているから、気にしないでくれ。それと、必要な機械や道具があったら言ってくれ。調達する」

「――どうぞ、カリヤ様」

エルフの青年が茶器を載せた盆を持って現れた。

机の隅に淹れたお茶が置かれ、ヴェンデリーンのテーブルにはお茶の他に書類も置かれる。

「ヴェン、ハム諸島での報告書の、修正が必要なものだ。中途半端に放って戻ったと、交代した奴が怒っていたぞ。たしかに渡したからな」

「悪い、すぐ取り掛かる。あいつにも謝っておいてくれ」

「まったく。……ルカーシュ、無事戻ってきて良かったな」

青年は俺にも視線を流して軽く頭を下げ、戻っていった。

アイテムボックスから取り出した彫刻刀を机の上に並べながら（刃がついているが、武器扱いではなく道具扱いなので没収から免れた）、俺は側にいるルカの叔父について考える。

先ほどの買い物では、彼の交易スキルの世話になってしまった。

ヴェンデリーンという名のエルフは、肌と髪の色を染めて出自を隠し、中央国家群東部で活動しているのだろう。交易スキルを持つ者は公正な取引が期待出来る。もしスキルに基づかない商談を行った場合、交易スキルは消えてしまう。再取得は出来ず、商人として信用されることは二度とない。信用の証となるスキルだが、鍛えた体付きからして商人としてだけの行動はしていないんだろうな。

「……ヴェンデリーン」

「なんだ？」

目を通している書類から顔も上げないが返事はした男に、俺も作業をしながら言葉を続ける。

「ルカの様子はどうだ？　彼の帰還は、周囲に受け入れられているか？」

「……何が言いたい？」

「あなたが危惧していたのと同じようなことだ。たしかエルフの子供は、午前中は学校に通うものだっただろう？　彼はまだ通学を再開していないのかと思って」

　ヴェンデリーンが俺を〝見た〟。

「これはウォルド殿下と話し合ったことだが、奴隷として連れ去られた事件のせいで、ルカーシュがエルフ社会に復帰しづらいというのなら、ほとぼりがさめるまでティシア王家でその身柄を預かってもいいと考えている」

「――」

「人の社会のものだが、教育は受けさせよう。今後生きていくのに必要なスキルなども、身につくように取り計らう。だからといって、ティシアに縛るつもりはない。今すぐには難しくても、時間を置けば里の者も落ち着き、彼を受け入れるだろう。それまでの間、緊急避難みたいに考えてくれ」

「……ティシアは今、戦争の真っ最中じゃねぇのか？」

「ああ、それが一番のネックだ。提案しづらい。だからヴェンデリーンが判断をして、言ってもいいと考えたなら、こういう話があったとルカのご両親に伝えてくれないか？」

「……何故、そこまであの子に良くしてくれる？」

　いやだって、と俺は叔父を正面から見据えた。

「子供がつらい思いをするのは、あまり見たくはないだろう？　せっかく助けたのに、それが原因で苦労するなんて寝ざめが悪いというか、ならしっかりと最後まで面倒を見ようかって話だ」

　ヴェンデリーンがじっと俺を見つめる。

　ここは視線を逸らしちゃいけないところだ。俺も目力を強くして、彼の視線を受け止める。

　勝負（していたつもりはないのだが）は俺の勝ちだった。ヴェンデリーンの視線がふいに揺らぎ、どこかぎこちなく外される。肌色的に見分けがつきにくいが、頬も少し赤くなっていた。

「……分かった。必要なら伝える」

「頼んだぞ、ヴェンデリーン」

「ヴェンだ」

ん？

「あんたもヴェンと呼べ。長ったらしい名前呼びをするのは、里の長老くらいだ」

……ツンデレだ。間違いなくツンデレだろ、これ。

俺より大きな体格をした男の可愛らしさに新鮮な感動を覚えながら、ついでに主張をしてみる。

「カリヤ」

「……え？」

「俺の名前。あんた呼びじゃなくて、名前で呼んでほしいな」

よろしく、ヴェン。

にっこりと笑いかけると、ツンデレ様は葛藤の末にこくりと頷いた。

『果てへと至る海』の戦乱

初対面時は、互いの印象は最悪だった。

だが今は、俺と叔父氏——ヴェンとは分かり合えた気がするぞ。やっぱり相互理解って大事だな！

ベランダには心地よい風が吹いていた。

大樹の下からは、兵士たちの鍛錬の声が小さく聞こえてくるが、風が揺らす梢の音の方が耳に残る。

黄色く染まりつつある葉の、気が早いものが風に乗って空を舞っていた。

やがて秋の深まりと共に、舞い散る落ち葉によってエルフの里は黄色く染まる——世界樹や大樹も、落葉樹じゃないが黄色く染まる。

不思議だが美しかったゲーム内の風景は、今世の世界でも見ることが出来るのだろうか……。

「……カリヤ」

作業の手を休めてエルフの里の景色を眺めていた俺に、ヴェンが声を掛けてきた。

なんだ、と視線を向ける。

俺と同じ色の肌を持つエルフの男は、すこしためらった様子を見せながら口を開いた。

「その……、忠告というか、先に教えておかないと俺が複雑な思いをするだろうから教えておくが、アンゼの言動には惑わされるなよ。奴はかなり性格がいい」

「……イイ性格、なんだな？」

ニュアンスを正確に発音してみせた俺に、双子の弟は葛藤した様子ながら頷いて肯定してみせた。

「ねじくれてるっていうか、ひねくれてるっていうか。外面はいいし、身内としてはいい奴なんだが、やらかしてしまった後始末は、何故か俺が毎回尻拭いをする羽目になってだな。あー……奴に、既に何か言われたりしていないか？」

弟氏、どうやらかなりの苦労をしている模様。

尋ねられ、俺はアンゼとのやりとりを振り返る。

いや、普通に好青年っぽかったよな、彼。……あ、あ、そういえば、

「転生者がどうのこうのと、昔起こったというハム諸島の戦乱について言及してたな。冒険者ギルドに加入したことがないから初耳だったんだが、転生者の仕出かした大事件だったりしたのか？」

「……ハム諸島の戦乱か……」

ヴェンが難しい顔付きで眉を寄せた。

「十七年前に起きた、〝果てへと至る海〟では有名な戦乱だが、他の地域ではあまり聞かないだろうな。知らなくて普通だ。それから、やらかしたのは転生者じゃない。人間の方だ。欲に駆られた人間どもが、本気で転生者を怒らせた……カリヤは、知らないってことはあの戦乱以前に東部を出たのか？」

「出たのは多分祖父母の代だから、ハム諸島についてはまったく知らないな。よければ教えてくれ」

ヴェンが口にした〝果てへと至る海〟というのは、中央国家群では極東部のことを示す。

ゲーム《ゴールデン・ドーン》では、辺境の東部

は巨大な海エリアだった。その一部、中央国家群に乗り入れた部分が、『果てへと至る海』と呼ばれる。

　その、辺境とは違い穏やかな海に浮かんだ島々が、『ハム諸島』と呼ばれていた。

「……東部じゃ禁忌として扱われている話だ。SSS（トリプルエス）、〝神槍（しんそう）〟が生まれたのは、諸島の外れにある小国の王家だった。十七年前、神槍（しんそう）は転生者として、ハム諸島から見ると中央国家群の正反対に位置している、ラギオン帝国にある冒険者ギルドの総本部に向かった。周辺諸国……というにはこれらも小さな国々だが、ギルド総本部に行った神槍が戻ってくるとは考えなかった。ただ単純にこう考えたらしい。『あの王家の血筋からは、SSSが生まれる』」

「――まさか――」

「周辺諸国に寄ってたかって戦争を仕掛けられた、神槍の故国は滅びた。島は焼かれ、男は殺され、女子供は奴隷として連れ去られた。王家の直系の女は皆、敵の手に落ちる前に自害したらしい。その中には神槍の双子の妹もいたそうだ」

　……ん？

「後はまあ、ご想像の通りってやつだ。故郷が滅亡したことを知った神槍は激怒して、島ごと敵の国々を沈めた。あれから十七年、東部じゃハム諸島の戦乱について語る者はいない」

　なるほど。

　この件に関しては、転生者側を責める者はいないだろう。それだけのことを人側は仕出かした。最初の非がどちら側にあるのか明白だ。戦乱の原因とは無関係なエルフが、巻き込まれたことで転生者側を責めるのは……あるのかな……？　いや、これどちらかを責めるとしたら人側なんじゃ……？

（……ああ、なるほど。アンゼはイイ性格をしている）

　ミスリードか。

　同じ転生者なら、ああ告げられたら罪悪感が先に立つかもしれない。先に、冒険者ギルド側が仕出かしたルカの件を知っている。ならばこれも、と神槍の暴走にだけ目が行くかもしれない。

俺も冒険者ギルド所属のプレイヤーで、ハム諸島の戦乱の真実を知らなければ、巻き込まれたエルフに罪悪感を持っていたかも。

そして罪悪感を持ってしまったら、今後、何かでエルフ側に譲歩することもあるかもしれない――、

完っっ璧、他人事(ひとごと)として聞いていた……！

（それより違和感！）

俺は、アンゼから話を聞いた時にも感じた違和感について考える。

ヴェンは正しく、東部での神槍にまつわるエピソードを話してくれたのだろう。

ならあの帝国の赤毛の少女の存在は何なんだ？

イルマちゃんは、彼女にとっての真実を話していたのだと思う。

彼女と再会した時の〝兄〟の姿は、今聞いた神槍の過去とも重なるし……イルマちゃんに出会う前、この世界での〝妹〟の最期に、神槍はトラウマを持ってしまっているということか？

しばらく考えたが、俺は謎を封印することにした。

気にはなるがこの謎、今現在の俺にはまったく関係ない気がする……正しい解答を得られないことは分かっているのに、考えるのは時間の無駄だ。

もし今後、再び彼女に会うことがあれば、改めて本人に聞けばいい。

まぁしかし、謎に気づいたという事実はウォルと共有するけどな。

就寝前のベッドの中。

隣に横たわる少年に向かって、俺は今日の出来事を語る。

満足出来る買い物をしたこと。ルカの家に遊びに行ったこと。ヴェンと和解らしき状態に落ち着いたこと。中央国家群の東の果てで起こったという、戦乱について。

「……ハム諸島については、私も知らなかった。彼

の地域は中央国家群でも極東に位置しているからな。西方に位置するラギオン帝国の影響下にある国々とは、ほとんど国交もないはずだ。南北の諸国連合にも加入せず、第三国と呼ばれる地域になっている」

「そうか。どうも俺の前世の知識と今世じゃ、地図上で違っている部分がかなりある気がする。ウォル、気づいたらフォローを頼む」

「もちろん」

　天井の照明は既に落としていた。

　ぼんやりと形を確かめられる程度の薄暗がりの中で、ウォルが身じろぐ気配がする。

「……どうかしたか？」

　彼からの今日一日の報告は先に聞いていた。

　情報のすり合わせの中で、再確認したいことでもあるのかと声を掛ける。言い出しにくいことなんだろうか……。

「ヴェンデリー……いや、イルマ嬢のことなんだが、彼女はあなたを慕っていたなと思い出して」

「ああ、うん。懐かれていたなー。彼女、男性不信っぽかったからな。俺を女だと勘違いして、それで気軽に近寄ってきていたんだろうな……」

「カリヤは妹みたいな扱いをしていた」

「今世では天涯孤独の身の上だけどさ、前世では大家族の血筋だったんだよ、俺。妹はいなかったが、従妹（いとこ）はいた。彼女たちと同じような感じで、タキリンでは接してしまっていたっけ」

「……そうか……」

　タキリン城砦（じょうさい）で過ごした懐かしい日々を、ふと思い出してしまった。

　戦争はすぐ身近で続いていたのに、焦燥に駆られながらも、あそこでの時間は穏やかに流れていた気がする。

　そんな俺の追想を、断ち切ったのは少年の呟（つぶや）きだった。

「——そろそろ、クロエ平原の水は引くのだろうな」

　春から秋にかけて沼地と化すクロエ平原は、冬の訪れと共に水が引いて大軍の移動が可能になる。

タキリン城砦まで落とされているティシアに、その進軍を阻む力はない。

俺はそっと手を伸ばした。

彼との間に置いた剣の上を越えて、口元近くに置かれていた手の甲に指先が触れる。

ピクリと震え、だが越境した手は振り払われることはなかった。ゆっくりとした息遣いが薄暗がりの中に響き、ぎゅっと、覆うように被さった彼の手に引き寄せられる。

「……ありがとう。私が戻るまで、きっとティシアはもちこたえてくれる……おやすみ」

引き寄せられ、指の背に柔らかに触れた感触があった。

その一瞬を追及せず、重ねられた手から解放された俺は、自分の手を引き戻す。

「……おやすみ……」

目を閉じながら、俺は祈る。

どうか今夜の彼の眠りが、安らかでありますように——。

初耳

大樹海に初雪が降った。

里全体を染めていた金色の落ち葉に白い雪が舞い落ちていくが、まだ積もるまではいかないようだ。

俺の胸元に刻まれていた刺青は、先日無事に消されました。

ちょうど寒くなり始めていたので、服のボタンを首元までとめることが出来るのはうれしい。俺は服はきっちり着込みたい派なんだよ。どこかの、まだ染料を落とさずにオリーブ色の肌でいるエルフとは違うんだよ。

ルカの叔父貴は、俺が服を着こんでいることに不思議そうにしていたが、薄着は常夏のハム諸島周辺の風習（前世のゲーム知識ではそうだった）だ。

ゲイリアス生まれでゲイリアス育ちの俺が、そんな服装をする訳がなかろうが。雪山じゃもれなく凍死するぞ。

そんな俺、変わらずエルフの提供してくれた服を着ています。エルフたちにはそこそこ信用されたと思うのだが、やはり過度な刺激はしない方がいいみたいだ。ウォルのアドバイスもあり、守備力なんかは自前のアクセサリーで補っている。

ウォルも変わらず俺の作った服を着てくれている。非常にお似合いです。

刺青を消してスキルが戻ったのを祝し、新たな服を作ろうとしたら今あるので充分だからと止められた。入手した大樹海産の素材があるのにー。

くっ、こっそり夜なべして作るしか……と考えたのだが、そういや一緒のベッドを使っている。夜なべ仕事は即座にバレる。

一緒に眠る巨大なベッドの上、俺と彼の間に置かれていた剣はなくなった。

何故なら、

「…………」

「おはよう、カリヤ。今日は五人か。少ない方だね」

コロポックルが、夜中にベッドの中に忍びこんでくるようになったからだ。

ベッドの中央で、大の字になって眠りこけている身長十センチの幼女たち。客室に俺が張った結界アイテムの数々は見事にスルーされている。

エルフの里は世界樹の結界内にある。

世界樹の妖精である彼女たちには、他の結界は通用しないのだろう。

寝る時はいないのだが、起きたら潜り込んでいる。だから鞘に入れているとはいえ、剣で彼女たちを傷つけるのが怖いので早々に片づけた。

しかし寝返りがうちづらいんだが……まぁその時はその時だ。潰したら謝ろう。

すぴすぴ寝ているコロポックルを放置し、身支度を整えて朝食を取る。

それからまた俺とウォルは別行動だ。

心配なのでずっと一緒に行動したいという気持ちはあるんだが、俺と彼じゃ担当する分野が違うので仕方ない。

俺は生産担当。

そしてウォルの担当は外交だ。

――大樹海のエルフは、ティシアと同盟し、クラシエルとの戦争への参戦を決意した。

参戦理由は、冒険者ギルドの一部による同胞の誘拐と奴隷化だ。

エルフの参戦は春以降。協力体制を作り上げたウォルが、ティシアに帰国してからとなる。

春を待つのは、戦争準備もあるが、やはり帰国が俺の〝リターンホーム〟を使い、ホームであるゲイリアスを経由するしかないからだ。

中央国家群に散らばって存在する転移ポータル。

それらの経由地点である転移ステーションは、すべて管理者である冒険者ギルドに押さえられている。近づくことも出来ない。

だから俺たちは転移ポータルを使えないが、ルカと共に大樹海に逃げ込む姿を目撃されたことにより、冒険者ギルドは大樹海と繋がっているポータルに対しての監視を厳しくした。

その件に関しても、エルフ側は冒険者ギルドに対する不満を募らせている。

これまで人族に扮して転移ポータルを利用してきたのに、正体がバレる危険性が高まって使えなくなったのだとか。エルフだとバレれば、下手したら奴隷落ちだからなー。

ティシア側に協力しなくても、冒険者ギルドに対して戦争を吹っ掛ける気でいたらしいが、さすがに単独では無謀だろうとウォルが上手くなだめた。

まだ使者はたどりついておらず、ティシア本国と連絡は取れていない。

一人、異郷にいる状態でありながら、同盟まで交渉をまとめた彼はすごいと思う。

ティシア本国に対して事後承諾になるけどいいのかと確認したら、次期王位継承者としての立場で判断出来る範囲だから大丈夫なのだと微笑（ほほえ）んで返された。こ、これが絶対王政というやつだろうか？

エルフ上層部との交渉をこなしつつ、魔法と剣術の訓練も行い（Aランク魔法は無事使えるようになったらしい）、ウォルは毎日忙しそうにしている。

俺はというと、舎弟が二十人ほど出来ました。

転生者の持つ固有スキルっぽい特性、『師弟システム』。

NPCに教えられたり教えたりしたら、スキルや魔法の習得速度が速くなるぞというアレだ。

それを利用して、生産設備で志願してきたエルフたちに指導を行っている。

エリクサーが欲しいだぁ？

他人を当てにせず、自分で作れ。やり方は教えてやる——というスタンスで、弟子入り志願の見習い（ひよっこ）たちにスパルタ教育だ！

朝食を食べて、客室のある大樹の下に向かうと、そこで俺を待っていた本日のボディガードは双子兄の方だった。

「ヴェンデリーンでなくて申し訳ありません、カリヤ様。弟がいないと寂しいでしょうが、本日は私で我慢してください」

にっこりと笑って挨拶（あいさつ）してくるルカのもう一人の叔父も、双子の弟と同じで染めた髪と肌を元に戻していない。だから色彩的なイメージで言うと、黒髪オリーブ色の肌のヴェンが黒、金髪白い肌のアンゼが白なんだが、中身は違った。

正反対。アンゼリーンは腹の中が真っ黒だった。

今の台詞もそうだ。

まるでヴェンがいないと俺が寂しがるかのような、ウォルが誤解してしまいかねないニュアンス。

おまえの弟とは別に色恋なんざ発生してねーよ。

育んでいるのは男同士の友情だよ。双子兄と違って気のいいナイスガイだからな、彼は。

　他にも、俺の定位置としてアンゼが用意していた作業施設のベランダ。真下にある訓練場の、ウォルの姿が見えるなーと思っていたのだが、ちゃんと理由があった。

　バッチリ見えちゃうんだよ、ウォルがエルフの美女や美少女たちにチヤホヤと絡まれているのが！

　そして俺のボディガード時に、アンゼはさりげなく指摘してくる。

『ウォルド殿下は人気のある方ですね。エルフの娘たちは皆夢中です』

『殿下もまんざらでもなさそうに対応していらっしゃいます。女性の扱いに慣れていらっしゃるんでしょうね』

『里に滞在中だけでも、お側に仕えたいと言っている娘がいるのですが』

『もちろん、カリヤ様が既に築かれた立場を脅かす者などおりませんよ。純粋に殿下を慕っているだけです』

『カリヤ様の口添えがありましたら、すぐにも殿下の気に入った娘を差し向けましょう』

　――どこの美人局(つつもたせ)だ、てめーは！

にこやかに、さりげなく。表向きは悪気なく。

アンゼは心に小さく引っかかる毒を吐く。

　一応、警告しておくかとウォルに話したら、彼は既にエルフ側の思惑に(アンゼの独断という訳でもないらしい)気づいていた。

　訓練場からは、俺がエルフの男に囲まれてチヤホヤされているのが見えるそうだ――いや、それ指導中なだけだからね？　舎弟たちは課題を持って、ベランダまで疑問点を聞きに来ているだけだから。

　しかし、教えを乞(こ)いに来ているのが男ばかりの意味が分かってしまったぞ。

　女性がいないのを不思議には思っていたんだ……。

腹黒のアンゼだが、別に俺個人としては嫌いという訳ではない。

　一応、彼は自分の損得のためではなく、同胞であるエルフに利があるようにと動いているからな。

　迎えに来ていた護衛にウォルを託し、俺はアンゼと共に今日も生産施設に向かう。

　連れ立って歩いていると、そういえばとアンゼが色気のある笑みを浮かべながら切り出してきた。

　イケメンなのに、腹黒さを知る身としては警戒して身構えてしまう。そんな笑顔だ。

「もうウォルド殿下からお聞きになりましたか？」

「――何を？」

「エルフの王女殿下が、ティシアへ輿入れなさる件についてですよ」

　よ、予想外の爆弾キター!?

それだけはしてほしくないんだ
――エルフ王家の王女がティシアに嫁ぐ――。

……いや、別に予想外という訳ではなかった。

　外交の基本と言ってもいいだろう。婚姻によって同盟を強化するのは、一番手っ取り早い手段かもしれない。

　ただ、ウォルがその手段を取るとは思わなかった。思いたくなかった。

　そんな、自分の存在を道具のように扱うために、俺は彼を助けてきた訳じゃない。

　怒りとも悲しみともつかない強烈な感情に引きずられそうになって、とっさに俺は目をつむる。

　ゆっくりと深く息をつく。冷静になれ、と自分に言い聞かせる。

　言ったのはアンゼリーンだ。裏がない訳がない。

　本当にそういう縁談が進んでいるのか？

　毎晩同じベッドの中で、俺たちは情報を共有している。日中は共に行動出来ない分、片方だけが耳にした事柄で誤解を抱くことのないように。

だがウォルからはそんな話を聞いたことがない。

本当に縁談が進んでいたなら、彼はそれに至った経緯と共に報告しているはずだ。

目を開くと、アンゼリーンが俺に微笑みかけていた。

「……ええ、まだ正式な決定ではありません。ウォルド殿下に匂わせくらいはしていますけれどね。ティシア国は戦争の最中。負ければ国が滅びるかもしれない。そんな不安定な国に王女を輿入れはさせられない。話が進むなら、エルフの参戦によりティシアが勝利した、その後になるでしょう」

それに我らが王女はまだ幼い。

「今年七歳になられました。婚約は可能ですが、正式に嫁がれるのは成人となる八年後。十五歳になってからでしょう。その頃、ウォルド殿下は二十四歳ですか。二桁も離れている訳でもない、ちょうど良い年齢差のご夫婦になられるでしょうね」

うわー、殴ってやりてー。意地でも殺気は出さないけど。

たしかに俺と王子なら十歳差だよ。てめーがチクチク嫌みの針をぶっ刺している通り、二桁の大台に乗ってるよ。

俺に身を寄せ、金の髪のエルフは耳元で囁く。

「――そう考えているのは、この里以外のエルフたちです。我らはカリヤ様の存在を知っていますからね。もしもあなたが不快に感じられるのでしたら、ウォルド殿下には帝国に留学中の弟君がいらっしゃるとか。そちらでもかまいません。ですがカリヤ様。常日頃から心にとどめおかれた方がよろしいでしょう。ウォルド殿下は、次期ティシアの国王。王ならば、その血を後世に伝え残さなくてはいけません」

それも『白の天蓋』を有するティシア王家ならば、血統的に魔法に秀でていなくてはいけない。

ここでアンゼは色っぽい笑みを深くした。

「ご安心を。エルフは魔法に長けた種族であり、ティシア王家とあなたに対して恩義がある。王女はティシア王弟に正妃として嫁ぎ、妃の地位を望まない娘たちをあなた個人に仕えさせるのはいかがですか？　エルフの血を引いているなら、生まれる子は充分な能力を有していることでしょう。カリヤ様、あなたはエルフの娘たちを率いる派閥の長として、自らは子を産めなくても妃としてティシア王宮を掌握することが出来ます」

「……俺が掌握？　違うだろう？　大樹海が、ティシアを掌握するんだ。安全に中央国家群へと進出出来る橋頭堡として」

――にっこりと胡散臭い笑みを浮かべながら笑いあっている俺とアンゼだが、場所はエルフの里に通る道のど真ん中だったりする。

　そして里に身を寄せてそれなりの日数は経っているので、挨拶をする知り合いも出来ていたりする。

「おお、カリヤ。今日はアンゼが護衛当番なのか？　何かしらイヤミを言われたかもしれないが、寂しがりやでかまってほしいだけだから聞き流しておけよ」

「――っ！」

　ガハハと豪快に笑いながら近づいてきたのは、この里の兵士長だった。

　背中に両手斧を背負っている兵士長だが、その肢体はエルフらしく優美で華奢な造りをしている。

　青銀色の長い髪にアクアマリンの瞳という淡い色彩が似合う儚げな容姿だが、性格は男らしいというかおおらかというか大雑把というか、口を開けばエルフに対する理想や憧れが粉々に砕けるキャラクターだ。

　ちなみに、大樹海に来た俺を牢屋内で絶食させた本人でもある。

　ドロドロとした恨みからではなく、『一晩や二晩メシを抜いたところで、転生者は死にはしねーよ！』という短絡的な職権乱用だった。やられた方はたまったものじゃなかったが。

イケメンだが世話焼きオカン属性のヴェンの仲介により、俺と兵士長（エリアーシュという名前だった）は既に和解している。

いやー、エリアには（愛称呼びも許された仲だ）難病の弟がいたんだよ。

ハム諸島の戦乱で父を失い、母も早くに亡くしていたエリアは苦労しながら弟を育てたらしい。世界樹の葉の恩恵を受けられる大樹海だが、エルフに作れる薬は、基本的に劣化エリクサーであるAランクのエリクシールが限界。

そこに万能薬、Sランクアイテムであるエリクサーを作れる俺が現れた訳だ。――後は分かるな？

土下座で謝ってきたエリア氏には、春になればティシアへ赴き、クラシエルとの戦争に参戦するとの言質をもらっております！

大樹海として兵を出すならその部隊長として。兵を出さないなら、彼だけでも義勇兵として参戦してくれるらしい。兵士長の地位が邪魔なら後進に譲ると、きっぱりほがらかに言ってのけていた。

ティシアにある転移ポータルの一つを、大樹海と直接繋がるように設定変更しておかないとなぁ。

生産職でもアイテム職人のSランクは、転移ポータルの管理や修理が出来ます。

SS(ダブルエス)ランク以上なら、転移ポータル自体が作れるようになります。SSで『簡易型の転移ポータル』、SSS(トリプルエス)で『固定型の転移ポータル』。

俺はSランク止まりなので作製は出来ないのだが、元々素材が辺境でしか入手出来ないから、SSだったとしても無理だろう。

「エリア！　カリヤではなく本当は私に御用でしょう!?」

「お、よく分かったな。やっぱ愛だな、愛」

「……用件を」

「あ、うん。アンゼ、長老会のじーさんたちが呼んでる。俺がカリヤをヴェンのところまで連れて行くから、おまえはすぐに館へ向かえ」

エリアの身長は、俺よりちょっと低い。ということは、アンゼよりも更に低い。

年齢不詳にしか見えない三十代が、顔を見上げて腹黒を手玉に取っている――本人に自覚はない天然なのか、更に上を行く腹黒……いや、エリアは前者だな。

肩を落としてため息をつき、アンゼが別れの挨拶を告げて去っていく。双子と幼馴染だというエリアは、アンゼを見送ると俺に向き直った。

「すまんな、話は聞こえなかったが、アンゼが脅すというか、いたぶるというか、まあその手のことを嬉々としながらやってたんだろ？」

「いたぶ……肯定はしないが否定もしないということで」

俺の返答に苦笑し、「あそこの双子はどちらも不器用なんだよなー」となどと歳上らしく呟いている
エリア氏、三十……何歳なんだ？

生粋のエルフって感じで、年齢どころか性別さえ分かりづらいんだよな、彼。

「っし、ではカリヤ。ヴェンの元に行くぜ」

性格はこの上なく男らしいが。

「その前に寄りたいところがあるんだが、いいか？」

「もちろん。どこへ向かう？」

「ウォルド殿下の元に」

ウォルの縁談は本決まりになっている訳じゃないとは思うけど、それでも聞くのがつらいと感じた。

彼が誰かと結ばれるのが、じゃない。

彼が、自分自身を大事にしないかもと考えるのがつらい。

だから伝えておきたかった。

俺が側にいる。

俺が持つものなら、与えられるものなら何でも与えよう。何でも使っていい。

アイテムなんて消耗品だ。失っても補充出来る。

だけど心はそうじゃない。

ウォル。

俺は君に心を、大切なものを、自ら手放す選択だけはしてほしくないんだ——。

彼の決断

——ゲイリアスのカリヤさん。腹黒エルフの策に引っかかり、見事にテンパる——。

ウォルの元にたどりつく前に、そんなナレーションが頭の中を流れた。

おかげでというのも変だが、頭が冷えた。良かった。彼の前では年上の威厳を守りたいんだよ。勢いのままに突撃する羽目にならなくて、本当に良かった。

巨大な両手斧を背負って先導しているエリアの後を追いながら、俺は自分の感情を整理する。

彼の縁談を聞いて、まさかここまで自分が動揺するとは思わなかった。

ウォルが誰かと結婚しないとは思わない。

彼はいずれ王となる人間だ。王室の血統を絶やさないために、ティシアを繁栄させるために、いつか彼にふさわしい伴侶を選ぶだろう。

それは決して〝俺〟ではないだろうけれど、彼が納得して、そう決めたのなら、俺は祝福出来ると思う——うん、出来る。出来るよな？　「おめでとう」くらいは言えるぞ？

その後は傷心を抱えて辺境まで逃げだしそうな気はするけどさ。笑いながら新婚夫婦を見守れるほどマゾじゃないし。

彼が、俺ではない誰かだとしても、幸せになるというのなら心から祝福する。

だが誰かが彼を利用しようというのなら、思い通りに操ろうというのなら話は別。たとえウォル自身が納得して受け入れているとしても、だ。

無事にティシアに戻れて、それから考えて縁談を受け入れたならともかく、今の状況ではエルフからの〝押しつけ〟と変わらない。俺はティシアに帰還するまでの間、ウォルを守ると皆に誓ったんだ。

　だから帰国前の段階での縁談には反対する。ウォルも人生の一大事なんだから、ちゃんと家族にも相談して決めた方がいいと思うし――うむ、筋が通った！

「――という訳だから、今すぐに将来のことを一人で決めちゃダメだぞ、ウォル。自分を手札として切る必要はないからな？　他にも交渉に使える札はあるから。俺のアイテムボックスの中身とか。タキリン城砦で預かっているティシア王家の資産もあるし、俺の個人所有のアイテムでも、相談してくれたらいくらでも出すし。矢を五十万本とか」

　個人的な本音はともかく、立派な建前が出来たので、俺はウォルを前にして力説した。

　結婚は断固反対。

　まだ十六歳なんだし。相手は七歳なんだし。家族にも事前に相談した方がいいと思うし。えーっとそれから……。

　突然押しかけた俺に彼は怒ることなく、休憩を取ることにして別室に移動してくれた。なのでそのままティータイムへ突入している。

　二人きりになりたいからと人払いは済ませた。

　本当ならベッドの中で話す内容なのだろうが（……表現がアレだが、結界の中なのでそういう効果もあるんだ）、まあ聞かれてもかまわないだろう。

　旬のりんごの香りがするお茶を一口含み、ウォルが困った風に微笑う。

「矢を五十万本もらえるなら、エルフは喜ぶだろうね」

「なんと今なら、Aランクの弓も付けちゃう。今、エルフたちに預けている武器。あれも交渉の道具に使っていいからな」

「あれはカリヤ個人の資産だ」

「新しい物を作るからいいよ。大樹海でもっとランクの高い素材を入手出来たんだ。作り直した方が性能がいいのが出来るから、作り直すつもりだし」

生産職として妥協は許されない。

中央国家群では、弓の素材は大樹海産が一番ランクが高い。現在手持ちの分よりも性能が良くなるんだから、もちろん作り直す。

ありがとう、と綺麗に笑いながらウォルは礼を言ってきたが、あの顔は使うつもりはない気がする。

本当に使っていいんだからな!?　戻されてもアイテムボックスの肥やしにするしかないんだから……あ、無事帰国したら、またティシア国軍に買い取ってもらうのもいいかも。

「アンゼリーンの発言は、推察通りにカリヤ個人に対しての挑発の意味合いだとは思うが、私からも釘は刺しておくよ。抗議をせず既成事実のように吹聴されたら困る」

ティーカップを受け皿に戻し、ウォルが俺を真正面から見た。

「――カリヤ。私は結婚をするつもりはない」

「……え？」

「ジーン王朝は――ああ、今のティシア王家の家名なんだが、私の代で終わらせる。亡き父上や兄上は存続を考えておられたが、もう限界だろう。『白の天蓋』を扱える者の数が少なすぎる。片手の数もいない。もちろん、私がその気になれば復興は出来るだろう。妃や愛妾を数多く揃えて、何十人と子を産ませれば」

だがその手段は取らない。

妃や愛妾を多く娶れば、各々の実家が影響力を少しでも多く得ようと争うはずだ。力の弱い王家には、それを調整する能力はない。

今代に復興しても、その後何代も続く不和を残すことになるだろう。

「ティシア貴族の中から次代にふさわしい家に、婚姻ではない形で王位は禅譲するつもりだ」

「…………」

ウォルの正式な名前は、ウォルド・ジーン・ティシア。

《ゴールデン・ドーン》の世界では、平民は苗字を持っていない。貴族は持っているが、領地がある場合はその地名を名乗り、苗字（家名）は名乗らないことが慣例になっている。

もしもウォル——ウォルド・ティシアが王位を禅譲した場合、領地が与えられればその地名を、与えられなければそのままウォルド・ジーンと名乗ることになる。

タキリン城砦に王家の三兄弟が集まった時、そういえばまだ王女姿だった彼は禅譲を主張していた。

当時から既に持っていた考えを、決断したのか。

それなら……家族の理解は早いかもしれない。ティシアは王朝の交代へと動き出す。

「まあ、それらはクラシエルとの戦争が終わってからの話だな。カリヤには、私に婚姻の意思がないことだけは知っていてほしい」

「いいのか、それで」

「——本気で好きな人ならいる」

エメラルドの瞳が、はっきりと俺の姿を映した。

「その人以外は選びたくない。王族としては許されないことだろうが、今の状況なら私のわがままも許される」

その時、人払いをしていたはずの部屋の外からノックの音が響いた。

「ヴェンデリーンだ。廊下で警護していたエリアと交代した。奴は既に兵舎へ戻っている。ウォルド王子が戻ってくるのを関係者が待っているようだが、まだ時間がかかるか？」

「——いや、すぐに戻る。カリヤはゆっくりしていってくれ」

ヴェンの言葉に、お茶を飲み干してウォルが立ち上がった。

見惚(みと)れるほどに美しい微笑(ほほえ)みを俺に向け、部屋の出入り口へと向かう。

見ると、何故か仏頂面を浮かべたヴェンが立っているのが見えた。上げた指の形から、壁を叩いてノックの音を響かせたのだろう。

「カリヤを頼む、ヴェンデリーン」

「……言われなくても」

ウォルが出ていき、代わりにヴェンが部屋の中に入って来る。

「……飲む？　新しいのを淹れるけど」

「いや、いい」

「分かった。これを飲んだら俺も作業施設に向かうよ」

指導をすればするほど聞き分けが良くなった、従順な舎弟たちが待ってるからな！

後片づけは担当の使用人に任せて、椅子から立ち上がる。そのまま部屋を出ていこうとしたら、何故かヴェンが邪魔をしてきた。

目の前に突き出された浅黒い手が、ドン、と音を立てて壁を叩く。伸ばされた腕に行く手をふさがれ、足を止めた俺の耳元で、苦しそうに男が囁いた。

「……あいつはやめておけ、カリヤ」

ヴェンのもう片方の手が、俺の背中で壁をついたのが分かった。

俺を前後で挟む腕。

体の側面は部屋の壁と、ヴェンの大柄な体があって身動きが取れない。

——包囲されてしまった!?

俺の望み

夕食後の風呂の順番は、先にウォルが入るのが二人きりの旅の頃からの習慣だった。

最初は、疲れ切って動けない王子様を手早く俺が洗うために。眠りかけているというよりほとんど気絶しかかっている風呂上がりの少年に服を着せ、毛布で包んでいたのは今ではもう懐かしい思い出だ。

体力に余裕が出来て、少年は一人で風呂に入るようになった。衝立で区切っていた野外での行水から、テントも入手して屋内風呂へとランクアップ。だが湯を使う順番は変わっていない。

最初にウォル。後から俺。

それはエルフの里に身を寄せてからも同じだった。

ちゃぷん、と湯船に沈めていた自分の腕を持ち上げる。

日焼けしているかのような浅黒い色の肌だ。前世ではオリーブ色と呼ばれていた肌色。

少年の透き通った白さとは違うものだなーと、俺はしみじみと自分の濡れた手を見つめる。

現在、一日の終わりを告げるお風呂タイム中。

そして体を温めるためにお湯に浸かる時間は、たいてい思索タイムと相場が決まっている。

……ウォルに対して、身分的に一番風呂を譲っている訳ではない、と思う。先に風呂を使ってもらった方が何かと都合が良かったからだ。少年の睡眠時間の確保とか、使った入浴アイテムの片づけとか。

だが思い返してみれば、俺は好意から彼に先に風呂を使ってもらっていた気がする。

元日本人の感覚としては、一番風呂は特別なものだからな。まだ汚れていないお湯で、彼にゆっくりと一日の疲れを取ってほしかった。

純粋な好意、だった。

恋愛感情ではなかった気がするんだが……自覚した今となっては、なんとなく、俺はウォルを以前から好きすぎたんじゃなかろうか。

一番風呂を譲ったり、新しい防具を作ったり、食事も一番美味しそうな部分を取り分けたりしてるんだよな。最初は王子様、そのうちに変化して旅の仲間に対する好意のつもりだったんだが、それも本当は恋愛感情だったんだろうか。

いや、もう自覚してしまったから、今さら気にしないけどさ……。

うむーと、湯船の中で体を伸ばす。

エルフの里の来客用の部屋には、樹上だというのに浴室がある。脱衣場もあるし、浴室内の洗い場では椅子に座って体を洗えるし、湯船はヒノキではないが木製だ。

日本製ゲームに似ている世界だから、風呂場のデザインもどこか懐かしく、まるで旅館に泊まっているような気になってくる。

……実は俺は、お湯に浸かってのんびりしている訳ではない。

風呂場から出たくないのだ。

出たら、ウォルが髪の毛を乾かそうと待ってくれていて、それから寝るためにベッドに入る。

そして今日一日の報告を互いに行うんだが……あったことを話さないといけないのかなぁ……？

びっくりしたことに、ゲイリアスのカリヤさん。

エルフのヴェンデリーン氏から本日、愛の告白なるものをされてしまいました。

もちろん丁重にお断りをした。

本人的には俺のことを純粋に好きになったのかもしれないが、エルフ全体の総意を考えると、ハニトラの一種だと受け止めざるを得ない。

さくっと断ってしまったが、やはりヒゲか？　ヒゲがないから親しみやすいのか？

ヴェンが同性も大丈夫だったのにはびっくりしたが、この世界じゃ別に性別をそれほど気にしないようだからな。

ちゃぷちゃぷと足を揺らしてみる。

うーむ、やはり報告しなくちゃいけないのかなー。

自意識過剰みたいな感じで恥ずかしいというか、誤解されたくないというか、複雑な気持ちだ。

きっぱり断ったんだから、告白自体なかったことにしてしまいたい。だけど相手はまだ諦(あきら)めてないっぽいことを言っていたんだよなー。

『俺、ウォルド殿下の愛人だから無理』という断り文句はやはりまずかっただろうか？

本当はそういう仲じゃないってバレてるみたいな

気もするし。

いいじゃんか、肉体関係がなくても。

元々相手は王族なんだから、同性同士でいちゃこら出来る訳がないだろー。プラトニックのどこが悪いんだよー。

「……カリヤ、ずいぶん長い時間出てこないが、もしかして中でのぼせてない？」

「だ、大丈夫！　ごめん、すぐ出る！」

心配そうなウォルの声が浴室の外から聞こえてきて、あわてて俺は湯船から飛び出した。


人間ドライヤーは魔法の訓練に最適だ。

そうウォルは主張して、俺の髪を乾かしてくれる。

最近彼は、温風をマスターした。

たしかに繊細な魔力配分や持続力など、訓練には最適だと思う。風と火の複合魔法だしな。出力を低く抑えるのが基本だから、暴発の可能性はほぼないし。

彼の長い指が俺の髪を梳いている。

たまに耳元や首すじに近づいた時などはぞわっとするが、基本的にウォルの手ぐしは気持ちいい。

「……カリヤ」

「んー？」

寝室の椅子に座り、極楽～と目をつむって人間ドライヤーを受け入れていた俺は、背後に立つウォルに生返事を送る。

「今日は、私に話すことがあるはずだね？」

口調は穏やかだったが、何故か体が固まった。

「噂好きはどこにでもいる。魔法に長けたエルフなら、その気になれば壁越しに隣室の会話を聞くことも出来るそうだ。――私が部屋を出ていったあと、ヴェンデリーンとあなたが親密な様子だったと〝忠告〟してきた者がいた」

俺の頬に冷汗が伝う。

壁の向こうで誰かが聞き耳を立てていたのだろう。そしておそらく、もっともらしい嘘を混ぜてウォルに教え、俺と彼に仲違(なかたが)いを起こさせようとしている。

「ないないない！　どういう内容を聞いたか知らないが、何もなかったぞ!?　いや、告白されたけれどさくっと断った」

「ああ、あなたと彼の間に〝何もなかった〟だろうことは分かっているから大丈夫だよ、カリヤ。ただ、ヴェンデリーンが行動に出たのは驚いたかな。彼は自分が異性愛者という自覚を持っていただろうから……あなた相手なら、宗旨替えも納得するけれど」

「……ウォルが何を言っているのか分からない……」

俺の正直な呟(つぶや)きに、背後の少年がくすりと笑う気配がした。

ゆっくりと、彼の指が俺の髪をくしけずる。

「――そうだね。あなたは気にしていなかったようだが、この機会にきちんと教えておこうか」

それからウォルは、俺が気づいていなかったエルフ族の思惑を教えてくれた。

エルフ族は、Sランクの生産系転生者である俺が欲しい。だけど、俺は既にウォルとラブラブの同性カップルだ。

俺の機嫌を損ねずに得るためには、ウォルが俺を捨てるのが一番手っ取り早い、と彼らは考えた。

うーむ、浮気をされてショックを受けた俺を慰めて親密になり、取り込もうって感じ？

そんな訳で、俺にはあからさまなアプローチもなく、慕ってくれる舎弟たちと仲良くしていただけだが、ウォルの方はずっと男女入り乱れてのハニトラ攻撃を受け続けていたようだ。

しかしさすがは王子様。「一応、私はそういった駆け引きになれているし、対処も得意だから」と見事にスルーし続けていたらしい。

だが不用意には動かないだろうと思っていた俺側で、ヴェンが行動に出た。

「――均衡が崩れてしまったかもしれない。これをきっかけに、あなた側への誘惑や勧誘などが激化する恐れもある。心に留めておいてほしい」

分かった、と俺は頷く。

計画がバレてしまったから、堂々と口説きに来るかもしれないんだな。任せておけ、別に俺はエルフスキーという訳じゃないから！

……美人は好きな方だが、エルフよりも美しい、絶世の美貌の持ち主がすぐ側にいるんだよ……。

カリヤ、とウォルが俺の名を呼んだ。

背後に立っていた彼が、俺の正面に移動する。そのまま座っていてほしいという意味の手ぶりに、腰を上げかけた俺は椅子に座り直した。

至近距離で、金の髪の美少年を見上げる――伏せたエメラルドの瞳を縁取る、長い金のまつげが見えた。

だけど綺麗な緑色が見えないのは残念だ、と俺はアイテムボックスの中から椅子を一脚取り出した。

どうぞ、とウォルに勧める。

部屋のもう一脚の椅子はテーブルの向こう側だからな。引きずって持ってくるよりこちらの方が早い。

遠慮しかけたウォルだが、小さく苦笑し、勧めた椅子に腰を下ろす。

「――旅の途中、あなたがいつも私に用意してくれていた椅子だ」

そうだな、と俺も小さく笑う。

魔法のように、俺は何もない場所へアイテムボックスの中身を披露していた。まだ旅慣れていなかった線の細い少年は、現れるアイテムの数々に驚きと尊敬の視線を向けてくれていた――。

「……以前、カリヤはクラシエルとの戦争が終わったら、辺境に向かうつもりだと聞いたことがある」

ああ、うん。そのつもりではいたね。

何かの機会に彼に話していただろうか、と首を傾げながら俺は頷く。

クラシエルとの決着がつくまではティシアに留まるつもりではいるけれど、その先は白紙状態だ。

……正直、前世の記憶を持っているからか、俺にティシアに対して故郷だという意識は薄い。

好意を抱く相手がいるから助けはしたいと思っているが、骨を埋めようとまでは考えていない気がする。だから辺境に行こうと考えていた。それまでのすべてを捨てて、新しい世界に向かうのもいいかと考えて。

「転生者を臣下と思ってはいけないと、父上も〝彼〟も言っていた。師のように、友のように、敬意を払い対等に接しなくてはいけない。そうすれば彼らは弟子として、無二の友として、距離ではなく魂の近い場所にい続けてくれるだろうと」

「……〝彼〟って……」

「――ナダル・コートレイ。私の師であり、あなたの友である男だ」

懐かしい名前に、心が震えた。

そういえばナダルには、ティシア王家との雇用関係を結ぶ時、期間を区切るつもりで口に出していたな。

いつか俺がティシアから離れるつもりだと、彼経由で聞いていたのか。

「……私は、叶うならあなたに辺境には向かってほしくない。大樹海にも残ってほしくない。私に近い場所にい続けてほしい、と思っている。ティシアという国に縛りたいのではない。私の傍らに、いてほしいんだ……」

ウォルが俺をまっすぐに見つめる。

少し表情が硬かった。口元にはかすかな笑みを浮かべていた。エメラルドの瞳が、俺の姿を映していた。

「この世界に転生してからのあなたの半生は、決して穏やかなものではなかったのだろう。生まれたゲイリアスは過酷な地だ。山の民故の差別も聞いた。ティシアを去るという選択をしても、仕方がないのかもしれない……そう考えていたけれど、やはり私は、あなたを諦めたくないんだ。だからカリヤ、教えてほしい。――あなたは私に何を求める？　私に応えられるものはあるのだろうか？」

思いもかけなかった台詞だった。

何々をしてほしいと、言われ続けてきた気がする。

俺は与える側だった。俺は望まれる側だった。

自分から望んでもいいのだと、言われたことがなかった。

「…………裏切らないでほしい…………」

呟きは震えていた気がする。彼は口元に刻んでいた笑みを深くした。

「……教えてくれてありがとう。それがあなたの望みなら、私は父祖の名にかけて誓おう。決して、あなたを裏切りはしないと」

――今世と前世。二度の生で、ずっと聞きたかった言葉。

その言葉を、ウォルは俺に誓ってくれた――。

ざっざっざっざっざっ。

「――ん？」

ウォルに伸ばそうとしていた手を引っ込める。音は、寝室へと近づいてきていた。

ざっざっざっざっざっざっ。

一列になったコロポックルたちが、寝室の中に入って来る。

身長十センチの幼女たちは、小さな枕や毛布を引きずりながら持参していた。おもちゃの兵隊のように並んで行進してきた列が、椅子に座る俺とウォルの間を通り抜け、ベッドへと向かう。

もちろん、侵入にあたって俺が寝室に張った結界などは無効化されている。

ベッドによじ登った幼女たちが、中央に縦一列に寝転がった。と思えば、広げた両手でパンパンとシーツを叩き始める。

もうおやすみのじかんなの！

かわのじきぼう！

かいみん！　かいみん！

「……寝ようか」

「――ああ」

視線をあわせて苦笑する。

もう、今夜は特に報告しあう事柄はないだろう。

俺とウォルはコロポックルの待つベッドの中に潜り込み、寝室の照明を消した。

予想外の暗雲？

朝起きると、髪が芸術作品と化していた。

おかしいとは思っていたんだ。

コロポックルたちはこれまでなら、夜中にこっそりベッドの中に潜り込んできていた。なのに昨夜は、堂々と寝る前に現れていたのだから。

俺はいつも朝目覚めるまで、侵入してくるコロポックルに気づかず目も覚まさない。

普通ならあり得ないことなのだが、寝室に張っている結界を無効化するのも含めて、世界樹の眷属（けんぞく）としての彼女たちの能力なのだろう。

ちなみに、ウォルは侵入に気づいている。

彼が寝る時も身に着けている王家の宝冠が、規格外の干渉阻害アイテムだからだ。気づいてはいるが、害にはならないのだからと好きにさせているらしい。

……その結果が、今朝結実してしまったのか……。

瑞々（みずみず）しい緑の葉をつけた小枝を巻き込んで黒い髪が結い上げられ、真っ赤な大輪の花があちこちに飾られている。小枝を利用してふくらみを持たせた髪の中には空洞があり、その中に何人かのコロポックルたちが入り込んでくつろいでいた。

りふぉーむにちょうせんしてみた。

まいほーむは、すみごこちじゅうし。

……そうか。

やりきった感のある小さな幼女たちに、俺は遠い視線を彼方に飛ばす。ウォルが笑いながら似合うよと言ってくれたが、作業に気づいていたのなら止めてほしかった。

そのうち頭の上に帆船が設置されても驚かないようにしよう……。


作業場へ向かう道すがら、俺の髪型は出会うエルフたちに大絶賛された。

エルフの美意識に合っているのかもしれないが、ほとんどは頭上で顔を出しているコロポックルへのリップサービスかもしれない。

力作のマイホームを褒められ、幼女たちは舞い上がった。

俺の肩や頭上に出てきて、謎の喜びの踊りを披露していた。

今は疲れたのか、マイホームの中に潜り込んで静かにしている。多分、眠っているのだと思う……夜中ずっと作業していたみたいだからな。

なので、髪型はそのままに本日も舎弟たちにポーション作製の指導だ。

まだポーション。

彼らが目指すエリクサー作製までは遠い。

ゲーム《ゴールデン・ドーン》において、モブNPCとプレイヤーの違いはステータスの差だ。

プレイヤーはSSS(トリプルエス)ランクまで成長するのに対して、NPCの限界は一部を除いてBランク。そしてエリクサーはSランク以上で作製可能とされている。

ゲームの仕様は、自分より一ランク上のアイテムやスキルなら使用可能。そしてランクアップアイテムを併用すれば、二つ上までのアイテムやスキルに対応出来る。

(――この辺は少し特殊になるが、Bランクまではプレイヤー NPCに関わらず例外なく適用。プレイヤーの場合、Aランク以上で戦闘職か生産職かを選択すると、自分が選んだ職以外の〝スキル〟使用はBまでとなる。生産職の俺の場合、戦闘スキルで使用可能なのはBまで。A以上のスキルはランクアップアイテムを使っても不可能だ。武器はスキルではないので、一ランク上のAランクの弓なら装備出来る。逆もまた然りで、プレイヤーの戦闘職は、決してSランクアイテムのエリクサーは作れない）

Aランクで職を選択するプレイヤーとは違い、NPCは誰でもエリクサーが作製可能だ。

だが現実には、作製はかなり難しい。

ランクアップアイテムを使って条件をクリアしても、作製に必要なMP量が足りないからだ。

Bランクが限界のNPCは、Aランク以上にランクアップした場合の成長ボーナスがない。転生後の世界にはステータスの表示がないから数字で判断出来ないが、おそらく一般エルフの舎弟と俺とでは、MP量は十倍以上の差がある。

だが、何事も工夫すれば可能になる場合がある。

MP量に関しては〝お助けアイテム〟があった。

それが『光玉』だ。

ウォルが自分のMP量を引き上げるための訓練に利用しているアイテム。服用しすぎると酔うMPポーションとは違い、光玉は余裕がある時にMPを溜めておける電池みたいなものだ。

それを一つ一つ使うのではなく、複数を繋げて一気に使用する。そうすればエリクサーを作製出来るだけのMPが用意出来る。

ただ、光玉の作製費用はお高い。

何度も繰り返し利用出来るタイプはNPCでは作れず、俺がタキリン城砦で作っていた一度限りの使い捨てタイプを作製するしかないが、どちらにしても本当にお高くつく。エルフにとっては、エリクサーの原材料である世界樹の葉がタダで手に入ることが救いかな。

――高価な光玉を用意してMPを充填し、あらゆる準備を整え、それでもエルフの里で作れるエリクサーは、数日に一個が限界だと思う。

作製手順にもたつけば品質は下がり、大失敗すればただのゴミと化す。トータル的には売っても儲けはそれほどないかもしれない。

それでも、確率で蘇生に失敗するエリクシールより、必ず蘇生出来るエリクサーを作りたいだろう。

だからポーション作製で基礎を叩きこむ。MP量も増やさせる。

ポーション作りを繰り返すのはそのための訓練の一環だ。

俺自身が、エルフのためにエリクサーを作る気はないが、エルフ自身が作るための手助けは惜しまない。

そんな訳で、机に座る舎弟たちの間を歩きつつ指導をしていた時だった。

「——俺に面会希望?」

「はい、カリヤ様に。王都からいらっしゃっています」

やって来た兵士の台詞に、俺は視線をヴェンへと向ける。昨日のいきさつがあっても、真面目なボディガード氏は本来の任務を果たしてくれている。

作業場の隅で、護衛の暇な時間に片づけておけと書類を押しつけられていた男は、首を横に振りながら立ち上がるとこちらに向かってきた。

「そういう予定は聞いていない」

「突然押しかけてきたのか。……あまりいい予感がしないんだけど、行かなきゃダメかな?」

「出来ましたら早急に。いらっしゃったのは、評議会に所属するハイエルフの方ですので……」

言葉を濁しながらも促す兵士に、俺は前世のゲームでのエルフ族の設定を思い出す。

『評議会』は、大樹海の中央に位置する王都の、政治機関だったはずだ。

大樹海の各地に点在する里で、一番偉いのが長老会。王都なら評議会。評議会の構成員は、各里の長老会の代表や王都に住むハイエルフ……だったな。

ハイエルフは、人の世界では貴族階級にあたる血筋だ。ラノベによくある長命の設定はないが、魔法に特に秀でている。

エルフ王家もハイエルフ出身だったっけ。

迎えに来た兵士が命令に従おうとしているのは、里の長老会以上の権力を持つ相手が命じたからなのだろう。

そんな権力者がわざわざ俺を訪ねてきたのか
——嫌な予感しかしないんだが。

「おい、うちの長老会に話は通ってないんだな？」

「お、おそらく。転移ポータルを出てからまっすぐこちらに向かってきたようです。今、確認の兵を向かわせていますが、会議もない日ですのですぐに長老を見つけられるか……」

「アンゼを連れてこい。あいつなら対処出来るし、いつもの場所にいるはずだ。それと——ティシアの王子にも話を伝えろ」

兵士と話をしていたヴェンが、俺を見た。

「……どうする？　この里の意思を統一するまで、面会を引き延ばすことも可能だが」

「時間がかかるだろう？　後でこの里が、立場的に難しいことにならないか？」

眉間にしわを刻んだ男に、ため息をつく。

なるのか。

——しかし、ウォルが俺への勧誘が激しくなるかもと話していたが、これは別口だろう。

彼以外の男から誘惑されてもなぁとか思っていたんだが、考えすぎだった。自意識過剰みたいでちょっと恥ずかしい。

「……まあ、顔見せ程度なら先に会ってもかまわない。難しい話題は聞くだけだ。改めてウォルド殿下を通してもらう。それでいいなら」

「アンゼが来るまで引き延ばしてくれればいい。悪いな、カリヤ」

すまなそうに詫びるヴェンと兵士に、仕方ないと肩を竦め、俺は面会希望者に会うことにした。

ためらいなく振るう剣

そうして向かった面会室。

待っていたのは椅子に腰かけたハイエルフの美丈夫と、その脇に従う配下らしいエルフの若い男だった。

一人分だけ用意された茶を飲んでいたハイエルフが、部屋に入った俺とヴェンに視線を向ける。

長く伸ばした髪の色は銀、瞳の色も銀と、典型的なハイエルフの色彩だ。色のない視線が俺の姿を捉え、口元が酷薄に歪んだ。

「……なんだ、男娼か」

髪型のせいか、すげー誤解された!?

俺の入室に立とうともしないハイエルフに、青髪の若い男が追従する。

「命からがら大樹海に逃げ込んできた生産職とは聞いておりましたが、閣下の仰る通り本職はそちらかもしれませんなぁ。昔から転生者の男は、男女問わず色好みだということですし」

――若い男の言いたいことは不本意ながら分かる。

ゲームによく似たこの異世界では、転生者の女は相手に純愛を求めるけれど、転生者の男は欲望のままにハーレム作って好き放題しているらしいと聞く。

え？　その非常識な常識、俺にも適用されてる!?

「まぁ、ティシアの王子もまだ若いらしいですし、たった一人しかいない臣下にすべての〝世話〟をさせているのでしょう。ですがもったいない。転生者を着飾らせて侍らせるだけとは、有効に活用出来ているとは思えない。閣下こそがこの者を正しく使える、ただ一人の御方でございます」

「そうとも。評議会の決定が下りる前に、わざわざ自ら迎えようと足を運んでやったのだからな」

「さすがでございます、閣下。いち早く手を差し伸べてくださる閣下の慈悲に、この者も泣いて喜びましょう！」

「…………」

当事者である俺を置いて盛り上がっている二人に、怒りを覚える前に変に冷静になれた。

短い会話を聞いているだけで理解出来る。

いずれ、エルフの都であるアルエルブンから引き抜きがあるかもと予想はしていたし。

だがこの評議会の一員だという〝閣下〟の行動はフライングらしい。俺を連れて戻り、自分の手柄にするつもりなのだろう。

ちらりと、隣に立つヴェンに視線をやる。

唇をきつく噛みながら二人組を睨みつけ、だが彼は一言も発さなかった。ハイエルフ、もしくは評議会の権威はかなり大きなものらしい。

この転生した世界での身分制度は厳格だ。俺も村で生きている時はがんじがらめに捕らわれていた。

今、余裕を持てている気がするのは、転生者にはこの世界の身分制度は適用されないのを知ったのと、制度の頂点でありながら俺の存在を尊重しているウォルの姿勢が大きいだろう。

……しかし、見事なまでの下っ端と上役という組み合わせだな。

まるで典型的なその筋の相手だ。

閣下の慈悲を語っている下っ端の台詞を聞き流しながら、俺は二人組を観察し続ける。

前世でもこんな二人組はいた。

下っ端が脅しと暴力担当。その恐喝を上役が恩着せがましくなだめて、少しだけ譲歩した自分たちに有利な提案を飲ませようとする。

この下っ端は暴力は使わないようなので、脅しだけか。大樹海の外とは違い、エルフの世界は平和だ。

だが、いずれにしろ決してその筋の相手の提案は受け入れてはいけない。

一度受け入れたら、それを逆手に恐喝は続く。獲物は骨の髄までしゃぶられる。

……早くアンゼが来ないかな。

対処出来るらしい彼が来たら、俺がこの茶番に付き合う義理もなくなるんだが……。

「――これは忠告だ。正しい選択を我々が提示してやっているんだ。それを選ばないということが、どれだけ自分の身の回りに不幸を呼ぶことになるか想像も出来ないのか、この男娼風情が！」

まだ引っ張るか、男娼呼ばわり。

いつの間にか、下っ端から丁寧な口調が消えていた。

愛人を自称してはいたが、まったく身に覚えがないのでスルーしたはずの俺の意識が、続いた恫喝に反応した。

「おまえが王都に向かわないというのなら、その原因を排除することに我々がためらうとは思わないことだ。たとえばだ、ティシアの王子の身に不幸が降りかかるかもしれんなぁ。命を取るような愚かな真似をするエルフはいるはずがないが、色好みの王子に求められたなら、応じるのはやぶさかではない。うっかりと逆の立場に立つかもしれんがな。仮にも王族。綺麗な顔をしているんだろう？　なら、誤解されぬよう気をつけないと。血統を失うような羽目には陥りたくないだろ――」

下っ端の首が飛んだ。

俺が斬り飛ばした。

噴き出した血を浴びたハイエルフが、甲高い悲鳴を上げる。

崩れ落ちる首のない体を跨ぎ、抜き身の剣を手にしたまま、俺は壁まで転がった首を拾いに行く。

俺のアイテムボックスの中に武器はないので、剣は勝手にヴェンの腰元から借りた。

下っ端も髪は長かったが、首の位置で切れてしまっていた。その短い髪をわし掴み、首を拾い上げる。

扉が大きく開く音がしたので振り返ると、椅子に座っていたハイエルフの姿がなかった。

助けを求める声が廊下の向こうで響いている。

「……カリヤ、蘇生させるなら早くしろ」

吐き捨てるような口調でヴェンが促す。

「ああ。――剣を貸してくれてありがとう、ヴェンデリーン」

「……王族の血統を汚す罪は、一族郎党に至るまで死罪がこの世界の法だ」

わざと俺に剣を抜かせてくれた男は、難しい顔をしたまま死体を見下ろした。

その隣に立ち、足元に首を落とす。

靴の先で頭を転がし、切断された傷口を合わせ、俺はアイテムボックスの中からエリクサーの小瓶を取り出す。

「……これが欲しかったんだろう？　サービスだ。一本タダでくれてやる」

瓶からこぼした液体が、見る間に傷口を繋ぎ合わせていく――。

言葉での抗議など生ぬるい。

そこまでならと一度でも許せば、相手はつけあがる。そこまでは侵していいのだと勘違いする。

転生前の日本とは違い、この転生後の世界では力が正義になる。身分も、暴力も。

ならば俺はためらいなく実力行使を選ぶ。彼を貶（おとし）める者は力で制裁する。己の取った手段が間違っているのだと、物理で刻み込む。

決して彼を侮らないように。辱めようと考えることさえ許すものか。

動きを止めていた下っ端の体が震え、ごほっと血を吐き出した。

自分の血だまりの中で蘇生した男が、手をついて上体を起こし、斬られたはずの自分の首を撫（な）でる。

「……は、ははっ、閣下！　こいつ、閣下のご威光を――!?」

短くなった青髪を揺らして振り返った男が、無人の椅子に言葉をなくした。

　廊下の向こうから、複数の足音があわただしく近づいてくるのが聞こえる。

「ヴェン！　いったい何が——」

　面会室の中に飛び込んできたアンゼと里の兵士たちが、そのまま動きを止めたのが背後のことなのに分かった。

　血だまりに座り込んだままの下っ端が、絶望に彩られた表情で俺を——正確には俺の結った髪の中から顔を覗かせた幼女を見上げている。


——ゆるさない。


　髪に飾られていた赤い花が床へと落ちる。

　俺の頭上に、肩に、髪の中にいたはずの幼女たちが出てくる。面会室の壁をすり抜け、俺を中心にして小さな世界樹の眷属たちが集まってくる。


おかあさん！　こいつ、かりやをいじめるの！

かりやがものすごくおこってる！

ころぽっくる、こいつきらい！

幼女たちの怒りの声が重なった。

　きらいなのは、いなくなっちゃえ！！！

——床に広がる血だけを残して、青髪の男の姿は消えた。

この感情につける名前なんて、一つしか知らない
客室に新しい衣服が届けられた。
面会室での一件で、少し返り血を浴びている。着替えに使えということか。
純白の絹に、金糸や銀糸を使った華麗な刺繍。こ

れまで支給されていた服から更にグレードが上がっている。

おそらくエルフ側の厚意なのだと思う。

俺のために。俺が気に入るように。――俺が機嫌を損ねて、コロポックルの怒りが自分たちに向かないように。

ため息をつきつつ、遠慮なく袖を通す。着なければ着ないで、彼らをまた不安にさせる。

客室に戻って風呂に入ったから、血の匂いや汚れは落ちた。

ウォルは俺の起こした一件の尻拭いで出かけたまま、戻ってきていない。夜になったけれど、もしかしたら呼び出しがあるかもしれない。まだパジャマには着替えない方がいいだろう。

人間ドライヤーが不在なので、久々に自分で髪を乾かした。

俺はそのまま寝室へと向かう。

居間でウォルの帰りを待ってもいいのだが、エルフの家の造りは扉が存在しない。視線が通らないように衝立を置いてはいるが、あそこからは客室の前に立つ兵士の存在に気を取られるのだ。

奥まで引っ込めば、彼らは気にならない。

――部屋を警備する兵が増えていた。

王都から来たような横暴な来客を警戒してというのは建前で、おそらく俺に対する実質的な軟禁だ。

俺の怒りに同調したコロポックルが、世界樹に願ってその力を行使した。

……不思議に思っていたんだ。

コロポックルに気に入られているというのに、ヴェンの彼女たちに対する扱いは一線を引いている感じだった。会話はしても触れることはなく、必要以上に親しくするのを避けていた。

この世界では、人以外の存在は大なり小なり共感能力を持っている。モンスターのメルメルも、ただの馬だったユキさえも。

世界樹の眷属であるコロポックルも、もちろん持っているのだろう。

エルフは距離を置いて彼女たちに接していたが、俺は気にしていなかった。

前世のゲームで、彼女たちに関する情報が少なかったというのもある。シンパシー能力は接触していない限りダイレクトには伝わらない。だから深く考えずに相手をしていた。好感度を高めていた。

……その結果が今日、エルフたちにとって最悪の形で表れてしまった訳だ。

王都から来た青髪の若い男は、この里の世界樹が張っていた結界から弾かれたのだと聞いた。

男は里の外で発見された。中に入れてくれと、見えない壁を泣き叫びながら叩(たた)いていたそうだ。

だが眷属の願いを聞き入れた世界樹が拒絶したから、もう二度と男はこの里の中には入れない。

他の里や王都には別の世界樹が存在しているけれど、一度母なる樹(き)の怒りを買った男を受け入れることはないだろう——世界樹ではなく、そこに住むエルフが。

クラシエルや冒険者ギルドから匿っているティシアの王子なんて目じゃない。

今や俺は、大樹海にとって特大の地雷だ。

俺の不興を買えばコロポックルが世界樹に訴え、青髪の男のように怒りが向くかもしれない。

エルフにとって、里を守護する世界樹は精神的な支柱だ。生活においても世界樹に依存して生きている。その母なる樹の守護を失うことは、何よりも恐れることだった。

エルフはどう出るのだろう?

出来ることなら里を訪れた初日のように、諸々を封じて俺を牢屋(ろうや)にぶちこみたいかも。

だが牢屋は世界樹の根元にある。そこに入れれば、コロポックルがすぐに知る。

疫病神は出ていけと、里から追放するのも悪手だ。その仕打ちに俺が怒りを抱けば、やはりコロポックルもシンパシー能力で感じ取り、怒りを共有する。

エルフに出来ることは、俺を軟禁し続けて問題自体が起きないように接触を避けるか、追放ではなく自主的に里を出てもらい、地雷の存在自体をなくすか――。

俺が出ていくのはかまわないんだ。

元から、春になれば去る予定だった。今からでも大樹海を出て〝リターンホーム〟のスキルを使えば、ゲイリアス山脈にある俺のホームに戻れる。あそこなら備えは万全だから、冬も余裕で越せる。

でもその場合、ウォルはどうなる?

ティシアと連絡を取るためにも、今後のエルフとの同盟のためにも、彼は大樹海に残った方がいいと思う。

コロポックルに強く頼んでおけば、彼を守ってくれるだろう。俺は春まで一人で潜伏して、彼が帰国する時に護衛として戻ってくればいい。いや、帰国さえエルフに任せてしまってもいいかもしれない。

だけど――出来るなら彼から離れたくない。

気づいてしまったけれど、考えないようにしていた。

なのに距離を置かなければと思った今、彼のことばかり考える。

離れたくない。

ウォルの側にいたい。

――この感情につける名前なんて、一つしか知らない――。

廊下の向こうから、複数の人の気配が近づいてきた。

ウォルが戻って来たらしい。兵士たちの引き継ぎの会話と、別れの挨拶が交わされている。

椅子から立ち上がって待っていると、戻ってきたウォルが寝室の中に入ってきた。外と部屋の中の明るさの落差に眩しそうに目を細め、俺の姿を認めた彼はその美しい造作に穏やかな笑みを浮かべる。

「――ただいま、カリヤ。その新しい服、よく似合っている」

「エルフからの貢ぎ物だよ。あれだけのことを仕出かしたが、待遇は良くなった。……俺の処分についての、話し合いは終わった？　胸元にまた封印を刻むのは止めた方がいいぞ。あれはコロポックルが嫌がっている」

「そんなことは、もう決してやらせない」

戻ってきたウォルは、雰囲気がどこか変わっていた。

彼はこの里に来てから、王族としての立ち居振る舞いを見せつつも、エルフを刺激しないように自分のカリスマを本気で解放していなかった。

その枷を外してしまったようだ。

エメラルドの瞳が、意志の強さを宿して更に美しく輝いている。その輝きに心が奪われる。

王者の風格を宿した少年は、微笑みつつ手を差し出し、俺の手をすくい取った。

「あなたに処分は下りない。たとえ自らの領土で起こった事件だとしても、他国の将来の王妃に、エルフがどうして罰を下せる？」

「……は？」

「カリヤ、長い話になる。そこにある椅子に腰かけてくれないか？」

すべて説明する、とウォルは言った。

混乱しつつも、俺は促されるままに先ほどまで座っていた椅子にもう一度腰を下ろす。

ウォルの椅子もアイテムボックスの中から出した。

ありがとうと礼を言い、手を放した彼が俺の正面、近い位置に椅子を移動させて座る。

「……先に、王都の二人組について教えておこう。独断専行して世界樹の怒りを買ったハイエルフは、評議会の席を失った。家督を息子に譲って引退し、そのまま死ぬまで王都にある屋敷に幽閉される。もう出てくることはないだろう。そして部下については、世界樹が下した罰に則って大樹海から追放されることになったので、ティシアで引き取ることにした」

「……ウォル、それは……」

「ハイエルフに命じられたまま口にしたと言っているから、信用する。——冒険者ギルドに、転生者にエルフは渡せない」

　その決断に俺は頷(うなず)いた。

　転生者がエルフの子であるルカーシュをさらったのは、慰み者にするのが主目的じゃない。転生者のランクアップに必要だからだ。

　大樹海から放逐されたエルフがいたら、奴らは嬉々(きき)として捕らえ、隷属の首輪を嵌(は)めて犯しながら利用するだろう。

　青髪の男の行く末に興味はないが、敵の強化に利用されるのだけは避けないと。

「そして、あなたについてだが」

　ウォルが、揺るぎない視線で俺を見つめる。

「……自分の胸の中に存在する感情を自覚してから、私はずっと考えていた。どうすれば周囲を納得させられるのか。どうすればあなたに受け入れてもらえるのか。どうすればあなたと共に、幸せになれるのか」

　言葉を返せなかった。

　彼と俺の間には身分の差がある。性別の問題がある。

　ひと時の戯れとして、愛人の立場なら側にいることが出来るかもしれない。転生者の立場を利用して恩を売れば、あるいはそれ以上長く。

　けれど、ウォルはいつか他の誰かを王妃に迎える。

　その事実が、すべてを捨てて彼を選べないと俺のちっぽけな矜持(きょうじ)を刺激する。

　彼は俺を裏切る訳じゃない。そちらの選択の方が正しいのだから。

　だがその未来を予想するだけで胸が痛むのだ。

　過去に、俺じゃない他の誰かを選んだと告げられた瞬間以上に——。

　すっと、ウォルが椅子から立ち上がった。

見上げる〝彼〟は美しかった。

凛と伸ばした背すじ。透き通った白い肌を縁取る黄金の髪は、肩の上で短く切られていた。

宝石を思わせるきらめく瞳の色は鮮やかな緑。そして初めて会った時から変わらない、俺を見据えるまっすぐな視線の強さ。

一歩前に進み、少年は俺の正面で片膝をつく。

不安と、ほんのわずか感じてしまった浅ましい期待がごちゃ混ぜになって動けない。

その白い手が、俺のオリーブ色の手を改めて優しく取り、彼は整った美貌にゆっくりと笑みを浮かべた。

「ゲイリアスのカリヤ。ウォルド・ティシアはあなたを心から愛している。私のただ一人の伴侶となり、王妃として隣に立ってほしい」

「君が必要なんだ。愛しているから」

「――俺の性別は男なんだが」

「転生者の性別は、この世界での出生は関係なく前世の性別に準じて扱われる。確かめるすべはないので自己申告制だ。帝国の少女からの報告で、冒険者ギルドはあなたの前世は女性だったと把握している。ティシア国側もあなたを女性として対応していた」

なるほど。

『実は俺、転生した今の体は男だけど、前世では女だったから女として扱ってね！』と主張したら周囲は信じるしかないのか。

たとえ嘘だとしても。

人によっては嘘をつくのは嫌だ卑怯だなどと感じるかもしれないが、別にそうは思わない。

俺の場合、必要だというのなら、嘘をつくのにそれほど抵抗はないと思う。

真実を告げないことも、わざと相手に誤解させる

ことも一つの手段であり、大人の処世術ってやつだ。

俺は聖人君子じゃない。

嘘もつくし、手だって汚す。

——ウォルも似たような思考をしていると思う。清濁を併せ呑まないと王族なんてやっていられないだろう。俺と違う点は、自身の手は汚すことなく、他者に命じるだろうことぐらいか。想像だけど、おそらくそれほど外れてはいない。

つまりだ。

俺は必要だというのなら、自身の前世が女性だったと主張して生きるのに抵抗はない。

ウォルも偽の主張の片棒を担いでくれるだろう。

だが、

「心は女だとしても、体は間違いなく男だ。世継ぎは産めないぞ?」

「世継ぎは不要だ。転生者の女性は、婚姻する場合必ず正妻として迎え入れなければならず、他の妻や妾を持つのは禁じられている。戦争を終わらせて国が安定したら、私は王位を他家に禅譲する。唯一の王妃との間に子どもが最初から望めないのなら、王権の継承は問題なく行えるだろう」

たしかに一理あるかも、と納得出来る返答だった。

——戦争に負けた場合についての言及はなかったけれど、負ければ世継ぎ云々なんて問題は関係なくなる。

「……娘を王家に嫁がせたいと思う貴族がいるはずだ。統治にあたって協力者は必要だろう?」

「転生者の王妃がいたら、他に妻妾は持てない。王妃の心証を悪くする方が問題だ。女性転生者を尊重しなければ、庇護する冒険者ギルドが報復を行う。貴族たちには考えさせる。後宮に娘を入れても相手をするつもりはない。名ばかりの外戚の地位は、冒険者ギルドを敵に回し、Sランク生産職の王妃をないがしろにして国益を失ってまで得たいものなのかと」

「……ところで、俺が冒険者ギルドに所属しているのが前提で話を進めているようだが、今さら加入出来ると思うか？　かなり派手に敵対行為をしているんだが」

「それは大丈夫だと思うよ」

少し、ウォルの笑みが変化した。

「ティシアは大樹海と組んだ。大樹海の問題は、ティシアの問題になった。――エルフの奴隷化によるる転生者のランクアップについて、冒険者ギルド総本部に真意を問おう。我が国はいまだ南部諸国連合に属している。連合内や中央国家群全体に対して、問題を提起するのもやぶさかではないことをまずは内々に伝える」

「…………」

ルカーシュを助けたのは偶然のはずだった。

それが外交カードになるのか。手札を切るタイミングが難しそうだが、ウォルならその見極めが出来る気がする。

そして、もう一枚手札が増えていることに気づく。

これまで冒険者ギルドは、鎖国をしているはずの大樹海からエルフをさらってきて、秘密裏に魔法系戦闘職のランクアップを果たしてきた。

大樹海はどこの国とも国交を持っていないが、エルフ族の治める国として、ドワーフの北方山脈とども一国家として認められている。他国民を拉致することは、戦時中でもない限りまぎれもない犯罪行為として糾弾される。

だが、これからはティシアが大樹海の同盟国となり、国交を結ぶだろう。ティシアを介せば犯罪行為ではなく、堂々とランクアップを行うことが出来るようになる――かもしれない。

そこまで考えるだろう、冒険者ギルド総本部は。

「話を戻そう。転生者の女性と婚姻した場合、他に妻妾を持つことは出来ない。自分の駒を後宮に入れることは出来なくなるが、他家も一緒なので条件は同じになる。そう言って〝周囲を納得させる〟」

強く言い切った言葉は、どこかで聞いたことがあるような響きだった。

「以前、あなたは宿の一室で私に言った。どうやって自分の存在を納得させるのかと」

ああ、と俺は雨宿りをしていた日のことを思い出した。

名も知らぬ町だった。たまたまやっていた市に立ち寄り、宿屋に泊まったがそのまま長雨が続いた。

この世界では、よほどの理由でもない限り雨が降った場合は旅をしない。大人しく降り止むのを待つ。周囲に不審を持たれるかもしれなかったから、俺とウォルもそのまま町の宿に留まっていた。

そこで、彼から最初の告白を受けた――。

「――私は、王妃に迎えるあなたの有用性を説く。そして周囲の理解を得よう。エリクサーを作れるSランク生産職の転生者が、王妃になること。女性転生者を害したことにより国際的な信用を失ったティシアに、愛情と信頼で結ばれた転生者が嫁いでくれるその意味を、理解させる」

形良い眉を寄せつつ、ウォルが早口で続ける。

「もちろん、あなたをそういう意味で利用する気はない。アイテムを作れと命令はしない。他の者が命じることもない。何故ならあなたは王妃だ。王妃が従うべきは国王である私だけ。他の誰にも、決して命令などさせないことを誓う」

「……出来るのか？」

「出来る、出来ないじゃない。〝王たる私〟が望む。それを周囲が気に入らないと言うのなら、カリヤを利用したいと言うのなら、まず私を説得することだ」

頷くつもりはないが、と彼は鮮やかに笑った。

「私があなたに望むことは一つだけ。……どうか私の隣にいて。あなたを愛している。側にいてほしい。身分も、性別も関係ない。あなたが好きなんだ。カリヤが、好きなんだ――」

推し戴くように持つ俺の手に、片膝をついたままのウォルが唇を寄せる。

吐息と唇がかすめるように触れ、少年は長いまつげに縁どられた目を閉じた。

「……気になっていたのは、あなたには何か別の目的があるのではないかということだった。戦争が終わればティシアを去ると聞いていた。辺境に向かうと聞いて、そうしなくてはいけない理由があるのではないかと。だがそうでないのなら、しばらくあなたの時間を貸してもらえないだろうか？　クラシエルとの戦争を終わらせ、国が落ち着けば私は退位する。それまでの間、私の側で王妃として支えてくれるとうれしい。退位した後は、今度は私があなたに付き合おう。ただの旅人として、諸国を漫遊するのもいい。辺境に向かうのもいい。あなたが好きなように。私の望みはずっと、いつまでも、愛するあなたと共にいることなのだから」

ゆっくりと目が見開かれる。

現れたのはきらめくエメラルドの瞳だった。

――この瞳から視線を外せなくなったのは、いつからだろう？

初めて出会った時から魅入られていた気もする。

〝彼〟は美しかった。

何もかも、すべてが。

「……俺は、ウォルより十歳も年上だぞ？」

囁(ささや)くような俺の声に、ウォルが微笑(わら)った。

「どうやら私は年上好きだったようだ」

「ゲイリアス出身の山の民だ。身分的には最底辺の扱いだ」

「カリヤはまだ実感が持てていないかもしれないが、転生者にはこの世界の出生や身分は関係ない」

「そもそも、男なんだが」

「ルシアン兄上と私は異母の間柄だが、たしかに兄弟だったということかな。ティシア国王としては王妃は必要だろうから、冒険者ギルドがあなたを女性だと認めていて良かったと思う。私は、自分の好きな人を、胸を張って妃に迎えることが出来る」

うれしそうに笑う彼に、目頭が熱くなる。

「……苦労するぞ」

「それは私の台詞だ。カリヤには苦労をさせることになる。私の力が及ぶ限り、あなたを守るから」

「王妃になったらヒゲは生やせないな。蛮族の格好、たしか気に入っていただろう？」

「いやっ!?　……それは退位したら。うん。すまないが王妃の間は、蛮族姿は封印ということで。退位した後ならいくらでも、カリヤの好きな姿かたちでいてくれたらいい」

私はもうヒゲは克服した、とウォルが何故か重々しく頷いている。

「…………ウォルのことが好きだ」

俺の告白に、幸せそうに彼が微笑みながら答えた。

「私も。受け入れてくれてありがとう、カリヤ」

……キスをしても、いいだろうか？

そう彼が囁いたから、俺は頷き、ゆっくりと近づいてくる美貌に目を閉じた。

ウェルカムホーム、ユアハイネス

初めてキスを交わして、次の日からの三日間は忙しく過ぎていった。

どうやらウォルは、王都から来た閣下の後始末の場で、エルフたちに俺のことを自分の婚約者だと改めて公表していたらしい。

転生者の前世と今世で肉体の性別が違うのなら、前世の性別に準じて扱われるというアレだ。

これまで真の性別と婚約していたことを伏せていたのは、旅の間、俺の身の安全を考えていたからという理由だそうだが……エルフとしては信じるしかないんだろうなぁ。

確認したくても、前世のことなんて転生者本人しか分からないのだし。

そう、という訳で俺がこれまで〝男〟として行動していたのは、自分の身を守るためだったんだよ。

転生者の女性には危険がいっぱいだ。

「……嘘つけ。前世が女だったなら、行動やら思考やらに少しでも影響が出る。俺が見た限りじゃ、てめーはどこからどう判断しても〝男〟そのものじゃねーか」

恨みがましい目で見つめてくるヴェンに、わざとらしく視線を逸らす。

あっちじゃ、ウォルはまだ里の長老たちと話し合っているようだなぁ。

こっちは俺もボディガードの双子も、兵士代表で同行してくれるエリアーシュも、全員が旅立ちの準備を既に終えているんだが。

出来るなら春を迎えるまで世話になりたかった大樹海だが、俺とウォルは潔く出ていくことにした。出ていくことになるかも、と最初から予想はしていたし。

残念そうにしながらも、エルフたちからの引き留めはなかった。コロポックルの騒動を考えたら、彼らもまた問題が起こる前に俺（とウォル）に早々に出ていってほしいのだろう。

こちら側の第一の目的だった、ウォルのランクAの魔法習得はクリアしている。

ティシアに送った手紙の返信を待ちたかったが、冒険者ギルドの妨害で転移ポータルが使えないことを考えると、届くのは春を過ぎそうだ。

つまり、自力でティシアにたどりつく方が早い。

大樹海から出ていくと決めてから三日間。

ウォルはティシアへの追加の手紙を書いたり、里の長老や王都からやって来た役人と諸々の打ち合わせをしていた。

今も見送りのエルフたちが集まった広場で、旅装を身に着けているのにまだ話し込んでいる。

俺は、舎弟たちに最後の指導を行った。

エリクサーのレシピは教えたけれど、技量が圧倒的に足りてないからなぁ……もっと教えを受けたい者は、戦争が終わった後にティシアまで来たら面倒を見るよと言ったら、ほぼ全員が真剣に悩んでいた。

これはもしかしたら、ティシアの工房でエルフの姿を見かける未来があるかもしれない。

旅支度は終えた。

以前、ウォルの身をくるんでいた雪狼の毛皮を、彼のコートに仕立ててみた。色が白なのは完全に俺の趣味だ。蛮族禁止令が出たので、俺も同じコートを着ている。

他国の王族が訪問した場合の慣例に従い、部屋に設置した家具はすべて残していく。えーい、持ってけ泥棒ー！

没収されて——じゃない、預けていた俺の武器はきちんと返却してもらったが、双子にボディガードの礼としてランクSの片手剣、三本のうちの二本を譲っている。

ランクアップ効果のある世界樹の葉さえ身に着けていれば、ランクBのNPCも装備出来るからな。

好きなのを選んでいいよと言ったら、夏の街道で遭遇した二人組、マー君とセンガの剣がもらわれていった。

俺の手首を斬り飛ばしたり、息の根を止めたりしてくれた剣たちだが、それでよければ遠慮なく使ってくれ！

ついでなので余り物の曲刀は、エルフ王家に献上した。ティシアまで持ち帰るのは、なんとなーく縁起が悪い気がして……こいつに三回殺されているんだよな、俺。

クラシエルのオレンジ髪野郎の剣。たしか、奴の名前はイデと言ったっけ。

まあ正直、持って帰ってもティシアで披露する訳にはいかない代物だ。

争奪戦が起こる。

ランクBの縛りがある俺には装備出来ないし、ウォルは出来るが、ティシア王家は魔法職なんだから俺作の長杖を装備してもらいたいという野望がある。

なら、エルフに恩を売っておいた方がいい。

「……ずっと女の方がいいって思っていたのに、男に惚れたって事実にようやく折り合いをつけたんだぞ……」

……さっきから、ヴェンが小声で何かぶつぶつ言っている。

「おい！」

あ、なんか複雑そうな表情で呼ばれた。

まだ浅黒い肌に染めたままの顔を俺に近づけ、男前が声をひそめて囁く。

「……あのなデバガメってのは承知していたが、俺たちも情報は欲しいから、おまえと王子の生活はずっと監視していた訳だ。それは気づいていただろう？　でだ、洗たく物とかもチェックしているが、一度も汚れたシーツの類を確認していないんだよ。同じ寝室で寝ていながら！　――婚約しているっていうのはガセだよな？」

「ああ、そのことか」

やはりされていたか、チェック。

想定の範囲内だった。

していのが当たり前だと、頷きながら俺は教えてやる。

「あのな、ウォルド殿下の血統を失わせる訳にはいかないだろうが。プラトニックな関係に決まっているだろう？　キスくらいは……その、しないこともないが……」

「え？」

どちらかというと切れ長っぽかった藍色の瞳が、綺麗に丸くなった。信じられないといった表情で俺を見て、それから向こうで話しているウォルに視線をやり、もう一度俺に視線を戻す。

ああ……この表情はフレーメン反応だ。

さすが、ルカの血縁。

「…………俺は今、ウォルド王子の自制力に尊敬の念を抱いている」

「尊敬しているなら、殿下と敬称をつけろ」

「カリヤ様！」

見送りの人垣をかき分けて、ルカが家族と共に俺の元にやって来た。

白髪のエルフの少年は、俺の前に立つと丁寧に頭を下げる。

「このたびはウォルド様とのご婚約おめでとうございます」

改めて告げられた祝いの言葉に、「ありがとう」と照れながら俺は礼を返す。

「いつかこの日が来るだろうとは思っていましたが、ウォルド様の想いが叶ったことをボクもうれしく思っています」

まるで自分のことのように、うれしそうにルカが話す。そういえばエルフの少年は、ウォルと仲が良かったものな。出会ってすぐ、俺がエリクサーの影響で寝ている間に分かり合っていた。

……口ぶりからして、もしかしたらその時に、ウォルは何か話していたりしたのだろうか？

大樹海に突撃後も、突然降ってわいた俺と彼の愛人設定にも動じていなかったし。むしろ祝福していた感もある。

「そして、えっと、……ティシア国へのご招待ありがとうございます。ですがボクは大丈夫です。ご心配ありがとうございます」

ヴェンにちらりと視線を向けると、彼は甥っ子を温かい眼差しで見守っていた。

その落ち着いた様子に、さらわれたエルフの子が里に受け入れられているのだと推測する。

杞憂だったか。なら良かった。

「だけど、あんなこともありましたが、お二人と旅をしている間に大樹海の外に興味が生まれました。いずれ、情勢が落ち着きましたらティシア国にお伺いしたいなと思っています。お二人の結婚式の時に！　カリヤ様のウエディングドレス姿を楽しみにしていますね」

「ドレ……ッ!?」

キラキラとした瞳に見上げられる中、俺は思いきり動揺した。

け、結婚式か……うん、正式に王妃になるならするだろうなぁ。

クラシエルとの戦争が無事終わってから？

俺、『今世はこれまで男として生きてきたから習慣になってる』という設定で、普段の言葉遣いの変更や、女物の服は着なくていいとウォルに言質はもらっている。だけどさすがに結婚式はウエディングドレスを着なくちゃいけないか。

お、王妃としてのお披露目の意味があるんだしなぁ……。

「……ルカを招待出来るように、まずはクラシエルとの戦争をなんとかするよ……」

「ご武運をお祈りしております！」

「ルカおにーしゃん、あれ」

隣にいた幼い妹が、兄の上着の裾を引く。

指さした先に、コロポックルたちがいた。隊列を作り、広場の中へと入って来る。


……かりや、いっちゃうの？

さびしくなる。

顔を見合わせたエルフが、身長十センチの幼女に道を譲り、距離を取る。ヴェンなら一緒にいても大丈夫なはずだが、ルカとご家族を連れて下がっていった。

俺の周囲を囲むように集まったコロポックルたちに、笑いかけながら膝をつき、視線をあわせる。

「うん、ウォルと一緒に俺の家に戻るよ。世話になったな。ありがとう。――君たちのお母さんによろしく」

じぶんのいえにもどるなら、しかたないね。

まいほーむはだいじ。

ゆきながこなくなったように、かりやもこなくなるのかな？

「ユキナガ氏？」

突然出てきた名前に、俺は首を傾げる。

たしか、以前訪れていた転生者だったよな？


そう。

やつはえるふすきー。

よめさがしをずっとしてた！


わちゃわちゃとコロポックルたちが集まってきた。

世界樹の眷属である幼女たちが、俺の周囲で好き勝手にしゃべりだす。


なんどもきてたけど、こなくなっちゃった。

しんじつのあいをみつけたからね。

それならさびしいけれど、しかたない。

さびしいけどねー。

べんのあほー。


「――戦争が終わったら、また遊びに来るよ」

俺が告げた言葉に、コロポックルたちが見慣れた謎の喜びの踊りを始める。

しかしエルフスキーだったのか……じゃない、オタクっぽいからそれはうすうす予想していた。

真実の愛に生きる人だったのか、ユキナガ氏。

「カリヤ、ヴェンデリーン。待たせたね、そろそろ出立しようか」

打ち合わせを終えたウォルが戻ってくる。

幼女に頭を下げたウォルに、彼女たちも踊るのをやめ、ぺこりと頭を下げて応える。

ユニコーンが五頭、広場に引き出されてきた。

既に鞍や手綱はつけている。

ゲーム内では大樹海の移動手段としてメジャーなユニコーンだが、樹海の外では生きられない。本来なら鞍の後ろに諸々の荷物をくくりつけるのだが、荷物は全員分、俺のアイテムボックスの中に収めてある。

それにユニコーンで移動するのも、樹海の中にある一番近くの転移ポータルまでだ。

エルフの領域内だけなら、転移ポータルは普通に使える。転移ポータルを使って、大樹海内で一番南にあるポータルまで転移する。別のユニコーンが既に用意されているはずなので、次は野宿をしながら大樹海を南下する。

そうやって南に移動して、大樹海の結界を越えたら、もう周囲は北部諸国連合の勢力下じゃない。

中央国家群の中心に位置する、Sランクモンスターのはびこる危険地帯、『中海』の外周だ。

――大丈夫、突っ切ったりはしない。

大樹海の結界を出たらすぐに、〝リターンホーム〟のスキルを使用して俺のホームへ転移する。

「お気をつけて、ウォルド殿下、カリヤ様!」

「お元気で!」

俺とウォル、ボディガード兼道案内役の双子とエリアがユニコーンに騎乗すると、ルカや見送りのエルフたちが一斉に手を振り始めた。

コロポックルたちも一生懸命になって小さな手を振ってくれている。

この里の世界樹の眷属である彼女たちは、里の結界を越えることが出来ない。だから、俺が再びこの里を訪れないと二度と会うことはないだろう。

手を振り返し、俺たちはしばらく世話になったエルフの里を出た。

大樹海内の移動は順調だった。

一行の全員が、戦闘能力Bランク。大樹海に棲むモンスターなら充分に対処出来る。

他のエルフの居住区域に寄ることはなかったが、物資の補給は存分にしておいたし、俺作のテントがあるからな。

別空間の個室やら冷蔵庫やら、高性能さにエルフ組が驚いていた。ふふふ、ルカが不自由なく過ごしていたという証明が出来て良かった。

ゲイリアス山中にある俺のホームに向かうのは、俺とウォルの人族二人だけだ。

参戦の意思を表明してくれたエリアは、春になったらエルフ兵を束ねて王都アルティシアにやって来る。それまでに帰還して、アイテムマスターである俺が転移ポータルの設定を大樹海と繋がるように変更しないと。

双子は、ヴェンが一度東部の持ち場に戻るそうだ。

それまで担当していた交易に、引き継ぎは必須だろうからな。終えた後に、双子で動くとは聞いた。

どうやらエルフは報復として、クラシエル本国を自分たちで直接叩きたいらしい。

二面攻撃か！　どんどんやってくれ！

中央国家群内に、小さな転移ポータルは無数に存在している。

それら無名のポータルを使いこなす手段を、エルフたちは持っているのだろう。鎖国しているはずのエルフだが、ヴェンは前々から変装してハム諸島周辺で活動していたようだし。

――そういえば、大樹海を追放された青髪のエルフは、既に兵の一隊をつけてティシアへと護送されている。

俺とウォルがティシアに戻るのが先になるのか、青髪が先か？

ウォルの手紙を持たせているそうだから、先に着いてもティシア側は適切に対処するだろう。

深い森が途切れた。

目の前に広がるのは、大小の岩が転がる荒野。どこまでも続くその果てに、白銀に輝く地平線が見える。

あれがゲイリアス山岳地帯だ。はるか彼方に望む、雪に覆われた大山脈の頂に震えが走る。

やっとここまで来た。

タキリン城砦から逃げて、北部諸国連合の影響下を追われながら逃亡し続け、大樹海を踏破して、やっと。

やっと。

「――行こう、カリヤ」

ユニコーンから降りたウォルが、俺に向かって手を差し出す。

エルフの三人組もユニコーンから降りて見送ってくれようとしていた。彼らに別れを告げ、俺はウォルと手を繋いで歩き出す。

緑の絨毯(じゅうたん)が途切れた個所(かしょ)が、大樹海の結界の境目だった。

「〝リターンホーム〟」

呪文を唱えると、視界は一変する。

どこまでも雪に覆われた白銀の世界。珍しく晴天で、色褪(いろあ)せた青い空が頭上に広がっていた。

瞬時に結界を張ったので、風の冷たさは防げたと思う。それにすぐに、ホームの中に入ってしまえばいい。

目前のむき出しの岩肌に埋め込まれた、人が一人通れるだけの白い扉。

その前に立ち、ドアノブに手を掛けながら俺はウォルに笑いかけた。

「俺の秘密基地にようこそ、王子様」

幕間

ユニコーンに乗ったティシアの王子一行が、巨木の間に消えていくのをルカーシュは妹の手を握ったまま見送った。

長い黒髪をゆるく編んだ青年が、一度振り返って手を振ってくれる。

金色の髪の王子は振り返らなかった。

おそらく黒髪の青年が促せば手を振るだろう。だが、彼だけなら振り返らないとは分かっていた。

あの方は常に前だけを見据えている。

「……ねぇ、ルカおにーしゃん。王子しゃまは、もうさとにこないの？」

話しかけられ、彼は幼い妹に視線を落とした。

「うーん、きっともう一度くらいは来られるんじゃないかな。カリヤ様がコロポックルたちに、また遊びに来ると約束されていたから」

「そうかー」

頷いた妹が、兄を見上げて笑顔を見せる。

「あのね、あのね。ミルカね、おひめさまになりたいの。王子しゃまとけっこんしたらおひめさまになれるんだって。王子しゃま、こんどあそびにきたときに、ミルカをおひめさまにしてくれるかなぁ？」

最近、里の子供たち——女の子たちの中で流行っている話題を出されて、ルカは苦笑する。

妹のような、まだ学校にも通っていない年齢でも話題になっているらしい。

無邪気に笑っている妹に、残念だけど、とルカーシュは告げた。

「……もう、ウォルド様にはお姫さまがいらっしゃるんだよ」

ルカーシュは決して出てはいけないと教えられていた、大樹海の結界を出てしまった。

そのまま追われ、捕まり、薬物をしみこませた布を口に押し当てられて意識を失った。

かすむ視界の中で最後に見たのは、自分の体を押さえつける何本もの手と、嘲笑いながら見下ろしていた人族の男たちの顔——。

再び目覚めた時、やはり目の前にあったのはヒゲを生やした人族の男の顔だった。

叔父のヴェンデリーンが変装していたから、浅黒い肌を持つ人族がいることは知っていた。だが無造作にくくっただけの長い黒髪と、顔の半分を覆う同色のヒゲによって表情が分からない男には恐怖しか感じなかった。パニックを起こし、自由に動かない体に気づいて更に恐慌状態に陥った。

怯えるルカーシュの姿を見て、男の暗い色の瞳が困ったように細められる。

この瞳の色も、陽光の下なら複雑に輝く緑の美しさに気づいていただろう。だがその時の彼に分かったのは、ただ暗い色彩の印象のみだった。

「――ウォル、交代だ。この子を落ち着かせてやってくれ。どうやら俺の見た目で怖がらせてしまったようだ」

男が背後を振り返って場所を譲る。

現れた少年の姿に、ルカーシュは恐怖を一瞬忘れた。

まるで宝石のような存在だった。

これまで見たこともない、圧倒的な美貌。内側から輝きを放つ白い肌も、整いすぎるほどに整った造作も、身にまとう気品も。短く切った黒髪の一筋さえも、少年は美しかった。

視線を奪う、極上のエメラルドをはめ込んだ両の瞳。

そのままでは美しい人形にさえ見えかねない美貌は、口元に浮かべた笑みのおかげで穏やかな印象を与える。

少年が名乗り、ルカーシュに優しく微笑みかける。

そして彼とヒゲの男は、ルカーシュを助けると約束してくれた。

首に嵌められているという隷属の首輪を取り外し、動かない体の自由を取り戻し、故郷の大樹海まで連れ帰ってくれると。

ウォルド王子はルカーシュを解放してくれた。

指示されたとおりにカリヤという名の男の髪を舐めていたら、突然体の自由を奪っていた拘束の質が変化した。下腹部に覚えた熱に、一瞬自分が騙されたのだろうかと混乱する。

奴隷にしてから解放するとは教えられてはいたが、自分の存在を塗り替えていく変化に、もしかして嘘だったのかと絶望する。

まだ子供のルカーシュが知らない〝何か〟。

体の芯から湧き上がるよく分からない熱さが、幼い体を染め変えながら広がろうとして、唐突に消えた。

熱が引いてクリアになった視界の中、ゆっくりと崩れ落ちていくヒゲの男の体を、黒髪の少年が両手を広げて受け止める。

パキン、と高い音を立て、ルカーシュの首に嵌められた首輪の留め金が砕けた。

「……髪の色が変化したな」

呟いた王子が、腕の中の男に手にしていた瓶の中身を飲ませる。

ルカーシュは震える手を持ち上げた。体が自由に動いている。もう首輪の感触もなかった。

ベッドから上体を起こし、解放された喜びに声もなくひたっていた子どもに、静かな声が掛かった。

「そこのテーブルにポーションを置いている。君のためにカリヤが用意したものだ。体に異常を感じていなくても、飲んでおきなさい」

「あ、はい、ありがとうございます！　助けてくださって、ありがとうございます！　あり——」

続けようとしていた感謝の言葉を、最後まで口にすることがルカーシュには出来なかった。

目の前にいる美しい王子が、怒っているのが分かる。つい先ほどまで感じていた優しげな雰囲気は消え去っていた。その美貌にふさわしいと言えるかもしれない、氷のように鋭く冷たい怒りだった。

「——カリヤを寝かせる。体が動くようならベッドから出るように」

「……は、はい……っ」

ルカーシュはあわててベッドから出た。

抱き上げたカリヤの体を、王子がゆっくりと横たわらせる。

「ルカーシュ。ほとんどは私自身に対する怒りだ。——だが、私はたしかにおまえに対しても怒っている」

眠るカリヤの、顔にかかっていた髪を横へと流す指の動きは優しかった。

「おまえの自由は、カリヤが自分の命を賭けて与えたものだ。蘇りの秘薬エリクサーとはいえ、完全に万能ではない。効かないこともある。蘇生アイテムなしに服用するのは賭けそのものだ。だが、彼は賭けた。何故か分かるか?」

言葉を返せないルカーシュに、王子は告げる。

「——彼は、おまえをただ憐れんだ。幼い子供がかわいそうだと、自分なら助けることが出来るのだからと、リスクを承知の上で行動した。その崇高な覚悟を、一瞬だろうが疑ったな?」

カリヤを疑うな。

「彼の善意を疑うな。彼の行動を疑うな。私のことは疑ってもいい。おまえは私が守るべきティシアの民ではない。憐れみよりも、打算でおまえを助けることに同意した。私はおまえを利用するだろう。施しを与え、対価を受け取る。だが、カリヤはそうではない」

凛と声が響く。

ルカーシュを見下ろしながら、人族の若き王が告げる。

「——カリヤを、二度と疑うな」

それからの九日間を、ルカーシュはウォルド王子と二人きりで過ごした。

聡明な王子はルカーシュに人族の世界について教え、ルカーシュは自分の知るエルフの知識を彼に教えた。

王子からの謝罪もあった。

ルカーシュを解放した直後のこと。あれは完全に八つ当たりであったと。自分自身に対して怒るべきだったのに、ルカーシュまで巻き込んでしまったと。

ルカーシュは首を振った。

たしかに自分も悪かった。命の恩人に対して、許されないことをしてしまったと謝罪した。

二人きりだった時間に交わしたいくつもの会話の中で、印象的なのは懐かしむように遠くへ視線を向けながら語った王子の言葉だった。

「――忠誠は無償ではないんだよ、ルカ。あれは私という個に対して捧げられるものではない。私を通して国に対して捧げられ、対価を求められるものだ。だがカリヤには、国というものに対する意識が薄いんだろうね。契約をして、働いてくれた対価は支払ったとも。タキリン城砦にいた間は。だが支払えなくなった今も、彼は私の側にいてくれる」

それは忠誠ではなく、対価を期待出来ない契約の履行でもなく。

彼自身の優しさと、自分よりも年少の者に対する憐れみの感情と……交わされていたいくつもの〝約束〟があるからだろう。

「何度も、何度も身を投げ出させ、自分の命を捨てさせた。それでも彼は約束以上のものを求めない。無償の好意だけを与えてくれる。……私は、彼に返せる者になりたい。返せる強さを得たい、と思っている……」

「……良い王様に、なりたいのですか？」

王子はエメラルドの瞳をルカーシュに向け、美しく微笑んだ。

否定はされなかったけれど、おそらく自分は間違った答えを口にしたのだとルカーシュは思った。

それからカリヤがエリクサーのもたらす眠りから目覚め、ルカーシュは彼の見た目について二度目の衝撃を受けることになる。

蛮族だと思っていた男はヒゲをなくして身なりを整えると、とんでもない美青年に変貌した。

「……王子しゃま、もうおひめさまがいらっしゃるの？」

幼い妹の問いに、ルカーシュは微笑って肯定する。

テントの中で過ごした九日間。

部屋を区切る入り口の布は、何か異常があればすぐに気づけるように常時たくし上げられていた。

そこから見えてしまった光景がある。

眠り続ける青年に向けられていた優しい微笑み。

ベッドに寄り添って、長い髪を愛おし気に梳いていた指先。

そして、そっと顔を寄せ、額に落としていた唇も。

「――うん。あの方は旅の間、一度として言葉にはしなかったけれどね、ずっと心から好きな方がいらっしゃるんだよ」

執事の名前は王道

小さな扉から、岩の中に設置されたホームへと入る。

岩の中と表現したが、扉の先は謎空間へと通じている。奥行なんて関係ないからだ。

最初に繋がっているのはガレージだ。

俺はホームにかなり手を加えている。前世のゲーム《ゴールデン・ドーン》の基本コンセプトは、ゲームの世界観に沿って中世西洋風がメインなのだが、課金分野――特にホームの中は混沌と化していた。

体感時間が延びるMMORPG内で、現実では時間がなくて行えないことをしたいと考えているユーザーは多い。

モンスターを倒したい、魔法を使いたいといったRPGを純粋に楽しむ者もいたが、リアルにはない静かな場所で趣味に没頭したい、時間がなくて積んでいるドラマやアニメを一気に見たいといった者もいたんだ。

ホームの外では世界観を壊すために使用出来ないアイテムやオブジェクトも、ホーム内では無制限。

別の世界が存在すると言っても良かった。

足を踏み入れると、自動でガレージ内に照明がつく。

天井の高さは三階建ての建物に匹敵する、広々とした白い空間だ。小型セスナくらいなら格納出来る。

壁際に椅子や作業机、たらいといった、俺お手製の木製道具を並べているだけのスペース。

「ここは、ホームに入る時は必ず通る空間。普通ならすぐリビングに繋がっているんだけど、汚れて帰ってくることがあるからワンクッション置いている。獲物の解体や、巨大なアイテムの作製とかもここで行っている。後ろを見てごらん」

　後をついてきたウォルが、俺の言葉に背後を振り返り、息をのんだ。

　ガレージなだけあって、出入りするためのシャッターが存在している。壁一面を埋める大きさのシャッターを、俺は外を見ることが出来るスクリーンにしていた。

　壁一面に映る、どこまでも続く大山脈の白い峰。

「外の景色が見える。なかなかに雄大な光景だろう？　たまにドラゴンが飛んでるよ。吹雪いた時は何も見えなくなるけれどね」

　ちなみに、シャッターはホームの扉と連動して開閉出来る。フィールドで使用出来る馬車の出し入れなども可能だ。今現在の立地では無理だけどな。出るなり崖から落ちて終わる。

　そういえば、と俺は彼に改めて確認した。

「ウォルは転生者――元ゲームプレイヤーについて、どれだけ知っているんだ？　ふわっとした質問でごめん。タキリン・ステーションとか、冒険者ギルドのシステムである程度慣れている、って認識でいいんだろうか？」

「そうだな、国政に関わる者などは〝《ゴールデン・ドーン》というゲーム〟について、世界の理として学んでいる。我々の存在する世界は〝そういうもの〟だと、転生者との相互理解や共存のために、冒険者ギルドから働きかけが行われているんだ。ただ、彼らもすべてを明らかにしている訳ではない。ラギオン帝国にある冒険者ギルド総本部内は、世界が違うと聞かされているな」

　なるほど。

　まあ、この世界のＮＰＣもタキリンの転移ステーションを普通に使いこなしていた。

中世ファンタジーの世界観から多少逸脱していても、そういうものかと捉えることが出来るのだろう。なら、普通にホームを紹介しても大丈夫か。

納得して、俺は説明を始めた。

「正面の壁にあるのが、ホームの部屋を繋ぐ扉。ホームには、扉は二種類しかない。各部屋を繋げる両開きの扉と、外と繋がった白い扉。白い扉があるのは、リビングとガレージだけだな。両開きの扉は、何も指定しなかったらすべてリビングに繋がる。指定は音声入力だ。どこに行きたいか口に出せば、その部屋へ行ける。もし外から帰ってきて、着ている服が汚れていたらそこの壁際に置いている『ランドリーボックス』の中に入れること。ランドリーボックスは洗たく機と繋がっている。テントの中にあった家電と同じやつな。汚れを洗い落として、乾かすまでしてくれる。テントと違うのは、ホームでは洗たく機から取り出してたたむ必要がない。綺麗になれば勝手にホームのインベントリ内――クローゼットの中に保管される」

俺はマントを外してランドリーボックスの中に入れた。

ウォルも真似をする。

「体が汚れていたら風呂に直行だけど、大丈夫だからまずはリビングに向かおうか。ホームの中心にあたる部分だ。まあ、ここは普通……に近い部屋だと思う」

木目の美しい、両開きの大きな扉の前に立った。

左右にスライドした扉にウォルが目を見張った気配がする。すまん、前後に開く観音開きって、スペースを必要とするから設定を変えてるんだ……。

俺にとって慣れ親しんだ、ホームのリビングが目の前に現れる。

吹き抜けになっている居間には、片方の壁に暖炉が設置してある。まあ暖炉はただのインテリアだ。ホーム全体の空調は快適に保たれている。もう片方の壁には巨大なスクリーン。テレビ放送は電波が入らないので、もっぱらＤＶＤ観賞用だ。

Ｌ字に設置したカウチソファーに、ガラステーブル。床には雪狼の毛皮を敷いている。

リビングの境は壁を設置せず、隣は一階部分がダイニングキッチンになっている。対面式のキッチンは現代家電シリーズで統一していて、オール電化タイプです。

二階部分へと階段を上がれば、ロフトっぽく下が覗ける俺の寝室。

食べる場所寝る場所くつろぐ場所と、生活の基本はここだけで事足りるようにしている。

「……あれ？」

「カリヤ、あの生き物は？」

久しぶりに帰ったはずの我が家に、オコジョがいた。

リビングの奥の壁際に、いつの間にか小さな白い扉があった。二十センチほどの高さしかないおもちゃのような扉だ。

そこが開き、白い獣が出てくる。

冬毛である白い体毛に、長い尾の先端と瞳だけが黒いオコジョは、黒い燕尾服の上着だけを着ていた。

『――おかえりなさいませ、マスター』

出てきたオコジョが後ろ足で立ち上がり、うやうやしく頭を下げた。

前世に設定していた、渋い老人の音声が響く。

「カリヤ、この獣は精霊の一種？」

「……いや、ホームアシスト。ナビゲーションシステムで、ホーム内での行動のサポートをしてくれるんだけど……いつ使えるようになったんだ？」

転生してからこちら、ゲイリアスの山中にホームを設置してもホームアシストである〝彼〟は現れなかった。だから転生後は使えない機能かと思っていたのだが、まさか、

『マスターが冒険者ギルドに到達されたので、解放されたサポートシステムがいくつか存在しています。ワタクシも解放されたシステムの一つです。後ほど

改めて確認することをお勧めします』

「……ありがとう、セバス」

『どういたしまして』

オコジョの尻尾が揺れる。

なるほど、と俺は脱力感に思わずその場にしゃがみ込んだ。

転生後のこの世界は、ゲームによく似た世界だ。

それを俺は、本当の意味で分かってはいなかったのかもしれない。

ゲームの最初に向かわなくてはいけないのは？

チュートリアルでは冒険者ギルドに向かっていた。

そこで《ゴールデン・ドーン》の世界設定を知り、ギルドで受けられる恩恵を知り、登録して冒険者としてのプレイが始まる。

転生後の俺はずっと冒険者ギルドに出向いていなかったから、この世界の常識だけではなく、ギルド関係のサポートも知らなかったということか。

冒険者ギルドって、登録までしなくても足を踏み入れただけでチュートリアルクリアだったっけ……俺って二十六年間、縛りプレイをしていたのかよ。

心配そうにしながらも、ウォルは無言で俺が立ち直るのを待ってくれている。

慰めの言葉は傷をえぐるだけだっただろうから、何も言わないでいてくれるのがうれしい。

しばらく落ち込み、ようやく立ち直った俺はウォルにオコジョを紹介した。

「ウォル、〝彼〟はこのホームのアシスト機能。執事みたいなものだな。セバスチャンと名付けている」

『どうぞセバスとお呼びください』

いやー、執事の名前といったらセバスチャンかアルフレッドだと思うんだよ、俺は。

「セバス、彼はウォルド王子。ティシア国の王位継承者で、えーっと、俺のパーティーメンバーで……フレンドで……」

俺はウォルを見た。

視線に気づいた彼が、にこりと微笑む。美少年は今日もめちゃくちゃ凛々し可愛い。

「……こ、恋人。彼のホーム権限は、ゲストとして最高レベルで設定してくれ」

『かしこまりました。設定します』

「カリヤ」

「ウォル、ちゃんと設定したから！　俺しか使えない機能もあるけれど、住む分に不自由はないと思うぞ？　入れない場所はないし、各種サービスも利用可能になったから」

「ありがとう。――それと、彼に私を恋人として紹介してくれてありがとう」

「…………」

もう一度しゃがみこみたくなるのを、意志の力を総動員して堪える。

俺の恋人は本当に可愛い。ヤバいほど可愛い。絶世の美人で男前でもある。

……でも手は出しちゃいけないんだよなー。

両想いになってもキスまでだ。

エルフの里内ではコロポックルがいたし、大樹海を抜ける旅の間も護衛をしてくれる三人がいた。

だけどようやく二人きりになる。この状態が春まで続く。ホームアシストであるセバスはＡＩで、本当に人格を持っている訳ではないし、呼ばない限り出てこない。

二人きりだ。が！　俺に彼の王位継承権を失わせる気はまったくない。

目指すぞ、プラトニック！　おー！

「……ウォル。悪いが早急に留守にしていた間のホームの状態をチェックしなきゃいけなくなった。新しい機能の追加などを確認したい。だからホームの案内を、セバスに任せてもいいだろうか？　ウォルが見回っている間にチェックして、ウォル用の部屋も用意しておくよ」

「私はかまわない。一年近くここを留守にしていたんだろう？　気にせず確認してくれ」

「ありがとう。聞いたか、セバス」

『はい。ウォルド殿下――敬称確認、不都合がない限り以後続行します――を各ルームにご案内し、ルームの目的、使用方法を説明します』

「案内するのは浴室に、脱衣場、洗面所……ああ、そういえば鏡が材料が足りなくてまだ作れてなかった。入手してきたから後で設置するか。それにトイレ、プール、スポーツジム、シャワールーム、書斎、図書館、プラント工場、ラボ、中庭、テストルーム……かな。使っていないルームの案内はいらないか。あ、ゲストルームを一つ、ウォルの部屋にする。ロイヤルタイプの客室の名前を〝ウォルの部屋〟に変更してくれ」

『かしこまりました。それではウォルド殿下、ご案内いたします』

トトトッと先に進み、後ろ足で立ち上がったオコジョがウォルについてきてと見上げる。

小動物、あざと可愛い。

だがしかし、性格設定を爺さんにしておいて良かった。見かけもオコジョにしておいて良かった。

ホームアシストは、さまざまな外見に変更出来る。老若男女、人間でも人外でも、課金さえすれば変え放題だ。……美少女メイドとかにしていないで、本当に良かった。

オコジョに案内され、ウォルの姿が両開きの扉の向こうに消える。

まずは浴室から見ていくようだ。

ふふふ、ちょっとした温泉旅館並みの施設だぞ。湯船は四つある。

露天風呂は残念ながらないがなー。ゲイリアス山中で野外に作ろうものなら、モンスターに襲撃されて死ぬ。

一人と一匹を笑って見送り、さて、と俺は真顔に戻った。

逃亡中に冒険者ギルドへ足を踏み入れたことにより、ホームに新たな機能が解放された。

いや、前世では普通に使っていた機能だ。今世は使えていなかっただけの。

――俺の推測が間違っていなければ、その機能はティシアの戦局をひっくり返す……かもしれない。

ホームで出来ること

リビングのソファーに腰を下ろし、体を深く沈める。

正面の壁には暖炉じゃなくて、八十インチのスクリーン。課金でサイズを変更しているが、このリビングの初期オプションだ。

――この〝初期オプション〟が、転生後の世界では重要な意味を持っていたりした。

〝引き継げた〟のだ。

前世のゲーム内で所有していた素材やアイテムは転生時に失っていたけれど、魔法やスキルといった形が存在しないものはそのまま使えた。

その上、アイテム購入時に付属していたホームのオプションなども使えたのだ。気づいた時はびっくりした。

おかげで我が家（マイホーム）、ゲーム時のスポーツクラブとのタイアップ課金パッケージなどが、そのまま使えちゃってるんだよ……。

「セバス、聞こえるか?」

『――聞こえています、マスター。何か御用でしょうか』

丁寧な口調の老人の声が、リビングに響いた。

セバスチャンはホームアシスタントのAIだ。いくつもの用件を並行してこなせるが、念のために指示を出しておく。

「メインは、オコジョ姿でそのままウォルの案内を続けてくれ。俺は、〝音声入力でホームの機能を使いたい〟。……手伝ってくれるか?」

『喜んで。ウィンドウ入力ではなく、音声入力のサポートをただいまより実行します』

「よっし！」

思わず両手で膝を叩いていた。

転生後の世界には、〝空中に現れる半透明のウィンドウ画面〟が存在しない。

ずっとステータス画面も確認出来なかったからな。生産や戦闘時のスキル使用など、自分に関する事柄は思考操作でなんとかなったが、システム関連はお手上げ状態だった。

だけどこれからは、システムの一部である（はず）のセバスを通じて操作が出来る。

「……まず、俺のアイテムボックスの中身を、ホームのインベントリに収容出来るか？」

『――移動完了しました。ホームインベントリの空き容量は、残り七十八パーセントです』

出来た。

これまで涙目になりながら、一つ一つ手に取り出してはクローゼットの中に広がる謎空間に放り込んでいた苦労が嘘のようだ。

前世のゲームで行っていた画面操作が、音声で実行出来ることにほっとする。

よし、どんどん確認していこう。

「俺宛にメールは届いているか？」

『メールはありません』

ずっとぼっちで暮らしていたものなぁ。フレンドがいないのにメールが届くはずはない。

だが、冒険者ギルドに到達してチュートリアルをクリアしたのなら、運営からおめでとうメールが機械的に届いたはずなんだが、それもないのか。

この世界に運営は存在しない。

おそらくだが、電子メールの類はないのだと思う。もし手紙を送るのなら、ヘレンナの商業ギルドでウォルが頼んだように、転移システムで現物を送るのだろう。

「外部のサイトを閲覧したい。テレビも見たいんだが」

『現在、《ゴールデン・ドーン》から外部環境へ接続はしておりません。ご要望の機能は使用出来ません』

それも知ってた。

ファンタジーな世界では電波放送自体が存在しないだろうから、テレビ放送を見ることは出来ない。

だけど前世、俺は課金してゲーム内の動画配信サービスに加入していた。毎月配信されていたドラマやアニメは、見る見ないは別として、一応落とせるだけ内部HDに落としていたし、著作権が切れた映画なんかも無料だからと入れていた。

なんと、テレビは見ることが出来ないけれど、HDのデータはそのまま〝引き継げて〟いた。

おかげでホーム完成後の冬場の引きこもり期間も、まったく飽きずに過ごしていたりする。

やはり追加配信はなかったけれど。

ここまでのチェックで、《ゴールデン・ドーン》の外部とは繋がっていないことが分かった。

転生しているんだ。世界が別なら繋がったりはしない。

だが、ゲームの世界の内部はどうだ？

「……冒険者ギルドと繋げて、画面をスクリーンに映してくれ」

『冒険者ギルドの、メイン画面をスクリーンに映しました』

「よし！」

俺の目の前の八十インチのスクリーンに、本来なら空中に現れる半透明のウィンドウに映るはずだった情報が出現した。

セバス様、ありがとう！　音声入力でサポートしてくれる君がいないと、決してたどりつけない画面だった！

MMORPG《ゴールデン・ドーン》の、中核であった冒険者ギルド。

わざわざギルドの建物まで足を運ばなくても、プレイヤーは自分のホームからいつでも、ウィンドウを開いて情報を確認出来た。

クエストの受理も、ギルドが販売している課金アイテムの購入も、不要なアイテムの下取りも、プレイヤー間のバザーシステムの利用も。クエスト完了報告とランクアップ報告は出向く必要があったけれど。イベントが起こる場合があったからだと思う。

スクリーンに映し出された、冒険者ギルドのメイン画面を確認する。

課金アイテムの購入ボタンが灰色になっていた。

やはり予想していた通り、課金システムは存在しないか。でないと、前世では普通に販売していたはずのエリクサーの値段が、百倍になっている訳がない。

そして値段がそれ以上高騰していない理由は、

「……うん、バザーは機能している」

一応、供給があるからだろう。プレイヤー間のアイテム売買は、転生後の世界でも行われていた。

セバスに口頭で指示を行いながら、ざっとバザーシステムの確認をする。出品されているのは前世と同じ、武器に防具に各種アイテム。

売り手が最低価格を設定し、後は出品期間内に買い手が競り合うオークション方式が《ゴールデン・ドーン》のバザーだ。

買い手がすぐにその商品が欲しい場合は、即決価格で落札も出来る。

「あ、イルマちゃんだ」

防具の出品者に見知った名前を見つけた。

出品から十日経っているが、入札者はいない。値段は妥当だと思うのだが、買い手のニーズに合っていないのだろう。女性専用水着アーマーだしな……。

バザーの品揃えや落札状況に目を通していると、それほど盛んに売買が行われている訳ではないようだ。高ランクの出品がない。出品者の名前も多くない……っと、集中してチェックするのはまた今度だ。

まずはどの機能が使えるのかの確認だった。

「ギルドのアイテム買取機能は使えるのか。値段は定価の十分の一。物によっちゃ捨てるよりはマシな程度だが――これならバザーと違って、アシがつかない」

にやーっと、イケナイ笑みが浮かぶのを自覚する。

本当に、もっと以前から冒険者ギルドのこの機能が使えたら、俺もこの世界の現金を入手出来たんだけどなー。

まぁ、無い物ねだりはしない。これから有効に活用させてもらうだけだ。

最後にクエストを確認する。

スクリーン上にずらっと、現在受けることが出来るクエストが並んだ。キーワードでソートも出来たりするぞ。

現在のバザーの出品内容や、冒険者に対して出ているクエストの傾向をチェックしていれば、中央国家群内の動きが分析出来る。

今、スクリーンに映し出されている冒険者ギルドの情報は、ティシアにとっては敵の動向だ。

それを元プレイヤーたちは理解しているかな？

自分たちの内情が、筒抜けになっていることに。

バザーの出品者名や、出品物をチェックしていれば、何人くらいの転生者が利用していて、どれくらいのランクなのか、戦闘職か生産職かくらいは推測出来るぞー。

〝クラシエル〟や〝戦争〟のキーワードでクエストをチェックしたら、クラシエルが今後どのような行動をしたいかも分かっちゃうんだぞー。

《ゴールデン・ドーン》の攻略サイトも外部スレも今世は存在しない。

外部スレがなくて本当に良かった。リアルタイムの情報の共有や、意思の疎通が難しいってことは、ぼっちのこちらには有利に働くだろう。

にまにまと笑いながら、俺はセバスに接続を切るよう指示を送る。

今、悠長にチェックしている暇はない。俺にはウォルの私室を整えるという最重要任務があるのだ。

悪だくみは、また時間のある時に。

ソファーから立ち上がり、両開きの扉の前に移動する。

　ここでは音声で行きたいルームを決定出来る。行先の指示がなければリビングに繋がる。

　前世の設定は、今世でもそのまま適用していた……パネル操作から変更していて良かった。

「〝ウォルの部屋〟」

　開いた扉の先にあったのは、『間取りは一流ホテルのスイートルーム、シンプルな標準内装。ダブルベッドが存在するだけの部屋』だった。

　既に家具などが揃っているパッケージ商品と違い、標準的な《ゴールデン・ドーン》のホームは自分で内装を充実させていく。自作したり店やバザーで購入したりして、好みの部屋に作り上げていくのだ。

　うーん、手持ちの内装を設置して、後はウォルの好みを聞いてから自作して入れ替えるか。

　タキリン城砦で彼が使っていた部屋っぽい感じにしてもいいんだが、俺の趣味で壁や床は木目で統一させてもらおう。

　冬にこもる部屋なんだから、暖かいイメージの方がいい。あ。暖炉も設置設置。

「セバス、ホームのインベントリと俺のアイテムボックスを繋げて、アイテムボックスを経由して取り出せるようにしてくれ」

『その機能はホーム内限定です。変更しますか？』

　頷き、俺は右手を壁に押し当てた。

　白い壁紙がインベントリの中に仕舞っていた木目調に変化する。

　床も、天井も変更した。天井はジャンプした。触らないとインベントリの中身を出せないからなー。

　寝室のベッドはキングサイズ天蓋付きに。

　羽毛布団が気持ちいいぞー。クッションは十個ぐらい置いておけ。

　リビングのシャンデリアは、一個一個磨いてカッティングした水晶を贅沢に使用しております！　ソファーには雪鹿の皮をなめして使用。その柔らかさをご堪能ください。

クローゼットの中は謎空間に通じているぞ。認証を変えてそのままインベントリの〝ウォルの服スペース〟と繋げておいた！　ああ、クローゼットルーム作りたい。作ろう、今度。

それから、それから、それから……！

『マスター、ウォルド殿下のホーム内の案内がほぼ終了しました。最後にこの部屋にご案内してよろしいですか？』

「はっ⁉」

響いたセバスの声に、俺ははっと正気を取り戻した。やばい、トリップしていた気がする。あわててルーム内を見回すが、ちゃんと見苦しい個所もなくリフォーム出来た……と思う。

次期国王陛下の仮住まいとして、なんとか合格ライン？　あ、このリビングのターンテーブルの上、人魚の像じゃなくて有田焼風の花瓶にしておこう。

「――いいよ、案内頼む」

リビングの真ん中に立って、ドキドキしながらスタンバイ。

ウォル、この部屋を気に入ってくれればいいなぁ。

今世で一番の衝撃

〝ウォルの部屋〟は、当人に気に入ってもらえたようです。やったー！

ティシア王宮と張り合うつもりはなかった。

だってあそこ、ゲーム《ゴールデン・ドーン》スタッフの珠玉の作品のはずだし。

『うるわしの白亜の都』は本気で作りこまれていたからなぁ。

例えるならベルサイユ宮殿。現実なら作るのに数十年かかるレベルの芸術だ。そんな宮殿を実家に持つ相手に、たかがSランク生産職が同等の住居を用意出来るはずもない。

ご実家と比べたら、控えめながらも清楚で、機能美に満ちたお部屋に仕上がったと思っておりますです、はい。

満足してくれたウォルいわく、俺のホームは間取りが興味深いらしい。

自分だけが使えばいい空間というのが新鮮なのだそうだ。仕える侍女や侍従のためのスペースが存在しないことに感心していた。

そうかー、彼の場合、私室でも必ず壁際に誰かが控えているのか。目に見える場所にいなくても、命じればすぐに対処出来る場所に、必ず複数が待機していたのだとか。

「ここは私とカリヤの他には誰もいない、二人だけの秘密基地なんだな」

と、少し照れながらコメントしてくれた美少年にキュンと来た。

男のロマンを分かってくれるか！　やっぱり〝秘密基地〟は永遠の憧れだよな！

机の横に本棚が欲しいというので、追加で設置した。うむ、書斎を使ってくれてもいいんだけど、自室でも読みたいだろうしな。図書館から好きに持ち込みなさい。

それから二人揃ってリビングへ戻り、繋がっているキッチンで使い方の説明をしながら夕食を作った。帰宅後はバタバタしていたので、昼食を食いっぱぐれている。

北部諸国連合の地を逃げている間、ウォルも食事当番をしていた。なので王子様、料理が出来る。

俺の自作テント内で家電製品も使っていたから、使い方もマスターしている。

下地があるから大丈夫だろーとキッチンに一緒に立ったが、やはり驚かれた。

うん、冷蔵庫の中はホームのインベントリに通じていてね、使っても使っても食材が追加されるんだ。そのインベントリ内も、さっきセバスに一時休止していたプラント工場を再稼働させたから、どんどん在庫を増やす予定だぞ。

　これまでは作りすぎてもインベントリ内を圧迫するだけだと自制していたが、これからはギルドに売ることが出来るからな。

　売値が十分の一でもいい。

　これからがっつり金を使う予定があるんだ。金策がんばる。

　精霊界でもらった植物アイテムの数々も、増やせないか挑戦してみるつもりだ。

　ゲーム内では特定の植物以外を育てられなかったが、この世界では制限がなくなっているのは既に実証済み。植物ならなんでも育てられる。

　精霊界でもらった各種アイテム、無事育つといいなぁ。あれは高値で売れる。

　……バザーで売った方が間違いなく高く売れるが、まだ身バレする危険を冒すつもりはない。

　キッチンの電化製品は、相変わらず謎エネルギーで動いている。初めの頃は謎エネルギーが不思議でたまらなかったんだが、そういうものなんだと、理解するのは諦(あきら)めた。

　使えればいいんだよ、使えれば。前世のゲームの中だって、電力云々なんて気にもしていなかったよ。

　という訳でホーム外ならエネルギーとしてMPを注入しなくちゃいけないアイテムとかも、ホーム内なら好きなように好きなだけ使えます。その代わり、ホーム内アイテムは外に持っていっても動かないけどな。

　食事のメニューは簡単に、鳥肉のシチューと新鮮生野菜サラダ、コーンスープに焼きたてパンで。

　肉は在庫がちょっと厳しいかも。去り際にエルフの里の肉屋で根こそぎ買い占めては来たが、春まで持つかなぁ。

　ゲイリアスの山中にいったん引きこもったら、春まで外には出ていけない……現地調達がんばろう。

　キッチン脇のダイニングスペースには、食事用のテーブルと椅子を置いている。

そこに出来上がった料理を運んで、向かい合わせに座って夕食を取ることにした。

金属製品は苦手なので、スプーンやフォークは木工製品だけど気にするな。銀食器は……作ろうと思えば作れるが、その分の材料は他のアイテム作製に回したいんだ。すまぬ。

「木のスプーンも味わいがあると思う。私は好きだな。口に運んでも熱くはなくて、温かい」

にこりと笑って食べているウォルに癒される。

……こんなに綺麗で可愛い美少年が、俺の恋人なのかぁ。

俺はこれまで自分は異性愛者だと思っていたが、もう同性も好きだって納得したぞ。

というか、ウォルが好きだ。

――久しぶりの恋愛感情に、舞い上がっている自覚はある。

今は二人きりで、何のしがらみも気にすることなく想いを伝えあって幸せだけれど、春になってティシアへと移動すれば状況も変わるだろう。

彼から向けられる気持ちを疑うつもりはないけれど、それでも……互いが好き合っていても無理になる恋愛はある。

どうしようもなくなってしまう恋愛は、ある。

だけど今は気にするものか！

春まではボーナスステージだ！　山を降りた時の準備を怠りなくしつつも、二人きりの時間を大切にする――！

「そういえばウォル。冬ごもりの間、互いにやるべきことを考えていたけれど、このホームの中を見て変更したくなったことってある？　たとえば読書の時間を作るとか。ゲームのマニュアルもそういや本の形で棚に並んでいたはずだし、日本で出版されていた本も面白いと思うよ」

「……そのマニュアルだが、カリヤ」

スプーンを口元に運ぶ手を止め、ウォルが俺をエメラルドの瞳(ひとみ)で見つめた。

「セバスがこういう本があると説明してくれたが、この世界の人間である私に読ませていいのか？　おそらくあれは、冒険者ギルド内で転生者だけに共有されている情報だと思う。世界の真理を記した書物が存在すると、噂には聞いたことがあったから」

「――へ？」

「ギルドの秘匿情報だ。転生者の立場を保護するための」

推測だが、と言ったウォルに、俺は絶句した。

いや……ただのゲームマニュアルだよ？

ああ、でもたしかに真理だ。あの本はゲームの世界について語っている、けど……。

「……バレなきゃいいんじゃないかな？　俺はそんな情報は知らなかった訳だし。本当かどうかも分からない。ただもしそうなら、必要がない限りウォルの胸の中で収めてくれると助かる」

「分かった。未知の知識を得ることが出来るから、積極的に図書館の本は読んでいきたいと思っている。あとは体を動かすのにスポーツジムを利用して、魔法が撃てるらしいテストルームを活用させてもらいたいかな。冬の間、光玉を作る作業を重点的に行おうと考えていたが、これだけの設備があるなら体も動かしていきたい」

なるほど了解、と俺は頷いた。

ホームの外には出られないから、家の中だけで過ごす訳で。

転生者のホームの特殊性を教えてはいたけれど、実際に自らの目で見て分かってくれたのだろう。

旅の間に使っていたテントの、巨大版とかじゃないんだよ。あれも普通のテントと比べればハイスペックだったかもしれないけど、トイレも作れない簡易版ホームだったんだからね……。

「あ、そうだ。明日からでいいから、少し俺の作業も手伝ってほしい。一日に何回か、交代しつつそこのスクリーンに映す冒険者ギルドの情報をチェックしたいんだ。ソファーに座って、光玉にＭＰを溜めながら確認してくれれば助かるかなー」

ちなみにウォルが日課にする予定の光玉にＭＰを溜める作業だが、ティシアに戻った時にあればあるだけいいと考えたからだ。

一晩眠ればＭＰは全快するし、使えば使うだけ最大ＭＰ量も増えるからな。

冬の間、簡易の光玉を作れるだけ作っておく。

そのまま放置していれば、中に込めたＭＰは時間と共に抜けていくものだけれど、俺のアイテムボックスの中に放り込んでおけば大丈夫。

ウォルのＭＰはそうやって有効活用。

俺のＭＰは生産作業で使うから、貯蓄の余裕はない。王子様がんばれ！

「そういうこともホームで出来るのか。分かった。また作業内容を教えてほしい」

彼が頷き、そのまま雑談を交わしながらの食事が終わった。

食べ終わった食器は食洗機へ。中世設定の世界ではありえない現代家電シリーズなので、これも使い方を彼に説明する。

セットし終わったら勝手に洗ってくれて、食器棚に自動で仕舞われるぞー。

なにげに前世のリアルより便利なゲーム機能。

「さて、お風呂に湯も張り終えているし、さっさと風呂に入って今日は早めに寝ようか」

うんっと伸びをしてウォルを見る。

移動はそんなにしなかったから肉体的には疲れていないだろうけれど、ホームの説明とかで精神的には疲れただろう。

広いベッドでゆっくりと休んでほしい。

「……カリヤ。あなたの寝室はあの二階？」

リビングの壁際に設置している階段の上を見上げながら、ウォルが尋ねてくる。

「うん、そう。セバスが上まで案内しなかったっけ？」

「下で説明はされたけれど、あなたがいないのに勝手に立ち入るのもと思って」

「なら今、上にあがる？」

おいでおいでと呼び寄せ、階段を上がる。

案内ってほどじゃないけれど、まあロフトの上はこんな感じなんだよと見学だ。

リビングの天井はかなり高いので、俺の寝室の天井も低くはない。ダイニングキッチンの上のスペースだから、普通に広さもある。

ベッドもダブルサイズだし、ゆとりのある感じに仕上がっていると思う。

他はクローゼットと、ランプを置いたナイトテーブルがあるだけの空間。場所に余裕はあるが、気持ちを切り替えるのも大事だからとここで生産活動は行わないようにしている。

着替えて寝るだけの場所だけれど、枕元にポプリを仕込んだり、ベッドカバーには温かな色の布を使ったりと、くつろげるように工夫はしているつもりだ。

「こんな感じ。まあ普通？」

「いや、あなたの人柄が出ていて、落ち着ける場所になっていると思う……」

微笑ったウォルが、ふっと真剣な表情に戻って俺を見る。

「……カリヤ、私はあなたの寝室を訪れたいのだが、許可をもらえるだろうか？」

「いや、別に許可なんて取らなくても。いつでも来てくれていいよ。歓迎する」

礼儀正しいなぁ。だが、ウォルならいつでもウェルカムだ！

にこにこしながら答えると、彼が咳払いをした。

「――カリヤ。あなたには遠まわしに伝えようとしても分かってくれない場合があるのは理解している。だから単刀直入に伝えさせてもらうが、私は、恋人であるあなたの寝室を訪れたい。その許可を、どうかもらえないだろうか？」

「……恋人……」

俺よりも少し背の低い恋人は、真剣な眼差しで俺を見上げている。

……恋人が寝室を訪れるというと、意味は一つしか思いつかない……。

え？　でも男同士なんだけど？

いや、男同士でも出来はする行為のはずだけれど、ウォルはティシア国の王子であって、王子は王家の血を引いているから……。

「……あの、ウォル。気持ちは非常にうれしいけれど、でもウォルの血統が……」

「ああ、私は血統を失う訳にはいかない。だから男に抱かれることが出来ないが、抱くことは出来るんだ」

「――は？」

「あなたを愛したい。私に、あなたの寝室を訪れる許可をもらえないだろうか……？」

――ここに王子様がいます。

ものすごく綺麗(きれい)でかっこ可愛い、俺よりも十歳年下の絶世の美少年です。

王子様は同性の恋人がいますが、自分が抱かれることは出来ません。王家の血を継ぐ者は、他家の男性を肉体的に受け入れたら、その血に流れる王位を継ぐ資格を失(な)くすからです。

『自分が受け入れられないなら、相手に受け入れてもらえばいいじゃない』（何故かマリー・アントワネット降臨）

なるほど、血統を失わせるから駄目だと思っていたけれど、俺が受け入れる立場なら可能だったのか、セックス。

――俺が抱かれる方!?

最重要事項：がんばって自分を納得させる

人間、予想外の事態に遭遇したら、しばらく反応を返せなくなるのだと実体験で知りました。まる。

固まってしまった俺が我に返るまで、ウォルはじっと待ってくれていた。

言葉を続けることもなく、急に動くこともなく。

ようやく息をつくのを思い出し、深呼吸した俺が視線を向けると、彼は少し困った風ながらも微笑を浮かべてこちらを見つめていた。

「…………えーっと、ウォルド殿下におかれましては……じゃない、ウォル。確認させてほしいんだけど」

「ティシアに戻って公式の場に立った場合なら、言葉遣いはそちらの方が助かるが、あなたにはいつでも愛称で呼ばれたいな。なんだろう、カリヤ？」

カリヤ、と俺の名を呼ぶ声はどこか甘く響いて聞こえた。

背をぞわぞわと駆け上っていく震えに、顔が赤くなってないだろうかと心配しながら、俺は確認を続行しようと努める。

……自分の名前を呼ばれただけで、ぞわぞわするのって、するのって……っ！

「その、これまで告白された時にもそういう素振りは見せてなかったし、両想いになってからもキス以上を求めなかったよな？　……ずっとしたかったり、してた？」

「ああ、それはもちろん。ただあなたは情欲を覚えにくい人だと理解していたつもりだったから。気持ちが通じ合ってからも、大樹海の中では受け入れてはもらえないだろうとも分かっていたし」

「あ、うん。あそこじゃ無理だね……」

いつコロポックルたちがベッドの中に潜り込んでくるか分からなかったからな！

「――ちなみに、どの辺りから俺と肉体関係を持ちたいと考えていましたか？　ウォルさん」

照れ隠しも混ぜた問いに、美少年は少し首を傾げ、爽やかに答えた。

「いつぞやの宿屋辺りではもう明確に？　魅力的なあなたが悪いと言いたいが、私もそういった年頃なんだ。欲望を覚えてしまうのは理解してもらえるとうれしい」

「まったく気づいてなかった！」

「自分の感情を隠すのはそれなりに上手いよ、私は。あなたに見捨てられたくはなかったし、嫌悪感も持たれたくなかった。それに……」

そこでウォルが言いよどむ。

「……カリヤ。タキリン城砦で、女官たちと交流している様子から気づいたんだが、あなたは〝仕事〟で接する相手には、肉体的欲望を覚えないように戒めているだろう？　向けられる視線や表情で、そういった欲望の有無は推察することは出来る。あなたは誰に対しても、肉体的な欲望を向けないようにしていた――〝少女の姿だった私〟にも」

「教師みたいな役目も持っていた仕事だったからね。俺的には教え子を性的対象として見るのはダメです、タブーです、セクハラです。だからそういった考えは一切持つのも禁止。全力で封印するのがマイルール」

「ああ。転生者でも、真面目な者は貞操観念が非常に固いと聞いていた。だからあなたもそうなのだろうと。だが、タキリン城砦から逃げ出した後も、考えは変わらなかった？」

ストレートで殴られた気がした。

それまでは雇用関係だったけれど、兄弟と名乗って旅を続ける間に俺の心も変化していったんだよな……。

ゴフッと見えない血を吐きながら、俺は彼に正直に答える。

「……十五……十六歳は前世では未成年で、俺はそれより十歳も年上の成人で、保護者が年下の被保護者に性的な目を向けるのは犯罪だと思うんだ……い考えてみれば、転生したこの世界での成人年齢は十五歳。

ウォルは未成年ではなかったんだよ。――それが、俺が彼を受け入れる気になった大きな要因だと思う。

でも問題は持ってしまっていた保護者の自覚だった。

この世界じゃ、保護者でも被保護者に手を出す、らしい。

力こそ正義、権力こそ正義の世界だから、明確な性的タブーは親子間と同母の兄弟姉妹以外にはない。だけど前世日本人だった俺の常識は、被保護者相手に性的関係を結ぼうとする保護者の行動をタブーだと判断してしまう。

「……なるほど。やはり転生者としての思考が自制させていたのか」

ウォルが頷く。

手を、と彼が俺に向かって自分の右手を差し出した。

求められるままに手を重ねる。白く温かな手が、俺のオリーブ色の手を包み込むように握りしめた。

「カリヤ。私はティシア国の第三王子だ。王妃から生まれた私の、正式に保護者と名乗れる者は二人しかいない。今は亡き、父上と王太子であった同母の兄上。妾腹であるルシアン兄上も、王国碑で序列を私の下に定められた姉上も、決して私の保護者にはなれない。だから今となっては私の保護者は誰もいないな……成人前ならまた話が違っただろうが。それで、カリヤの立場というか私が抱いている意識なのだが……あなたは私の保護者ではないよ。私はそう思ったことはない。何故なら」

――あなたは私にとって〝守護者〟だ――。

「――保護者のいない私を、守護してくれる人。今は守ってもらう立場だが、いつかは私もあなたの守護者になろう。年齢は関係なく、互いに、対等な立場で守りあえたらと思っている。……これなら、あなたの保護者としてのタブーは存在しないことになると思うのだが」

がちがちになっていた俺の固定観念を足元からひっくり返した彼は、いたずらっぽい笑みを浮かべて囁く。

「……うん、そうかも」

説明の最中、俺が動揺しないようずっと握りしめてくれていた温かな手を、もう一度握り返す。

別の言葉を選んだだけかもしれない。

だけど俺は納得した。

転生者として抱えていた俺にとってのタブーを、この世界の考えで彼が消してくれた——。

ウォルが、見る者すべての視線を引きつけずにはおかない華やかな笑みを浮かべた。

「なら、後は男同士という性別の問題かな？　カリヤが気にするのは」

「うっ!?」

「——急ぐつもりも無理強いするつもりもない。カリヤが私を受け入れてもいいと納得するまで、待つつもりだ」

するり、とウォルが俺の握っていた手を解放する。

「では先に風呂を使わせてもらうよ。終わってから虚空に向けてカリヤの名前を呼べば、声をセバスが繋いでくれるのだったな」

「あ、ああ。ホームの中で使える連絡手段……」

「分かった、連絡させてもらう。カリヤはもう、今夜はゆっくりと一人で考えてほしい。邪魔はしないから」

おやすみ、と笑顔で告げたウォルがロフトを降りていく。

階下で浴室を指定する声がして、扉の開閉音が続き、そして人の気配がなくなった。

という訳で、俺ＩＮ風呂だ。ウォルは入浴し終わった。

久しぶりのホームの湯舟で体を伸ばしながら、俺は年下の恋人について考える。

ウォルさんったら本当に説得がお上手。

見事に納得させられました。

お互いにもうオトナなんだよな。自由意思でセックスをしても、後ろめたいことなんか何一つない訳だ。

愛し合っている恋人同士なんだから、誰にはばかることもなくベッドインしてもいい訳だ。

彼が同性である俺の肉体にそういった欲を覚えているらしいことについて、先ほどから考えているんだが……おそろしいことに『うれしい』という感情を自覚している。

こ、恋人に求められたらうれしいものだからね。

そして血統の問題があるから、俺が受け入れる立場になるしかない訳だが……これもまたおそろしいことに『仕方ないね』と思っているらしいんだよ、俺の意識。

最初っから「王妃になってくれ」だったからな。

王妃だ。女性の立場だ。

そう言われた時に、嫌悪感はなかった。そしておそろしいことに今もない。

さっきから心の中で〝おそろしい〟を連呼している自覚はあるが、怖いんだよ、自分が納得していることが。

……これまで女性を好きになったことはあるけれど、男性はない。

男同士のセックス……知識はあるぞ。

穴は一つだけだからな。そこに入れるしかないが……入るのか？　入れたらどんな感じ？

いやでも締まってるだろ？　これ、本当に入る訳？　力ずくでねじ込むの？

そーっと自分の尻に指を這わせてみる。

は、入りそうにない……気がするんだが。

男女間でもアナルセックスはあるみたいだが、俺はこれまで経験がない。

あ、一応今世も前世も童貞じゃないです。

結婚を前提にお付き合いしてたから。だから今さらセックスにうろたえるなんて思ってもいなかったんだ、が。

……ウォルのナニは、どこまで大きくなるんだろう？

まったく入る気がしない。

濡れていない場合に使用するゼリーとか、この世界にはあるんだろうか……自作？　アイテムマスターの名にかけて自作？

でもラブグッズのレシピなんて持ってないぞ？　存在もしてなかったし。

《ゴールデン・ドーン》は健全なＭＭＯＲＰＧだったからな。

ゲーム内でエロは出来なかった。ホームの中でも出来なかった。中学生以上の未成年もプレイしていた全年齢向けだったから。

ヤリたい場合は別の成人向けゲームで。

だが、今はゲームの世界は現実だ。エロも遠慮なく楽しめる訳だ。

好きな相手がいる。

なら当然、そういった行為もしたい。

やばい、俺、よくよく考えてみたらかなりその気になってるかも。

ウォルは待ってくれると言っていた。

だがもうその気はあるんだし、勢いに任せて身を委ねてもいいんじゃなかろうか？　……男同士のやり方、彼なら多分知っている気がするし。

潤滑剤になるゼリーを作ってからでもいいけれど……いいや！　いざとなったら、切れてもポーションが治してくれる！

考えすぎても仕方ない！

一度挑戦してみて、無理ならまたそれから考えよう！　そういうことにしよう！

今の俺はかなりその気になってる！　この勢いを利用して最後まで行ってしまえ！

「ウォル！」

ざばっと浴槽から立ち上がり、全裸で吠えた俺に少年の柔らかな声が応えた。

『カリヤ、どうかした？』

「あ――」

ざばーっと湯船からこぼれた湯と、浴室に響いた落ち着いた声に、一瞬で正気に戻る。

え？　俺今から言うの？

セックスしようって。ストレートに。

「……い、今から風呂を出るので、いつものように髪を乾かしてくれませんか？」

喜んで、と笑みを含む声で少年が答えて、俺は彼の寝室に向かうことになった。

すき

MMORPG《ゴールデン・ドーン》の生産職は、何かを作製する場合、まず該当アイテムのレシピを必要としていた。

作製出来るアイテム一種類につき、（基本的に）一つのレシピ。

俺にとって、レシピ収集は趣味に対するこだわりみたいなものだった。

何を作るか（＝趣味）というウィンドウの選択画面で、空白があるのが嫌だったんだよ……モンスターからドロップしやすいレシピやメジャーなイベント報酬レシピは、冒険者ギルドのバザーで投げ売りされていたので、たとえ作らなくても購入していたりした。

なのでSSS（トリプルエス）ランクアイテムのレシピも持っていたりする。覚えているだけで使えはしないけれど。

現代家電シリーズのドライヤーは、シリーズ一括で課金購入したレシピだが現物を作製したことはない。

前世のゲーム内じゃただの室内オブジェだったからな。そして実際に動かせるようになった今世でも、ドライヤーは作っていない。

だって魔法なら無料(タダ)だし。

レアな材料を消費してホーム内でしか使えないアイテムを作らなくても、風と火の複合魔法で代用出来る。使ったMPは一晩眠れば回復する。

人間ドライヤー万歳！

という訳でウォルの部屋だ。

おそれ多くも王族でありながら、俺専用の人間ドライヤーだ。過去には冷風のみしか出ないこともあったが、今では風量も温度調節も完璧(かんぺき)である。

ウォルがドライヤー能力を身につけてから、入浴後はずっと互いの髪を乾かしあっていた。

今夜は初めて、彼が俺というドライヤーを必要としなかった。

……まあその前のやりとりから接触を控えてくれたんだけど。だが、ウォルはドライヤーを必要としなくても、俺は必要とするぞ？　夜の私室に押しかけてしまうぞー。


「――はい、終わり」

人間ドライヤーが止まったので、閉じていた目を開く。

正面でウォルが微笑(ほほえ)みながら俺を見つめていた。

――本当に綺麗(きれい)でイケメンで可愛い王子様だ。

「ん、ありがと」

「カリヤが私を頼ってくれるのはうれしいから」

いつでも、遠慮なく来てくれてかまわないよ、と甘く囁いてくれる王子様。

……色気が加速度的に増していっている気がする。

相手のことを特別に想っている、と伝わってくる笑みだ。向けられたら誤解する女の子とかいるだろうなーとこの前心配になってウォルに忠告したら、年下から説教返しをくらった。

いわく、特別な相手以外に向けるつもりはないそうだ。誤解を招きかねない行為は王族的に厳禁なので。

そして俺は特別な相手だから、いくら向けても彼的にはかまわないそうだ。……ありがとうございます、うれしいです。

俺が座っている椅子から立ち上がれるようにと、彼が離れた。

夜中に彼の元を訪れたのに、ベッドへの誘いはない。向けられている笑みはとても穏やかだ。おそらくこの年齢の男なら持っているだろう、性的なギラギラした雰囲気がまったくない。

ウォルさんは自分の内面を隠すのが上手だ。……隠しているんだよな？　本当は求められてないなんてことはないよな!?

「……」

……うん、思い返してみたが、さっきはちゃんと誘われてた。

悩んでいたらドツボにはまりそうだ。ウォルは紳士だから、表には出さないだけ……俺は自分に課せられたミッションを迅速に遂行するだけだ！

「——ウォル。お願いがあるんだけど」

「なんだろう？」

「……俺も、というか俺からも、ウォルの寝室を訪れても、いいかな？」

綺麗なエメラルドの瞳(ひとみ)が見開かれた。

「それはもちろん歓迎するが……」

「あ、大丈夫。俺が受け入れる方。それはウォルの立場的に理解も納得もしている。それで、それで……続きはベッドの中で！」

お邪魔しまーす、と俺はウォルの寝室へと走った。

こ、言葉に出来ない。

なんだろう、なんでこんなに恥ずかしいんだろう!?

彼の寝室にお邪魔して、まだ使っていない様子の天蓋(てんがい)付きベッドの中に潜り込む。

よし、第一関門クリアだ。

アイテムボックスの中からＨＰポーションを取り

出して、そーっとベッド脇のテーブルの上に置いておく。これで流血沙汰になっても大丈夫だ。

「――カリヤ」

寝室の扉には背を向けていて、背後から掛けられた声にびくりとした。

振り返って説明……いや、弁明をと思いつつ、振り返れない。恥ずかしいというか怖いというかごめんなさいというか！

「……あの、覚悟は決まったというか、ウォルさえ嫌じゃなければ、今夜からでもと思いまして……」

「――本当にいいの?」

「……うん。ウォルに抱かれるなら、いい……」

途切れそうな声で返事をする。

ウォルは無言だった。

だけど小さく息をつく音が聞こえ、それから着こんでいたガウンの紐をほどいているだろう音がした。

「――こちらを向いて、カリヤ」

掛けられた声に、体を反転させる。

すぐ側に絶世の美貌があって、そのまま唇が重なった。とても熱く感じる舌が、俺の口の中に差し込まれる。

「……ん……っ……」

「……怖くはないから。大丈夫だ、カリヤ。あなたが嫌なら途中で止めるし、痛みも与えないように気をつける。……恥ずかしいのだけは、慣れてほしいから我慢してもらうけれど」

恋人同士のキスを交わし、緊張に息も絶え絶えになっている俺の髪を指で梳きながら、彼が微笑って囁く。

「途中でって……止められるのか？」

「止めるよ？　男同士の行為が初めてのあなたに、忌避感を持ってほしくはないからね。怖くはない、痛くもない、気持ちが良いものなんだと理解して、あなたにはこれからも私を求めてもらいたいから」

「……ウォル……どれだけ経験があるんだ？」

な、なんだろう、この百戦錬磨感。

本当に十六歳!? とおそれおののいている俺に、ベッドサイドに腰を下ろしたままの彼は苦笑した。

「――カリヤ、この世界では十五歳で成人する。成人した王族にとって、よほどの理由がない限り婚姻は義務だ。私もいずれ誰かを迎えただろう。その時……まあぶっちゃけて話すと、初夜の床では絶対に失敗は許されないんだ。王家の沽券に関わるから」

「お、おう」

ぶっちゃけられた!

なんでも王族の結婚では、嫁いできた女性は王国碑に翌朝名前が刻まれるらしい。

だが最後までイタしていないと、血統を受け入れていないということになるから名前が刻めないそうだ。

すると、役目を果たせなかった男が全力で叩かれる。というか笑われる。

「相手の女性はほぼ間違いなく処女。未経験者を相手にして、満足まではさせられないとしても、次回もベッドを共にしてもいいかなと思わせるくらいには喜んでもらわないといけない。子どもは何人でも必要だから」

「……おう」

「そういった理由で、結婚前から男性王族はそれなりの経験を積んでいる。ただし、相手が誰でもいい訳ではないし、最後までは実行出来ない。中に放てばその相手が血統の資格を得るからな。王国碑に名前を刻まないと王位継承権は得られないが、血統は残るんだ」

王族のシモ事情、めちゃくちゃビジネスライクだな!

その過程で男性経験も積むのか……? 積んでるな、おそらく。血統を繋げるために婿入りの男も抱くとか言ってたものな……。

「……という訳だから、安心して身を委ねてほしい。それから、そこのテーブルに出現しているポーションだけど、あれは私が体力を使い果たした後も、更に服用して続行してもいいという意味だろうか？」

「いやっ!?　俺が切れた場合に、患部にかけて傷を治してもらうため用です！」

「カリヤはそういった類のアイテムは作っていないのか？」

「そんなエロアイテムのレシピは存在しない！　明日にでも手作業でそれっぽいのを作るのをがんばるから、今夜は出来る限り流血しないように……いや、してもいいけど終わった後に傷さえ治してくれたら……っ」

「――カリヤ、スライムゼリーとスタミナポーションは持っている？　あれば出して」

「あ、あるけど」

ガラス瓶に入ったアイテムを取り出すと、小さく息をつき、ウォルはおもむろにスタミナポーションの方を半分自分で飲んだ。

それから素材アイテムのはずのスライムゼリーをスタミナポーションの瓶に流し込み、よく振って中身を混ぜる。

「……これで潤滑剤の代用になるはずだから」

「…………」

ウォルがとっても物知りだ！　エロ特化で！

少年がベッドに横たわったまま話を聞いていた俺を見下ろす。

なんだか心配そうな表情を浮かべている……話題に俺が引いたと思ったのかな？　まあ、少しは引いたけれど。

だって生々しかった。知っちゃいけない王家の秘密を聞いてしまった気分。

だけど……うん、痛くもなく怖くもなく、気持ち良くしてくれるのなら俺的には大歓迎だ。

笑みを浮かべて、彼に両手を差し伸べる。

抱いてほしい。愛してほしい。

だって俺も愛しているから。彼になら――抱かれてもいいと思ってしまったから。

「……よろしくお願いします、次期国王陛下」

「こちらこそ、私の王妃」

寝室の灯りを消すのは拒否された。

男同士の性行為は初心者なのだから、ちゃんと目で見て確認しながら学んだ方がいいとのことです。うう、恥ずかしいのは我慢しなきゃいけないのだものな。了解。

見て、覚える。感じて、覚える。

「……んっ」

優しくキスが落ちてくる。俺の唇に、頬に、まぶたに、耳元に。

ウォルが呼吸をしているのを感じ取る。間近で肌に触れる熱を帯びた吐息に、俺も震える唇から熱い息を吐き出す。

ゆっくりと彼の手が、俺の体の線を確かめるように撫でていく。首すじから肩へ、胸元から腰へ、そのまま降りて太ももまで。手のひらが足の付け根に触れ、指先が股間に生えている毛を梳くようにして通り過ぎていく。

あ、既に全裸です。最初にパジャマは自分で脱いだ。ウォルに任せれば脱がせてくれるのだろうが、羞恥に死にそうな気がして。

早く本番を経験したいから、と言うと納得してくれました。スパッと脱いだぜ。

……しかし、改めてビジュアルとして見てみると、俺のオリーブ色の肌の上を這いまわるウォルの白い指が、エロくて仕方ない。

磁器のような深みのある白さが強調されている。

彼の手が、俺の体に触れている。確かめるように触られて、快感ともつかない震えが背すじを駆け上っていく。

「あ」

耳から首すじへとキスをしながら伝い降りていた唇が、胸の中央にある乳首に触れた。

桜色をした舌が、まだ柔らかな突起を舐め上げる。

「ウ、ウォル、そこ……」

身をよじりたかったが、いつの間にかがっちりホールドされているぞ!?

俺の腕ごと体を抱きしめたウォルが、リップ音を立てながら乳首をいじり始める。

チュッチュッと俺の目前で何度も吸われた突起が、だんだんと立ち上がり、固く変化していく。……まだ触れられていないはずの股間も、反応し始めた気がするようなしないような……。

っていうか、いつの間にか俺、大股を開いている!? 開いた足の間に、裸のウォルがすっぽりと収まっているんだが!?

「だんだんと、気持ち良くなってきた?」

「分から、ない、まだ……んんっ」

痛みを感じるほど強く、乳首が吸われた。

ぷっくりと盛り上がった先端を、ウォルが下から上へと舐め上げ、前歯で柔らかく噛む。咥えた口の中、舌先で飴のように転がされる乳首に、首を振り沸き上がる衝動を散らす。

「駄目だよ、カリヤ。逃がさない。恥ずかしくてもそのまま受け入れて」

「いや、でもこれって」

恥ずかしいというか、体が勝手に動いているのだから条件反射じゃ……。

「恥じらっているよ、あなたは。私のもたらしている、初めてだろう受け入れる性の快感に身悶えている。まだ胸を触られているだけなのに、上だけでなく下でも感じているから」

ぎゃーっ!

よくよく確認してみれば、勃ち上がって反応してるね、俺の息子! まだ直に触れられていないのに!

もぞもぞと変な気分になって、バタバタ体が動いているが(オノマトペな表現が多いな!)、これってやっぱり性的快感を覚えているんだ!?

俺、体を洗うとかで自分の胸に触ったことはあるけど、これまでは何ともなかったのに。

こんな風に、うずうずした感覚を持て余すなんてなかったのにぃ。

うーと唸(うな)りつつ、抵抗する動きを止める。

俺が今からしたいのは、ウォルとのセックス。嫌がりたい訳じゃないんだよ。はーずーかーしーぃーけーどー!!

硬く立ち上がっていた乳首が、尖(とが)らせた舌先によって押しつぶされた。ぐりぐりと穴を掘るような刺激に体が震える。己があからさまに感じているのだと自覚する。

やがてもう片方の乳首にも、丁寧な刺激が施され始めた。両手での抱擁から解放され、新しい乳首は舌で、これまで触れていた乳首は指先で摘(つ)まんで嬲(なぶ)られ続ける。

「あ、ああ……っ」

「あなたが、私の愛撫(あいぶ)にこんなに悦(よろこ)んでくれるなんて――」

「はアン!?」

俺の股(また)の間の、黒い茂みを掻(か)き分(わ)けて勃ち上がっていたペニスをきゅっと握られ、腰が跳ねあがった。

ようやく触れてくれたという安堵(あんど)と、吸いすぎて腫(は)れあがった気がしないでもない乳首の疼(うず)きに、感情がぐちゃぐちゃになる。

「……今からこの、潤滑剤をあなたの奥深くまで指を使って塗り込んでいく。スライムゼリーの効能で、痛みは感じずにほぐれるはずだ。何度も繰り返して慣らしていくから。足をそのまま大きく開いて、体の力は出来るだけ抜いて……」

「うんっ、うん……っッッ」

ぐりっと、指が一本、侵入してきた。

さっき風呂(ふろ)で触れた時には入ると思えなかったのに、俺の後ろの穴は抵抗せずにウォルの指を呑(の)み込んでいく。

前に、後ろに。潤滑剤は惜しげもなく使われている。前は掴(つか)んだペニスをしごく動きで、根元の茂みはもうべとべとに濡れそぼっていた。下へと伝い落ちていく液体をそのまま塗り込んでいくように、真下の穴を広げる動きが止まらない。

　ぐちゅぐちゅといいやらしい水音を立てながら、指が抜き差しされている。指の数が増え、水音はいっそう淫らになった。

「どう、どうしよう、ウォル。ウォルとのセックスが、気持ちいい……っ」

「——それは、光栄だな」

　私もだよカリヤ、と汗を額に浮かばせながら彼が微笑んで囁いた。

　ウォルの指が、俺のナカの性感帯らしい場所をえぐるように刺激する。体をずり上げて逃げたくても、どこにも逃げられない。大きく開く足を持ち上げ、せめてもと縋りつくようにウォルの体に絡める。

　お互いに荒い息をつきながら、追い上げ、追い上げられていく——。

「く、ふぅんンン……ッッ！」

　俺のペニスが弾けた。

　白濁した液体が飛び散り、ウォルの白い指と、自分の浅黒い腹を汚していく。

　あ、ウォルさん、伸びあがってキスは待って！

　あなたまで汚れてしまう。

　長い吐精は、ずっと自分で触れてなかったせいだろうか？　がくがくと揺れる腰が、まだ硬い俺のペニスを彼のペニスへと押しつけ放出を続けていた。

　息を荒らげながら、貪るように彼とキスを交わす。

「……はぁっ」

　最後の一滴まで出してしまった。

　俺のは彼の手の中でくたっとなったけど、ウォルさんは元気だ。彼の、火傷しそうなほどに熱を帯びた硬いペニスが、柔らかな俺のペニスへとこすりつけられる。

「……そろそろ私も楽しんでいいかな？」

「ん。あ、待って。その体勢はいやだ」

　俺の体を裏返そうとしたウォルの動きを止める。

「背後から受け入れる体勢の方が、初めては楽だと聞くが」

そうか、バックからは初心者向けなのか。

だがしかし、それじゃ俺がウォルの様子を見れないんだが。

どうせなら自分の目で手順を確認して学びながら——ではなく、俺を見つめるウォルと視線をあわせながら、最後までイキたい。

そう伝えると、ウォルがふわりと美しく笑った。

「——私を見つめながら？」

「そう。ウォルを見つめながら受け入れて、ウォルと一緒に達する悦びを感じたい」

頷いたウォルが、膝立ちになって俺に自分のペニスを見せてきた。肌色の白い彼の股間は、濃く色づいて反り返っている。

ガチガチに張った巨大なブツを、思わずまじまじと観察してしまう。

ご、ご立派です、殿下。……どう見ても俺より大きい。

ウォルが潤滑剤を、反り返った自分のペニスに垂らした。てらてらと寝室の灯りを反射する様子に、喉が鳴る。

入るか？　入るよな？

切れないと信じて、受け入れる……っ！

そして開いた足を両手で抱え上げられた。

ウォルが自身を、俺のナカへとゆっくり埋め込み始める——。

違和感はあるが痛みはない。おそらくスライムゼリーに痛みを麻痺させる成分が入っているからだと思うのだが（スライムは獲物を麻痺させて捕らえ、捕食するモンスターです）、もしかして催淫剤みたいな成分も含まれているのかも。

突いては抜きながら、埋め込まれていくペニス。

震える息を吐く俺の胸元に、再びウォルが顔を寄せた。

疼く乳首を舐めて吸われ、口の中でこねくり回さ

れる。先端を舌で弾かれるだけで喘いでしまう。

でも、胸も触ってほしいけれど、それよりもう一度俺のペニスを触ってほしい。

挿入に合わせて腰を揺らしていたのに気づかれたのだろうか？

ナカからの刺激に再び屹立した俺のペニスに、白くて長い指が絡みついた。

「あ、あ……ッ」

「カリヤ、痛くはない？　もう半分ほど収めたから、あと少しだよ」

右手で俺のペニスをしごきながら、ウォルが左手の指先で確かめるように受け入れている周囲をなぞった。

反射的に後ろを締め上げて、ナカに受け入れた太さや形をダイレクトに感じてしまう。

「ふアッ!?」

「……ッ、ゆっくり、慣らしつつ入れていくから」

ウォルが小刻みに腰を揺らす。

引いて、また押し込んで、侵入してくるペニスの形を、受け入れる穴全体で感じ取る。

本当に大きい。

最初にウォルが言ったように、バックから受け入れた方が楽なのだろう。だけど彼が見たい。

だって初めてなんだ。一番最初は、抱きあっている恋人の表情を確かめたい。

非常に色っぽいです、ウォルさん。慣らしたとはいえ俺はまだまだきついらしく、力が入ってナカを締め付けるたびに甘い吐息を漏らしてくれます。

それと比べると、多分俺の顔はぐちゃぐちゃだ。

体中にキスされるのも、乳首を甘噛みされるのも、ペニスをしごかれるのも、何もかもが気持ちいいんだ。

声がおかしくなってる。

喘いで、息をするのも忘れそうになったり、気持ち良すぎて変な声が出たり。

「あ、ふ……ッ、ん……んッ」

「我慢せずに、声を出して」

「ひゃア！」

耳たぶを噛むのは反則！　息を吹きかけるのも舌で舐めるのも反則！

「あ……ウォル、そこはやめて、無理ィ……ッ！」

「根元まで入った」

悶(もだ)えていたら、動きを利用してあの巨大なのがすべて収まってしまったようです。

開いた足の間にウォルの体がある。

汗に濡れた俺の髪を掻き上げて、彼がキスをしてきた。

舌を突き出して、互いに絡めあう。下半身の違和感はそれほど感じな……いや、バリバリ感じる。

俺のナカに彼がいる。繋がった部分が熱くて硬い。

だけど嫌だとは思わなかった。それよりも、

「……動いていいよ、ウォル。ナカに、出して」

「──いいのか？　ティシアの血統を受け入れることになるぞ」

「いい。……王妃、なんだろ？　ウォルの人生の最後まで、側で付き合うよ。俺があなたのものだって、証を刻み込んで……」

激しく動き始めた彼に悲鳴を上げる。

痛みがあると思っていたのに、抜き差しする彼から感じるのは、移動する圧迫感とセックスがもたらす快感だった。

どうしようっ⁉

初めてっ、なのにっ、後ろが気持ちいい……っ！

「……カリヤ、泣いてるの？」

動きが突然止まり、俺の目元を指の腹がぬぐう。

まだ続けたいだろうに、腰を震わせながら、ウォルが動きを止めていた。

心配そうに彼が俺の頬に手を当てる。

「──やめておこうか？」

「……ばか。泣くほど気持ちいいという、新たな扉を開いてしまったんだ。責任者は、最後まで完遂して責任を取ってほしい」

笑ってキスを交わして、もう一度快楽の海に自分の体を放り出す。波が大きくうねって、そのままどこかにさらわれていきそうだ。

流されて行こうとする俺の体を、ウォルの楔が繋ぎとめている。抱きしめた腕の中で彼が体を震わせ、体の奥深くで熱いモノが吐き出されるのを感じ取った。

彼の体が俺の上にのしかかって、互いに荒い息を整えて、視線があってまたキスをする。

抜かずに動き始めた第二ラウンドもすごかった。出したモノと潤滑剤が混じり合って、もうヌルヌルのグチャグチャだった。どこがいいのか、的確に読んで突いてくるウォルがすごい。

第三ラウンドは、体位を変えてみた。

初心者御用達の後ろからです。これもすごかった。パンパン音が響くし、奥まで容赦なく突き刺さってえぐりこまれる。

……ボクシングの試合ではないので、何ラウンドで試合が終わったかは秘密ということで。

全戦通してウォルの圧勝だったのは間違いない。

聞こえた声

ウォルが一つ歳をとった。

十七歳だ。俺との年齢差が二ケタではなく一ケタになった。

気にしちゃいけないのは分かってるんだが、年齢差ってば気にしてしまうよなやっぱり……なんてことを考えていたら、ささやかに開いていた誕生日会の席で彼が爆弾発言を投下してきた。

なんとゲイリアスのカリヤさん、将来的にはウォルと同い年になる予定だそうです。

以前、訪れた精霊界で泉の水を飲む機会があった。

アイテム『精霊界の泉の水』は、前世プレイしていたMMORPG《ゴールデン・ドーン》ではプレイヤーに微量のステータスアップを、NPCには十年ほどの長寿をもたらした。

だが今世では、効果が共通しているらしい。

十年ほどの長寿――飲んだその時点からの、不老を伴う長寿。

転生者である俺にも、その効果は発揮されるのだとか。……実際に飲んだ者の数が少ないのではっきりと断言は出来ないが、おそらく俺は今後十年ほど、二十六歳のままだ。

それを知っていたウォルドさんは、俺には『泉の水』を飲ませたが、自分は飲んでいなかった。

十六歳のままの外見年齢では、王様としては周囲に舐められるのでよろしくないらしい。

少年王、可愛いと思うんだがなぁ。

しかし国力が安定しているならともかく、今のテイシア国ではデメリットの方が大きいのだろう。

隣国クラシエルとの戦争は、いつ終わるのかも分からないのだから。


『来年、私は十八になり、カリヤとの年齢は八歳差になる。その次の年には七歳差……泉の水の効力が終わる十年後には、同い年の二十六歳だ』

絶世の美少年がうれしそうに笑う。

『……ウォル、年上の方が好みじゃなかったっけ？』

『いや？　好きな相手が年上だったから、結果的に年上好きになった。将来的には同い年が好みになると思う。その好きな相手が、同い年になるから』

『――――』

……可愛すぎて、誕生日会の後はベッドで襲ってしまったぜ、畜生！

――〝襲って〟などと表現してしまったが、セックスの立場的には俺が受け入れる側オンリーだ。

タチとネコ、と前世のゲイの間では言っていた気がするが、それに当てはめると俺がネコオンリー。

同性間のセックスに慣れた頃、一応、今の俺相手なら立場交代も出来るよとウォルの方から教えてくれた。

俺がウォルの血統を受け入れたことによって、俺が彼を抱いても、同じ血統間だから上書きされても大丈夫、らしい。

誠実な申し出だったと思う。だが辞退した。

……前世の倫理的には、未成年を自分から××とか出来ません。される方は、こっちの倫理では成年なので大丈夫だからと納得したけれど。

それにこのままティシアに戻った時、俺は彼の双子の姉であるカザリン王女やリザ女官長の前で、王子がいいと言ったので美味しくいただきましたなんて言えない。

信用して王子を託してくれたんだ。

その彼女たちにどんな顔で……あ、王子が俺を美味しくいただいてしまったのは、こちらから誘惑した覚えはないつもりなので、そちら側で話し合ってください。

まぁそういう訳で、襲ったというか、自分から積極的に張り切ったというか……。


ゲイリアス山岳地帯にあるホームに帰ってきた日以来、ほぼ毎晩彼とベッドを共にしているので、誤差の範囲内だとは思うが俺的にはがんばった。

うん、ほぼ毎晩ヤってるね……俺が風呂に入った後に、髪を乾かしてもらいにウォルの部屋に出向いて、そのままベッドインだからね……。

雪山という、他に娯楽もない閉鎖空間が悪いんだと思う。

それから、一晩ぐっすり眠ったらＨＰＭＰ共にＭＡＸまで回復しているゲームの仕様も悪いんだと思う。どれだけ激しく運動（？）をしても、翌日の妨げにならないからなー。

他にはスタミナポーションを材料に使っている夜のお供とか？

潤滑ゼリーの成分は使いやすいようにバージョンアップを繰り返している。新しいバージョンを作ったら、性能を確認するためにそのままベッドに直行している訳だが、文句も言わず笑顔で付き合ってくれるウォルには感謝だ。

……さすがに満月と新月の夜しか調合出来ないアイテムの類もあるので、この両日だけはお休みにしているんだが、それ以外は毎晩セックスしている……のって、普通？　前世も現世のこれまでも、どちらかというと俺は草食系男子だったと思うので、イマイチ基準が分からない……。

だが、ベッドインの時間は夕食後に風呂に入ってからと、欲望のままに求めあっていたらキリがないので、そう決めた。

そして今現在は、夕食を終えてウォルは先に風呂を使っているが、俺はまだ。

ぼーっと入浴の順番を待っているのはもったいないので、ラボでオコジョのホームアシストを助手に作業中だ。

「……うーむ……」

フロストドラゴンの鱗が足りん。

ラボの作業テーブルに作りかけの鎧を広げ、俺はホームの在庫を確認して唸る。

鎧はウォル用だ。

彼は分類的には魔法攻撃職なんだが、NPCなので身に着ける装備に制限はない。

なら俺の作れる装備の中で、最高の防御力を誇る物を作ろうかと思った訳だが……かなり前に属性矢を作る時、大量に使ってしまっていたっけ。

あの頃は、自分で着ることが出来ない戦闘職向けの鎧を作るなんて考えもしていなかったからなぁ。

ご利用は計画的に、の前世のCMが懐かしい……。

ふと俺の横、テーブルの上に乗って助手をしていたオコジョのセバスが立ち上がった。

ひくひくと匂いを嗅ぐかのように小さな黒い鼻が動く。

『マスター。ウォルド殿下の入浴が終わったようです。ラボへの入室を求めていますが、許可されますか？』

げ、と俺は壁に掛けた時計の時間を確かめた。

ラボではたまに危険な作業をするので、ウォルが入室する際にワンクッション置いている。

それが功を奏した。実は鎧はサプライズなのだ。ティシアへ晴れ姿で帰国させようと、こっそり作っている。

「セバス、テーブルの上の一式をホームのインベントリに格納！　代わりに適当な作業中の案件を偽装に出せ。出してから、ラボへの入室を許可！」

『かしこまりました。――入室の案内開始。今より五秒後にラボの扉をオープンします』

ホームのインベントリと繋がっているテーブルの上。作りかけの鎧が飲みこまれるようにテーブルの中に消え、代わりにケーブルが繋がった長方形の箱型のアイテムと素材が出現する。

そして宣言した秒数後に扉が開いた。

「遅くまでおつかれさま、カリヤ。今日はレモンの入浴剤を使わせてもらったよ。髪を乾かしてくれるかい？」

パジャマの上にガウンを羽織った、湯上り美少年が中へと入って来た。

白い肌はほんのりと桃色に染まり、まだ湿気の残っている髪は、金の色を濃くしていっそう輝きを増している。

少年特有のピュアさも残しつつ、最近は非常に男らしい色気も醸し始めた王子様は、立ち上がった俺に近寄るとまず挨拶のキスを頬に送る。

つくづく、欧米っぽい習慣だなぁと、照れながら俺も彼の頬へとキスを返す。最初の頃はぎこちなかったと我ながら思うが、何十回も繰り返すうちにようやく慣れた。

……ちなみに、まだ恋人同士になっていなかった頃の彼とは、こういったスキンシップは一切なかった。当たり前と言えば当たり前だが。

「じゃあ、ここに座って」

ラボには、邪魔になるから予備の椅子は置いていない。

　俺が先ほどまで使っていた椅子にウォルを腰かけさせ、背後に回って髪を指で梳く。

　それでは人間ドライヤー、開始。

　一度バッサリと切ってしまったウォルの髪は、大樹海に到着した頃からふたたび伸ばし始めている。

　今は胸の上辺りまで長さが戻った。

　普段は首の後ろで一つにまとめていて、それが小さな動物の尻尾みたいでものすごく可愛い。

「……カリヤ、このテーブルの上にあるのは『携帯電話』？」

　ウォルの問いに、彼の髪を乾かしながら視線を向ける。

　セバスが製作途中の鎧の代わりに出現させたのは、彼の言った通りのアイテムだった。

　前世のゲーム内で存在していた据え置き型の通信システム『水晶球』を、歴代の転生者たちが持ち運びしやすいようにと改良した携帯出来る通信システム。

　通称は見た目そのままに『携帯電話』。

　俺が転生する以前からこの世界でも存在しているアイテムだったが、まだまだ通信距離やバッテリー量に問題がある代物だ。生産職の端くれとして、俺もタキリン城砦での空き時間に夢中になって改良していた。

　クロエ平原の一件以来、回収してアイテムボックスの中に放り込んでいたのだが、ホームに戻ってからまた作製を再開している。

「そう、あの携帯電話。壊れてはいないから、使えるように対を作ろうかなと。ウォルと俺とで持っていたら、ホームを出て離れた時でも連絡が取りあえるだろう？　ゲイリアス山中でモンスターに見つかったら、そのまま戦闘が始まるからな。俺が戦闘をしている間、ウォルにはジャンプで安全な場所まで避難していてもらわないといけないから。戦闘後に合流するのに、あったら便利かなーと」

「……そのことだが、私もそれなりにカリヤのサポートを出来ると思うぞ？」

不満そうなウォルの言葉に、うん、と俺は頷く。

ホームに来てから、彼はテストルームを使ってかなり本格的に戦闘訓練を行っている。

魔法は撃ち放題。セバスを介せばパペット人形に幻影をまとわせた、訓練用の対戦相手も用意出来る。

大樹海の訓練場では本気で使えなかっただろう大規模魔法が、テストルームでは手加減なく訓練出来た。基礎体力を上げるためのスポーツジムもある。

旅の最初の頃から行っている、各種ポーションを使用したドーピングも欠かしていない（合法だよー。体に負担はかけない範囲だよー）。

今の彼の戦闘力は、そこらのNPCでは相手にならないほど上がっているだろう。

ゲーム的に表現するなら、NPCの中でも限界Bランクを突破した〝ネームド〟と呼ばれる特殊個体に進化している……と思う。

「ウォルは戦えるだろうけれど、俺がねー。生産職だから、遠距離ならともかく近接戦闘はかなりの我流なんだ。下手に側に誰かがいると上手く動けない。遠方からの攻撃魔法での援護は歓迎だ。だけど、撃つ時は教えてくれよ？　きっと言われないと気づかなくて、射線をふさぐとかのヘマをするから」

「……当てないように、魔法の精度を高める」

よろしくーと、金色の髪を手ぐしで梳きながら俺は笑った。

椅子に座ったままで手持ち無沙汰なウォルは、俺に断って組み立て途中の携帯電話を手に取る。

「そういえば、もう片方はどうなったのだろう？」

「うーん、カザリン王女がそのまま持っているのか、クロエ平原の混乱の中で失くしてしまっているか……まぁ失くしていなくても、内蔵した光玉の中身はもう残っていないはずだし、MPを補充しないと動かないけどな」

「……動く、のか？」

壊れていなかったらね、と俺は振り返ったウォルに苦笑する。

「実は試してはいるんだよ、北部諸国連合の地にいる間に何度かと、ホームに戻ってからも。だけど距離が遠すぎるのか、あちら側のスイッチが入っていないのか、故障しているのか、まったく反応はない」

「そう、か……」

ウォルが肩を落とす。

ふむ、と俺はドライヤーの最後の仕上げをしながら提案する。

「――その、携帯電話に繋がっているケーブルの端を、テーブルの穴に差してみる？　で、中央のボタンを押せば対の装置にコールを送って呼びだせる。携帯電話は、送信側がＭＰを食うんだ。ホームの謎エネルギーは無尽蔵だから、距離は関係ない。こちらから掛けるならおそらく繋がる。試してみるか？　受信する対の方にＭＰが補充されているのを期待して」

「……対の携帯電話を、クラシエル側が入手していたら？」

「その時はすぐ切ればいいさ。逆探知とか、別に出来るものでもないからな。本物の電話じゃないんだし」

髪を乾かし終えた手を少年の肩に置き、俺は彼の背後から携帯電話を覗き込んだ。

はめ込まれた小さな液晶画面っぽいパネルに、〝呼び出し中〟の文字が光で浮き上がっている。対の電話のスイッチが入っていたら、今頃あちらではコール音が響いているだろう。

ウォルが肩を落とした。

「……やはり無理、か」

「繋がるのが奇跡だ」

その瞬間、画面の文字が変化した。

『……リヤ？　カリヤなのですか!?』

〝通話中〟に変わったパネルの文字。そして小さな箱から響く、どこかで聞いた覚えのある少女の声。

触れていたウォルの体が、瞬時にこわばったのが分かった。

「――姉上!?」

繋がった声

『携帯電話』は、タキリン城砦で最後に設定したままにスピーカー機能がオンになっていた。

だから聞こえた。

王女の息遣い。その背後のざわついた雰囲気。女官らしい声が遠くで、リザさんを呼んでいる。

「姉上!」

『――本当に、ウォルド? ウォルドなの!?』

「そうです、姉上! ウォルドです!」

『ああ、父祖に感謝を! ウォルド、あなたのこ……うし……けぃ…………』

急に王女の声が小さくなった。

携帯電話の、受信側のMPが尽きかけている。原因を理解した俺は、ウォルの耳元に小声で指摘する。

「MP切れまであと五秒!」

「――っ! 姉上、明日のこの時間にまた電話を掛けます!」

『……ぁ……――――』

回線が切断されたことを教える平坦な音がスピーカーから響いた。

しばらくの間、俺も彼も無言だった。

ウォルがゆっくりとした動きで終話ボタンを押す。

ずっと聞こえていた平坦な音がプツリと切れた。

「……ここが、カリヤのホームだから繋がったのだろうか?」

おそらく、と俺は同意する。

「元々の携帯電話としてのスペックじゃ、内蔵した光玉の容量が足りなくて距離的に繋がらない。ホームに直接繋げたことによって限界がなくなり、据え置き型の水晶球のように使えているんだと思う。だがカザリン王女側の携帯電話はそうじゃない。あちらからの送信は届かない。それにこちら側からの電話を受信しても、話せる時間はあちらのＭＰがなくなるまでだ」

「タキリン城砦の時のように、姉上側も水晶球にケーブルを繋げたら？」

「据え置き型もエネルギーは無尽蔵じゃないがな。限界は実際に試してみないと分からないが、そここは持つだろう」

「そうか、ある程度の会話は出来る訳だな。なら携帯電話をケーブルで繋げる方法は、誰かタキリンにいた者が知っているだろうし、明日こちらから教えてもいい」

姉上と、ふたたび話が出来るのか……。

少し顔を上げ、ウォルのエメラルドの瞳(ひとみ)が彼方を見つめる。

彼にとっては一年振りの肉親の声だった。

カザリン王女は携帯電話を手放さず、ずっと自分の手元に置いていたのだろうか。

なんにせよ、奇跡は重なった。

受信のためのＭＰを補充していた通信アイテム。送信側はホームと繋がった無尽蔵の謎エネルギー。偶然手に取り、通話ボタンを押したウォル――。

「――アルティシアに戻れば、これから先、いくらでも話は出来る」

背後から包み込むように彼を抱きしめて、優しく告げる。

「もうすぐだ。ここまで近づいた。春になればあなたは、家族の待つ懐かしい故郷に帰れる」

「……カリヤのおかげだ」

俺の手に自分の手を重ね、彼が身をよじって振り返った。

視線があい、そのまま身を寄せてキスをする……あ、どうしよう。お互い盛り上がってしまったんだが、俺まだ風呂に入ってない。

だけどちょっと止まりそうにない。というか、止めたらいけない類のシチュだよな。それくらいは俺にも分かる。

　逃げるように視線を逸らすと、テーブルの上のオコジョと目があった。

　二本足で立ったオコジョが、じっとこちらを見つめている。ＡＩに指示待ちされている。

「……今日の作業はここまで。おやすみ、セバス」

『おやすみなさい、マスター。ウォルド殿下。それでは失礼いたします』

　オコジョがぺこりと頭を下げてテーブルから飛び降り、ラボから出ていった。

　見送る俺の頬に、ウォルの手のひらが添えられる。自分を見るようにと優しく促され、視線を向けるとさっきよりも深い口づけを求められた。

　ウォルの寝室に移動する。さすがにラボの床は遠慮したかったので。

　上着のボタンが外され、あらわになった胸元に慈しむように唇が落ちる。

　パジャマとは違い、きっちりと着こんでいた衣服を脱がされていくのはいつもより恥ずかしい。

「……ん……っ」

　ベルトを緩めたズボンの中に滑り込んだ手が、ゆるく勃ち上がりかけた俺のペニスを握る。強弱をつけて握られると、その刺激に腰が揺れる。

「カリヤ……もう硬くなって、先が濡れてる……」

　ウォルのだって硬くなっているだろう!?

　俺の太ももに押し当てられている股間は、布越しに遠慮なく硬さを伝えてくるんですが!?　……さすがに濡れてるかは分からないけど。

「あぁ……っ」

　先端を愛撫され、快感に腰を浮かせていたら下着ごとズボンを引き下ろされた。布地に押さえ込まれていたペニスが勃ち上がり、彼の長い指が、その形を確かめるように上下に動く。

　こちらも刺激で立ち上がった乳首を舌先で転がし

ていたウォルの、頭が下へと降りていく。

快感に流されかけていた俺だが、あわててガシリと金色の頭を掴んで阻止した。

「こ、んやは、咥えるのは禁止！　風呂に、入って、ないから……っ」

「――なら、カリヤに私のを咥えてもらおうかな？」

いたずらっぽく笑ったウォルが、体を起こすとベッド脇のナイトテーブルへと手を伸ばした。

夜のお供である液体タイプの潤滑ゼリーではなく、黒板に字を書くチョークのような固形タイプを手に取る。

なんとこの固形タイプ。後ろに挿入したらそのままゆっくりと体温で溶け、内部の滑りを良くしてくれる。生産者魂がおかしな方向に爆走して、いつの間にやら生み出されてしまった代物である。

……なんというか、前戯に集中したい時とかに使っている。キスしながら後ろをほぐすとか、体勢的にむずかしいからね……。

「ん」

つぷりと埋め込まれたチョークが奥へと押し込まれる。上体を起こしたウォルが、俺の顔の近くへと体を寄せた。

「……舌で舐めて、カリヤ」

唇へと触れるペニスの先端。太ももに押しつけられていた時よりも大きくなっている気がする。

硬く反り返ったそれに、俺は口を開いた。

言われたとおりに、まずは根元から舌で舐め上げていく。

風呂に入ってきたからだろう。特に味はしない。飴を舐めるように繰り返し舌を這わせ、先端を口に含む。ちろちろと穴を舌先で刺激すると、彼の味がようやく感じ取れた。

色っぽい吐息をついたウォルが、ゆっくりと腰を動かし始める。口の中を前後に動く彼のペニスを、強弱をつけて吸い上げる。

男同士のセックスは、少しずるいかもしれない。

どこをどうすれば感じるのか、同じ体だからよく分かる。俺はどう男のペニスを刺激すると気持ち良くなるのか知っていて、その通りに動いているだけで触れられていない自分のペニスも反応してしまう。

「……もう充分かな」

ウォルが俺の髪を梳くように頭を撫で、腰を引いた。唾液の糸を引いて、ペニスが離れていく。

足が大きく広げられる。後ろに入れていたチョークは既に溶けていた。

指で慣らしながら塗り込んでいく液体タイプとは違い、固形の場合はほぐして慣らされていない。だけどゼリーは内部に存在しているから、摩擦の抵抗なく動かすことは出来る。

「あ、あ、あぁ……っ」

「……っく」

ゆっくりとウォルが侵入してきた。

いつもよりきつく締めあげてしまう俺の内部は、彼の形をはっきりと感じ取る。

大きくて、硬くて。たしかに自分の中にあるその存在感が愛おしいのだと、口にしたことはないけれど反応で彼にはバレている気がする。

腰が揺れる。早く動いてほしいと、彼を誘っている。

「——愛している、カリヤ」

感じる場所を鋭く突かれ、走った快感に俺は喘いだ。

始まった彼の動きに、何度も何度も体を揺さぶられ、俺からも腰を振って身悶える。繋がった場所から生まれる快楽に翻弄される。

「あ、あ、ああっ、んッ、はぁッ、アッ、ア、ア、ア、アア……ッ」

一番深い場所まで到達したウォルが動きを止めた。ドクッと、内部に存在するペニスが震える。ドクドクと脈打つように震え、熱いモノが注ぎ込まれていく。

最後の一滴を放ち終えるまで、俺は身を寄せてきたウォルの体をきつく抱きしめていた――。

――まぁ、当然のように第二ラウンド以降もあった。


次の日の晩。

携帯電話はラボからウォルの部屋のリビングへと移動させた。

本棚の横、書斎に置くような大きめのビジネスデスクを出して、その上にホームと繋げたケーブルも設置する。

携帯電話は手で持たなくてもいいようにスタンドに立てる。他にも地図を広げたり、メモをするための紙と筆記道具も用意した。

ウォルはデスクの椅子に座り、俺はその背後に立ったまま約束した時間が来るのを待つ。

壁に設置した時計で昨夜と同じ時間になったことを確かめ、俺はウォルに携帯電話のスイッチを入れるように促す。……ちょうどその時刻は、タキリン城砦(じょうさい)にいた頃、クロエ平原の王女にテストと称して電話を掛けていた時間とほぼ同じだった。

一度目のコール音が終わる前に、電話が繋がる。

『……ウォルド?』

「はい、姉上。ウォルドです。このまま通話を続けても大丈夫ですか?」

『ええ。今、王城の第一通信室にいます。人払いをしましたから、今この場にいるのは私とルシアン兄上だけです。そちらは? 今はまだ大樹海にいるのかしら?』

エルフの元から出した手紙は、無事ティシアに届いていた。

少し前までの現状を承知しているらしい王女に、ウォルと視線をあわせて頷(うなず)いた俺は、わずかに身を乗り出した。

「――お久しぶりです、カザリン殿下。まず、アイテムマスターとしてそちらの携帯電話の状態について確認させてください」

『カリヤ！　……ええ、どうぞ』

承諾を得た俺は、預けたままだった携帯電話と、それを繋げた水晶球の状態をチェックしていく。

やはりタキリン城砦にいた技術者が、携帯電話と水晶球の接続を請け負ったらしかった。俺が残していたケーブルを回収して、それを再利用している。なら、接続状態はほぼ理想的と言っていいだろう……携帯電話ではなく固定電話になってしまい、もう動かさない方がよさそうだが。

水晶球内に組み込まれた光玉の、内臓MPはそこの速さで減っているようだ。

逆算すると、MPを最大量充填して通話出来る時間は一時間ほど。

謎エネルギーの出力が、あちらのアイテムに負荷をかけているっぽい。今のこんな状況なんて、想定していなかったからな……。

確認を終え、俺は王女に対処方法を伝える。

負荷がかなり掛かっているようなので、通話は三日に一度に制限した方がいいこと。もし一度の通話時間が足りなければ、光玉を直列に繋いだものを携帯電話に接続すれば、バッテリーの代わりになって延長出来ること。

バッテリーは中世の概念的に理解出来るか不安だったが、ゲームの世界では大丈夫なようだった。

それから王女には教えていなかったスピーカー機能の使い方。これであちら側も複数が同時に会話に加われる。

ウォルとは既に問題を共有しているので、一度説明を終えた。まだ分からない個所があるなら、後の確認は彼に任せてしまえばいいだろう。

「――では、俺は今回はこのまま失礼させていただきます。まずはどうぞ、ご兄弟水入らずでお話し合いください」

言い終えて、俺はウォルに視線を向けた。

美少年が微笑みながら頷き、椅子から腰を浮かせて軽く唇にキスをされてしまう。

「……ありがとう、カリヤ」

「ごゆっくり」

たしかに頬に送るのと比べたら、一回で済んでしまうけれど……リップ音が立ってしまった。

あちらに聞こえていないといいんだが。

携帯電話に向きなおった彼の肩を軽く叩(たた)いて、俺はウォルの部屋から出た。

幕間

イルマはラギオン帝国の首都、アルラギオンの中心にそびえたつ帝城の中を歩いていた。

彼女は帝城の中に住んでいた。彼女の兄である〝神槍(しんそう)〟がその一角に住居を持っているからだ。

他の多くの転生者たちと同じように、冒険者ギルド総本部の敷地内に住んでもいいのだが、心配性の兄が彼女を手元に置きたがった。

それに彼女にとっても、帝城の中に住む方が気が楽だった。

中央国家群唯一の帝国であるラギオンの、皇帝が住む帝城は身元のたしかな者しか立ち入ることが出来ない。

イルマを介して兄に取り入ろうとする者、兄への影響力を持ちたくてイルマ個人に近寄ろうとする有象無象の輩(やから)がある程度淘汰(とうた)される。

だが、その日イルマの前に現れたのは、まったく別の目的を持つ者たちだった。

「イルマさん、今からティシアに向かうんだろう?」

「ギルド内のポータルは使ってないみたいだったからこっちを張ってたんだけど、やっぱりか」

帝都アルラギオンには、転移ステーションが三か所に存在する。

基本的に転移ステーション（もしくは転移ポータル）は街の郊外に存在するのだが、アルラギオンだけは別だった。他と同じく郊外に一つ、冒険者ギルド総本部に一つ、そして帝城内に一つ。

鎧(よろい)を着た男が二人、イルマの前をふさぐように並ぶ。その二人をイルマは知っていた。とは言っても名前を覚えているほど親しい訳ではない。最近、ラギオンの冒険者ギルド総本部に登録を移したプレイヤーだ。

帝城の転移ステーション付近は、冒険者ギルドに所属するプレイヤーなら出入り自由だった。

待ち伏せをされたのだ、と彼女は理解する。

「……何か用かしら？」

警戒しながら尋ねた彼女に、並んで立つまだ若い男たちは笑みを浮かべる。

上辺だけの、心のこもっていない笑みだ。

彼女はこれまで数えきれないほどこのたぐいの笑みを見てきて、だがいまだに慣れずに不快を感じ続けている。

「あのさ、俺たちも一緒にティシアに連れて行ってほしいんだよ。あの国は今、国中の転移ポータルを閉鎖していて、許可を得ている者しか使えないようにしているだろう？　そしてあんたは許可を持ってる」

「あんたのパーティーの仲間として、連れて行ってほしいんだ。リーダーさえ許可を持ってたら仲間も転移出来るからな。なに、ポータルで移動したらその場で解散でいい。帰りはリターンホームが使えるし」

「いやよ、お断りするわ」

一言で断ったイルマに、にやにやと笑いながら男たちは首を振った。

「プレイヤーは転移料金を払わなくていいんだからさ、便乗させてくれても別にかまわないだろう？」

「金が欲しいってなら払うぜ？」

「信用の問題よ。私は信用されているからティシアに転移する許可をもらえたの。あなたたちも行きたいなら、冒険者ギルドかラギオン帝国を通して申請すればいいじゃない」

「戦争中だからって、ティシア側から許可が下りないんだよ」

「じゃあ諦（あきら）めることね」

イルマは横をすり抜けようとしたが、前に立ちふさがられる。

廊下の先に視線を向けても、転移ステーションの入り口を守るラギオン兵が動く気配はなかった。プレイヤー同士のもめごとに、帝国は基本介入しない。

「プレイヤー仲間じゃん。ちょっとは協力してよイルマさん」

「……ティシアに、何をしに行きたいのよ。ティシア側の味方として戦争に参戦するつもり？　それなら考えなくもないけど、私、スパイをしそうな人は絶対に連れて行かない。あなたたち、最近ラギオンに来たみたいだけど、その前の所属国はどこだったの？」

「ひどいなー。疑ってるの？　あのさ、実は俺たちまだBランクなんだよ。物理系戦闘職のランクアップイベントってさ、ティシアにあるだろ？」

「ランクアップイベントを起こしに、ナダル・コートレイに会いに行きたいんだ」

「あなたたち、本気で言ってるの!?」

にやにやと笑い続けている男たちに、イルマは大声で問いただす。

「当代ナダルが会ってくれる訳がないじゃない！　先代のナダルはクロエ平原で戦死したのよ!?　彼の前で言うの!?　援軍を出すって約束を破って父親を見殺しにした、ラギオン帝国から来ましたって！」

「――おや、妹様。いかがなさいました？」

「今日はティシア国に遊びに行かれると、背の君から聞いておりましたが……」

転移ステーションへと続く廊下に、二人の女の声が響いた。

背後を振り返ったイルマに、女官に囲まれて立つ白髪の貴婦人二人が微笑みかける。

どこか似通った顔立ちを持つ美女だった。その額を飾るサークレットは、彼女たち二人がラギオン帝室の直系であることを示している。

「……お義姉さま方……」

「妾たちの可愛い義妹を困らせているのは誰？」

「衛兵、妹様は転生者ではなく、我が背の君——皇帝陛下の娘婿の妹として扱えと申しているはず。さ、妹様を煩わせるそこな羽虫をつまみだしておしまい」

　あわてて集まった兵士が、呆然と立つ男二人を連行していく。

　廊下には白髪の貴婦人たちの一行と、イルマだけが残された。

「申し訳ありません。妹様。お助けするのが遅くなりました」

「使えない兵は、死ぬまで奴隷に落としてしまいましょう。髪を白くする栄誉など与えてなるものか」

「いえっ！　大丈夫です、お義姉さま方。プレイヤー……転生者同士で言い争いをしていた私たちが悪いんです。でも、声を掛けてくださってありがとうございました」

　助かりました、とぺこりと頭を下げるイルマに、白髪の美女二人はにっこりと笑った。

　いつ見ても綺麗な髪だな、とイルマは思う。

白く透き通った髪を、ラギオン帝国の貴婦人が結い上げることはない。その色は、この国において特別な色だった。

　ラギオン帝国の帝室で、髪の色を持つのは皇帝と次期帝位候補者だけだ。

　その他の皇族や、主だった貴族の髪の色は白い。

　帝国では、皇帝へ忠誠を誓うために隷属の首輪を嵌めて皇帝の奴隷となる。

　皇帝の許しを得て奴隷から解放された者は、一度奴隷になったことを表す白い髪へと変化したことを誇りに思う。この異世界で元奴隷が迫害されないのは、ラギオンのこの風習があるからだ。

　イルマの義姉である目の前の二人は、現皇帝の三十四番目と三十五番目の皇女だった。

　他にも少し年の離れた十九番目の皇女を含めた三人が、兄の正妻ということになっている。

「いいえ、背の君の愛する妹様のお役に立てたのなら、妾たちもうれしゅうございます」

「妾たちを救ってくださった背の君へのご恩返しが、この程度で終わるとは思っておりません。とりあえず、あの羽虫は今後帝城内に立ち入ることを禁じておきましょう。ご安心くださりませ」

「「背の君の愛する妹様は、妾たちも全力でお守りいたしますわ」」

「あ、ありがとうございます、お義姉さま方……」

　声を揃えて宣言した貴婦人たちの向ける笑顔に、引きながらもイルマは頭を下げた。

　イルマの兄は過保護だ。でもイルマの義姉たちは兄以上に過保護だと思う……兄は一人だが、義姉は五十人以上。その義姉たち全員が、心から義妹であるイルマを可愛がってくれている。


　世間では、〝神槍〟は女好きとして知られていた。

『英雄、色を好む』は前世の言葉だが、転生後のこの世界でも使われている。

　現皇帝の娘である皇女が三人。他にも、ラギオン貴族令嬢や元奴隷から娼婦に至るまで。ハーレムの許されたこの世界で、イルマの兄は大勢の妻妾を囲っていた。

　そんな世間の噂は間違っていることをイルマは知っている。

　義姉たちの誰一人として、兄とはそういう意味での肉体関係には至っていないはず。

　だが、義姉たちにとって、イルマの兄は自分を救ってくれた〝英雄〟だった。

　第十九皇女の場合は不妊だった。

　帝室の血を引く故に公には出来ず、嫁ぎ先から離縁された皇女は再婚し、また離縁された。

　三度目の再婚相手が兄だった。〝転生者の男〟から子供が産まれることはない。その美貌から兄が望んだとされているが、実際は二度の結婚生活に疲れた皇女が親しい兄に泣いてすがったという。

目の前の美しい第三十四皇女と第三十五皇女の体には、服の下にとても他人には見せられない痛ましい傷痕が走っているらしい。どうしても消すことが出来ない傷なのだそうだ。

涙を浮かべながら、こっそりと彼女たち自身が教えてくれた。

……イルマの義姉は、全員がそんないわくつきだ。

「……様、妹様。そろそろティシアに向かわれた方がよろしいのでは？」

「あちらで、ご友人でいらっしゃる王女殿下がお待ちしているのでは？」

義姉二人に尋ねられ、はっとイルマは別の方向に流れていた意識を引き戻した。

「そ、そうでした！　本当にありがとうございました、お義姉さま方。行ってきます！」

「「お気をつけて」」

女官に囲まれて立つ白髪の貴婦人二人が、揃って手を振ってくれる。

手を上げて応え、イルマは廊下の向こうに見える転移ステーションへと走った。

ティシア国と繋がっている転移ポータルの中に入り、操作盤に右手の手のひらを押しつける。

イルマのプレイヤー情報は既に許可されているので、転移ポータルはすぐに起動した。

円盤の縁からせり上がった金色の膜がポータルを包み込み、一瞬の光と共に消える。

そこはもうアルティシア郊外にある転移ステーションの中だった。

ポータルから出て、ラギオン帝国と繋がる小部屋を守っていたティシア兵に挨拶をする。もう顔馴染みになっている兵士は、声は返さなかったが目礼をしてくれた。

転移ステーションの建物を出ると、そのままアルティシアの都の外壁門までジャンプする。都の外壁は外からのジャンプを通さないので、ちゃんと門から中に入るしかないのだ。

外壁門でもイルマは顔パスだった。

ジャンプで現れる赤毛の転生者の少女が、ティシア王家の客人であることを警備兵は知っている。

中に入ってもう一度ジャンプ。次は王城の正門まで。やはり王城の城壁も外からはジャンプを通さない。ゲームの仕様だったから仕方がないけれど、ちょっと面倒くさいなとイルマは思っている。

城門からは案内がつく。

今日はきちんと約束をしていたから、王女の侍女が既に待機していた。

「――イルマちゃん、いらっしゃい」

「カザリンさま！」

ティシア王宮の自室で、金色の髪の王女は優しく微笑みながらイルマの訪れを待ってくれていた。

タキリン・ステーションから帝国に戻ったイルマは、その後姉と慕ったカリヤがティシアの王子と共に行方不明になったことを聞き、面識があるカザリン王女に向けて手紙を書いた。

何度かの手紙のやりとりを経て、イルマはアルティシアの王城に招かれた。

そこで再会したカザリン王女はイルマの知る王女ではなかったけれど、彼女とイルマは意気投合して仲良くなった。

だって、タキリンから姿を消したカリヤとウォルド王子を心配するのは、二人の共通の気持ちだったからだ。

「……王女さま、今日はなんだかとてもうれしそう」

柔らかな印象を持つ王女の笑みが、今日は更にまろやかに輝いている気がする。

「もしかして、大樹海からまた手紙が届いたんですか？」

カリヤお姉さまとウォルド王子が、鎖国をしていたはずのエルフの元に庇護(ひご)されたことを、イルマは王女から教わっていた。

絶対に秘密にしておいてほしいと言われたから、誰にも――兄にも話していない。それを教えてくれた時より、王女はうれしそうな気がする。指摘すると、彼女は幸せそうに微笑いながら頷いた。

「イルマちゃん。今回も、誰にも秘密にしてくれる？」

「もちろんです！」

「あのね、実は、カリヤが作製した『携帯電話』が――」

称号獲り

子供のための童話なら、そこでハッピーエンドになっていたかもしれない。

『流浪の王子様は、ようやく祖国と連絡を取ることが出来ました。そしてすぐさま国へと帰り、敵を打ち破って戦争を終わらせ、平和をもたらしたのです――』

だけどウォルの前にあったのは現実だった。

ひとかけらの甘さも存在しない現実を、ティシアと三日に一度のやりとりを続けていくうちに彼は思い知ることになった。

昨年早春のクロエ平原での大敗より一年――。

ティシア国はクラシエル国に接する北部地方の、領土の半分以上を失っていた。

〝占領された〟のではない。

彼らにティシアを統治する意思はないのだと、そう判断するしかない惨状だった。

冒険者ギルド、クラシエル支部に所属する転生者たちに率いられたクラシエル軍は、奪ったタキリン城砦を拠点にティシア北部の領都や街を襲撃し、暴虐の限りを尽くしていた。

老人や幼い子供はその場で殺され、労働力になる年代の男女は捕らえられ連れ去られた。

男はクロエ平原の沼地を埋めて道を通す、労働力とされている。

タキリン城砦の転移ステーションは、俺が破壊したので使用出来ない。クラシエルはそれを修理するのではなく、物理で道を作って移動することを選んだようだ。

クロエに道を通しても、数年経てば消えてなくなるはずだが、今だけ軍の移動が出来ればいいのだろう。

食料や睡眠がろくに与えられない劣悪な労働環境で、男たちは酷使されているらしい。

……女の姿はクロエになかったが、クラシエル本国では奴隷の売買が活発になっているという。つまり、そういうことだ。

襲撃後の集落には火が放たれ、住民を失った畑は種を蒔くこともなく放置されている。領地の中心として栄えているはずの領都も同じように扱われ、城門には降伏したはずの領主一族の死体が並べて吊るされた。

〝タイムアタック〟か、と俺は前世のゲームを思い出す。

MMORPG《ゴールデン・ドーン》で行われていた、戦争イベントの一形態の俗称だ。

ただすばやく敵勢力を倒す。

運営の用意した敵にはAIの将兵やモンスターしかおらず、自我がある訳ではない。敵を殲滅するのは当たり前で。

参加者は、いくつかのサーバーごとに同じ条件下で時間と結果を競いあっていた……〝俺〟はそのイベントに参加したことはなかったけれど、戦闘職には人気のイベントだったと記憶している。

イベント用の別サーバーが使われていたから、〝その後〟を考える必要はない。

〝敵の落とすアイテム〟も重要な戦略物資だった──〝略奪〟ではない。プレイヤーにとっては勝利の対価、〝手に入れて当然のボーナス〟だ。

あれを再現しているのか。

〝戦争後〟のある転生したこの世界で、自我を持っているNPCを相手に。

降伏をしてもしなくても、蹂躙と虐殺が待っている。

クロエ平原での大敗、そして北部の領土を無慈悲に侵攻される中、ようやくティシアの民は気がついた。クラシエルはティシアのすべてを滅ぼそうとしている。ならば力を集めて、死に物狂いで抗戦するしかない。――降伏を認めていれば、王家の力が弱いティシア国内は乱れ、自ら崩壊していただろう。だが退路を断たれたことにより、逆に国は一つにまとまった。

そうして〝タリスの悲劇〟以来、失っていた力をティシア王家は取り戻した。

それでも、ティシア国側が劣勢なのに変わりはない。

所属する南部諸国連合からの援軍はなく、ラギオン帝国も動いてはいない。

このままクラシエルの侵攻が続けば、遠くないうちに王都アルティシアは落ちる――周辺諸国は、二国間の争いを傍観する立場を崩そうとはしなかった。

だが、クロエ平原の大敗より一年。

ティシア国は、行方不明であったウォルド王子の生存と、彼の尽力によって結ばれた大樹海との同盟締結を発表する。

他国との交流を絶っていたエルフ族との同盟の、中央国家群へと及ぼす影響が表れるのはこれからだった。


……というような、ティシア国側のこれまでについての情報交換が行われていたりするが、俺は初回以降のやりとりには参加していない。

同席はしているけど、発言はせずに部屋の隅で自分の生産活動に勤しんでいる。

だってなー、一介のゲイリアスの山の民だものなー。

携帯電話の向こう側にいるのは、カザリン王女やルシアン王子といった彼の身内だけじゃない。ティシアの大臣や将軍といった重臣たちも呼ばれている。

　ウォルは俺のことを婚約者だと伝えたが、まだ正式にお披露目されている訳じゃないからな。今現在の立場は、ティシア王家に協力している転生者でしかない。

　そんな立場の人間が、国政に口を出しちゃいけないだろう――肉体関係があるなら尚のことだ。

　今は下手に出しゃばらない方がいいと思う。まあ、ウォルから視線を向けられて、生産職としての技術的な意見を求められたりしたら、メモ書きでアドバイスは渡しているけれど。

　発言はしないことをウォルに伝えた時、エメラルドの瞳が傷ついたように揺れたが納得してもらえた。

「……すまない、カリヤ。私は若年だと侮られないように出来る限り早く結果を出す。力を示して臣下の信用を得た王となり、私が選んだのだからと、あなたの立場をゆるぎないものとして受け入れさせるから」

　――その台詞と表情に、不安がよぎった。

　ティシアの置かれた現状を知るにつれて、ウォルに変化が起こっている。

　はっきりと態度に出ている訳じゃない。年齢のわりにかなり大人びている彼の、外面は完璧に近いと思う。だけど側にいれば分かる。

　表情に余裕がなくなっていった。暗い表情で何かを考えていることが多くなった。あせり始めた。視野狭窄とでもいうのだろうか。思考が一点を向き、別の側面から判断する余裕が失われている。

　そして、『自分さえ帰れば事態は打開出来る』と考えているようだった。

　たしかに王である彼がティシアに戻れば、事態は少しは好転するかもしれない。だが冷静になって考えれば、彼一人の力でクラシエルに勝てるはずもないのに。

　何故そのような状態になってしまったのか。

原因は分かっている。俺が、〝彼を強くしすぎた〟からだろう。

調子に乗ってドーピングを続けてたからなー。

成長期にポーションを潤沢に使用して、ウォルは強くなった。もちろん彼は努力した。その結果が表れている。魔法はエルフをしのぐほどの力を持ち、近接戦闘も魔法職とは思えないほどにこなせる。

今、ホームのテストルームを使って模擬戦闘を行っている訳だが、他のことを考えながら勝てる相手じゃなくなったなー……っと!?

「カリヤ、集中していない」

模造剣の潰（つぶ）した剣先が目の前で静止し、俺は武器を飛ばされた手をゆっくりと上げた。

「まいった」

「ようやくカリヤから一本取れるようになったな」

うれしそうに笑うウォルからは、どことなく男の色気がこぼれている気がする。

もう美少年というより、美青年といった方がしっくりしてきてる。男の色気かぁ……しっかりときめいてしまっているよ、俺。

「しかし、訓練に付き合ってほしいと言われて驚いた。あなたは本来生産職で、ホームに戻ってからはずっとラボにばかりいたから。――もしかして、少し早いがゲイリアスを出る？」

「いや、ティシアにはまだ向かわない。あちらは春が訪れているかもしれないが、ゲイリアスはまだ冬だ。吹雪が収まるまでは出ない」

ウォルの綺麗（きれい）な顔に少し影が落ちた。

一日でも早くアルティシアに戻りたいのだろう。無謀な願いだと分かっているから、エメラルドの瞳を伏せて、わずかに唇を噛（か）み、彼は言いたいことを呑（の）み込む。

「……ただ、ここを出る前の準備はしているよ。そこでだウォル、俺から提案がある」

――自分につける箔（はく）を増やす気はないか？

顔を上げた彼に、俺はにやりと笑いかけた。

「素材が足りないんで、フロストドラゴンを一頭狩ろうかなと考えてる。ウォルが『ドラゴンスレイヤー』の称号を欲しいっていうのなら、獲れるように手を貸すぞ？」

「……そう簡単に称号は得られるものなのか？」

「今回はな。以前作った罠が使えるから、嵌め殺しで勝てる。『ドラゴンスレイヤー』の取得条件は、〝自分より二つ以上ランクの高いドラゴンに、止めを刺した最後の一人であること〟だ」

そう、『～スレイヤー』系の称号を取得する条件は、自分より二つ以上高ランクである対象モンスターの討伐だ。複数で討伐しても、止めを刺した者だけに称号は与えられる。

ちなみに俺は『ドラゴンスレイヤー』を持っていない。前世も取っていなかったし、現世も生産職とはいえSランク。フロストドラゴンのランクも同じくSだ。条件が合わない。

『～スレイヤー』系の称号は、NPCの方が取得しやすい。称号を持っていても恩恵はほぼないので、あまりプレイヤーには人気がない。

メリットはクリティカル率微上昇、デメリットはドロップ率低下ってひどいと思う。ゲーム的には、称号コレクターでも集めるのを躊躇するレベル。

だが、その称号をNPCが取得出来れば、得た者は〝勇者〟と呼ばれる存在になれる。

「――……欲しい」

かすかな声でウォルは答え、俺は微笑みを浮かべる。

……すまんな、ウォル。

今、俺の脳内で流れている曲は、シューベルトの『魔王』だったりする。

上下のツナギになっている防寒具を、肌着の上から着こむ。

光玉を加工したボタンが両腕に仕込まれていて、上から押し込むとＭＰが補充されて防寒機能が働く。ボタンの数は二十。一つにつき約一時間、ツナギの中は快適な温度が保たれる仕組みだ。

その上に革鎧(よろい)を着こみ、雪狼のコートを更に重ね着する。

手袋は二重に。薄手で指の動きを妨げないものを。更に直径二メートルの大きさの魔力盾を展開する手甲を装着する。

靴下も二重に履き、膝(ひざ)まで保護するブーツは、靴底に鋭いスパイクを打ちつけている。以前は革紐(ひも)を巻いて固定していたが、大樹海や精霊界で素材を手に入れた俺の装備は充実した。

目元だけが覗(のぞ)くフェイスガードを頭から被って首まで保護し、暗視機能も備えているゴーグルを装着する。

頭部の保護は兜(かぶと)だ。あごの下のベルトを調整してしっかり固定した。兜には耐冷気ブレスの効果を引き出すために、雪狼の頭部の毛皮をそのまま使ったので、遠目に見たら蛮族そのものだったりする。

さて、今から二日二晩。四十八時間耐久ドラゴン討伐の始まりだ。

前回の狩りと違い、今回はウォルも参加する。単純に二十四時間に短縮されるということはないだろうが、多少早く終わると思いたい。

仕度を終えた俺は、ホームの玄関であるガレージの中を見回す。

今着こんだ装備と同じものを置いている一角。武器を置いている一角。ポーションなどのアイテムが置かれている一角。ガレージの中はちょっとした前線基地になっている。

俺一人ならすべてアイテムボックスの中に放り込

んでおくだけなんだが、今回はウォルがいるからな。

彼のために分かりやすく取り出して、並べておいた。

ガレージの中央には、今回の罠が設置された地形のジオラマを置いている。

先に仕度を終えたウォルが、腕を組んでジオラマを眺めていた。

中央に雪山があり、周辺に赤い旗が突き刺さったポイントがある。現実でも立てている赤い旗周辺は安全地帯だ。ドラゴンのブレスを防げる場所であり、食事も取れて、あらかじめ設置しておいた回復ポーションなど各種アイテムが補充出来る。

ウォルがジャンプで避難する場合、この赤い旗の場所に跳ぶことになるだろう。

あ、トイレはない。ツナギの防寒具はそういう仕様になっていない。

どうしてもというならリターンホームでいったん帰ることになるが、実は今はいているパンツ、オムツの機能もあるから大丈夫。

「お待たせー。ウォル、武器は選んだか？」

蛮族なのに何故か立ち姿の綺麗な王子様が、声を掛けた俺の方に顔を向けた。

兜に小型携帯電話を仕込んでいるから、ひどい吹雪の中でも会話が出来るはずだ。

「カリヤ。あなたは弓を使うんだな」

ああ、と俺は自分の手に持つ長弓を掲げてみせる。

「魔法弓だよ。矢は風に流されるから。ま、俺の場合は自分のアイテムボックスから状況に応じて何でも出せるからな。ウォルは？」

「いつもの剣と盾のスタイルでいくつもりだ。カリヤの用意してくれたこの盾は、ブレスを反射するんだろう？　身を守りつつ、攻撃出来るチャンスに切り込んでいこうと考えている」

ポーションも用意した。

告げるウォルに、腰に巻いたベルトに装着したポーチの中身を確認させてもらう。

ＨＰ回復、ＭＰ回復、攻撃力増加、素早さ増加、か。何種類か符も入れているんだな。

今回、俺はウォルの装備に口を出していない。揃(そろ)いの防具以外は、彼は自分で考えて準備をしている。

ホームでひたすら自主訓練も飽きるだろうと、彼と何度か外へ雪狼狩りに出た。

大樹海では別行動をとっていたから、俺は彼の訓練風景しか見ていないが、エルフたちと里の外にモンスターを狩りに行っていたことは知っている。

二人きりで旅をしていた頃と比べ、腕を上げたウォルは、ためらいなく流れるような太刀筋で狼を屠(ほふ)っていた。

「……ドラゴンの急所は、あごの下にある〝逆鱗(げきりん)〟と呼ばれる場所だ。どうやって剣先を届かせる？」

「ジャンプで転移する。私のジャンプは、短い距離なら四回ほど連続使用が出来るようになった。隙があれば跳んで攻撃して、すぐに離脱する」

「ウォルは魔法系攻撃職だろう？　魔法は使わないのか？」

「どうしても踏み込めない時は、遠距離から魔法で攻撃する。この剣はミスリルで補強されている。杖(つえ)の代わりになるはずだ」

「そうか……」

ウォルに頷(うなず)き、俺はガレージのシャッターに映る外の景色へと視線を向けた。

雲一つない晴天だ。

だが山の天気は変わりやすい。数時間と経たないうちに、この一面の銀世界は前も見えない白い地獄と化すだろう。

――ウォルは、ゲイリアスの吹雪をこのガレージ越しにしか知らない。

「……じゃあ、最後の手順確認だ。今からホームの外に出て、五回ジャンプで跳んで罠を仕掛けた雪山まで行く。罠は、山に横穴を掘って最奥にエサを設置したものだ。フロストドラゴンが既に掛かっているのは今朝確認してきた。開始地点に到着したら、横穴の奥を崩す。ドラゴンが首だけ出せる大きさの穴を開け、入り口を崩落させて逃げ出せないようにする。後は、穴から生えた首に対して攻撃を仕掛けるだけだ」

　この横穴を掘るのが面倒くさいんだよなー。

地道に数年がかりで掘る。今回の罠は、以前に使用した罠を修復したものだ。

「暴れて罠を壊そうとすれば、カリヤが補強するんだったな」

「ああ、逃がさない。最初に毒を入れておくから、そのまま放置していても丸二日で死ぬ。だがドラゴンが全力で逃げ出そうとすれば罠がもたない。集中させないように攻撃を仕掛け続ける。ウォルは『ドラゴンスレイヤー』の称号を獲らないといけないから、最後の止めをさせるように攻撃してくれ。狙いは逆鱗。攻撃は、出来れば首をメインに」

　頭部はアイテムの宝庫なんだ……と呟いた俺に、なるほどとウォルが頷いている。

うん、角に目に牙。ドラゴンの頭はいろいろと使えるんだよ。

　本当なら血と肉も欲しいところだが、毒を使うから汚染されて使用出来なくなる。毒を使わないと絶対に俺の腕ではSランクドラゴンなんて狩れないので、もったいないが仕方ない。

「今日中に倒せなくても、夜になったらホームに戻るからな。また明日の朝から再挑戦だ。……さて、準備はいいか？」

「――ああ」

　ウォルの手甲を装着した手が、腰に佩いた剣の柄に触れる。

　見送りにやって来た白いオコジョが、『いってらっしゃいませ』とガレージの出口で頭を下げた。

　ホームから外に出ると、強い風が全身に打ちつけるのが分かった。

　冷気は感じない。防寒機能に問題はなさそうだ。

　ウォルのベルトを掴んで腰を引き寄せ、「行くぞ」

と告げてジャンプする。

四回連続で跳び、最後のジャンプの前に手甲へ仕込んでいた光玉を押してMPを補充した。

光玉の数は、片手に八。

この防具ではそれだけ仕込むのが限界だ。が、革鎧にブーツにと、光玉はすべての防具に仕込める限界まで仕込んでいる。ポーションの方が一度に回復する量は大きいが、使用量の限界があるからな。

戦闘力のない生産職の俺は、どうしてもサポートアイテムの物量で勝負する戦い方しか出来ない。

今、仕込んでいるアイテムを使い切るまでにドラゴンを倒せればいいんだが……ま、無理だろうな。

五度目のジャンプで着地したのは、小さな谷間を挟んで罠の正面に位置する斜面だった。

ドラゴンの伸ばした首は届かないが、ブレスは届くだろう。今回、ドラゴンの胴体部分は封じているので、気をつけないといけないのは接近戦の時の噛みつきと、首を振り回しての攻撃、そして冷気のブレスだ。

雪山に突き立てた赤い旗の位置を、ウォルに確認させる。遠距離攻撃が出来る位置にある旗は、絶対に安全だとはいえない。ドラゴンからの攻撃も届く。休息を取りたいなら、今背にしている斜面の裏に立てている旗付近で。

「――首を出す穴を開ける」

俺は魔法弓を構えた。弦を引くと装備者のMPを吸い取り、炎の属性を持つ矢が生成される。

風を切って飛んだ矢が、雪に埋もれていた仕掛けを射抜いた。

仕掛けに詰めていたのは、地を穿(うが)つ土属性の魔法を詰めた光玉。

光玉はMPだけではなく、魔法を詰め込むことも出来る。実際に詰め込んでくれた夜なべの協力者、ウォルド殿下。

MMORPG《ゴールデン・ドーン》は、銃や大砲の存在しないゲームだった。

この世界でも、火薬は存在していない。

転生チートなら火薬を作りたいと思うはずだ。前世で読んでいたラノベでも、まずは火薬作製だったからな。

だが冬の間、チェックしていた冒険者ギルドのバザーには、銃火器関連の出品がなかった。おそらく硝石といった素材の作り方を知っていても、作製自体が不可能なのだろう。

なので魔法で代用。

魔法職なら直接攻撃魔法をぶち込むのだろうが、俺ならアイテムを介した方が威力が高くなる。

薄かった岩壁が崩れ、山の斜面に穴が現れる。

構えたままだった弓を引き絞り、今度は数本同時に出現した炎の矢を空に向かって放つ。雪山の向こうへと飛んでいく矢を思考誘導し、仕掛けを射抜いて横穴の入り口付近を崩落させた。

これで、フロストドラゴンは退路をふさがれた。

「顔を出すぞ——!」

ウォルが腰の剣を抜き放つ。

——暗かった穴の奥に、白い色が見えた——。

ドラゴンは激怒していた。

誰が小賢しい真似をしたのか分かっているのだろう。穴から出した首をまっすぐに伸ばし、ランクSのフロストドラゴンは凍てつく殺気を込めた咆哮を上げる。

大気が振動する。強い魔力を浴びて生まれた氷の礫が、真正面に立つ俺たちに狙いを定めて飛んでくる。

俺は、手に持っていた魔法弓の先を雪の中に突き立てた。

アイテムボックスから取り出した符を長弓に貼りつける。効果は、符を中心として直径三メートルの範囲への攻撃無効。発動時間は三分間だが——フロストドラゴンの魔力が強い。時間は短くなるだろう。

片手で弓を支えたまま、視線を足元に落とす。

ウォルが膝をついていた。

手に持っていたはずの剣と盾は、雪の上に転がっている。視線をドラゴンに向けたまま――逸らせないのだ。ドラゴンの方が格上だから。

　ガチガチと歯を鳴らしている、恐怖に歪んでいるだろう美しい顔に向かい、俺は静かに声を掛けた。

「……本気で、同等に戦って勝てると思っていたのか？」

　威圧に竦んで動けないだろう体の、エメラルドの瞳だけがゴーグル越しに俺の方を向く。

「動けないだろう？　当たり前だ、相手は〝ランクSのドラゴン〟だ。あなたが今も正気を保っていられるのは、絶対的な干渉阻害効果のある宝冠のおかげだ。普通なら、これだけの『威圧』を浴びれば体が硬直して、心の臓が止まっていてもおかしくはない」

　ちなみに俺が今、無効化出来ているのは、元から精神値が高いのと戦闘前にポーションを使っていたからだ。

「『準備はいいか』と聞いただろう？　何をしていたんだ？　その震える指先で、ポーチの中に入れた符を選んで取り出せるか？　剣を拾って構えられるのか？」

「――」

「いいか、心に刻め。二度と忘れるな。〝自分は弱い〟ということを」

　ちなみに、と俺は続けた。

「ランクSのドラゴンなら、生産職ランクSの俺の場合、討伐にかかる時間は二昼夜。ステータスはそこそこ高いが、戦闘スキルはランクB止まりだからな。止めが刺せない。だが戦闘職ランクSなら、スキルを駆使して二時間、ランクSSなら三十分で倒す。SSSなら五分もかからない。あなたがこれから対峙するのは、そういう化け物たちだ」

「――――」

「個人の武勇だけでは決して勝てない。勝てるなんて思うな。……そろそろ符の効果が切れるか」

ウォルの腰を抱え、転がる剣を拾うと俺は近くに立つ赤い旗に向かってジャンプした。抱えていた体を降ろして座らせ、その膝に剣を置く。

「旗の範囲から出るなよ。――行ってくる」

ポンと、俯いたままのウォルの頭の上に手を乗せる。

手袋越しの接触を少しだけ残念に思う。彼の柔らかな髪の感触が好きなんだけどな。

ジャンプで跳び、俺は中空に出現した。

フロストドラゴンから見れば、右斜め上の位置だ。ウォルの隠れた旗の位置は左側になる。

赤い旗の付近はブレスを防ぐとはいえ、負荷がかかると結界が壊れるのが早まる。あまりそちら側は攻撃させない方がいいだろう。

七連弓をアイテムボックスから取り出し、落下しながら炎属性の矢を放つ。

すぐにジャンプを使って距離を取ると、先ほどまでいた位置をドラゴンのブレスが薙ぎ払った。

「……飛翔魔法が欲しいなー。魔法職のSSランクの魔法だから、逆立ちしても覚えられないけれどさ」

待て、魔法職に転職してはどうだろう？

エルフの里でランクAになるクエストを受ければ可能なはず。まぁ、生産職のスキルが使えなくなるからやらないけどさ。

この世界じゃ、エリクサーを作れる生産職ランクS以上が最強だと思うんだ。

ジャンプで跳び、ドラゴンの鼻先に降り立つと符を叩きつける。

ひるませて開いた口のすきまから、毒薬を詰めた瓶を放り込んだ。

咆哮が悲鳴に変わる。うむ、ここからが俺のターンだ――とか舐めたことを考えていたら、振り回された頭にバランスを崩して落ちた。

ドラゴンが口を大きく開ける。大きな牙に噛み砕かれる前、ジャンプで近くの赤い旗の下まで転移する。

放たれたブレスが赤い旗まで届き、張られている結界を震わせた。

　しゃがんでブーツに仕込んだ光玉を押し込み、MPを補充しておく。

　安全地帯にいる時は、すぐに触れることが出来ない場所から光玉を使っていく。連続ジャンプの合間にブーツの光玉を使えるほど器用でもない。

　七連弓を取り出して立ち上がり、炎の矢を連続して放った。

　ドラゴンの咆哮に、炎が掻き消される。

　やはり、正対しての俺の遠距離攻撃は、威力が低くて通用しないか。もっと近づいて矢を射ないと。

　ジャンプで跳んで近づき、攻撃を仕掛ける。

　ドラゴンが怯めばそのまま重ねるように符やアイテムを使用した攻撃を続けられるが、大抵は即座に安全地帯まで撤退する。時々撤退が間に合わなくて、手甲に仕込んだ魔力盾を展開してしのぐ。

　暴れるドラゴンに罠が緩めば、すぐさまその個所を補強する。土魔法の呪文を唱えている余裕はない。あらかじめ呪文を込めていた光玉を、崩れた罠に叩きこんで強化する。

　前回も、時間はかかったがそうやって一人で倒した。今回も出来る。

　だが、誰かがドラゴンの気を逸らしてくれたら、そうすればもっと——。

　美しく輝く赤い光が、空を翔けた。

　尾を引く炎の弾が、ドラゴンのあごにぶつかって溜めていたブレスを散らす。

　また一つ、炎がドラゴンの首すじに着弾する。俺から視線を外し、ドラゴンは攻撃が飛んできた方角を見据えると息を吸い込んだ。

　ブレスを吐き出す前に、後頭部に攻撃を入れてキャンセルさせる。硬直したドラゴンに、炎の魔法が命中する。

　俺は炎の飛んできた先に視線を向けた。

強風にはためく赤い旗の下、剣を両手で構えたウォルが立っていた。

ドラゴンスレイヤー

天候が悪化した。

凍える風が黒く厚い雲を運んできて、空を覆い尽くしたかと思えば視界が真っ白に染まる。

対フロストドラゴン戦、第二段階。

ブレスを吐き続けていたことにより、大気中に放出された冷気が一定値を超えて天候が変化した。

吹雪モードだ。

フィールド中に吹き荒れる強風に、まともに立っていることも出来ない。雪や氷を含んだ重い風を受け続けていると、物理的なダメージも蓄積されていく。

防寒着を着ていても感じるようになった外気の寒さに、光玉のボタンを作動させて防寒機能を高める。

ここから防具のMP消費量が多くなり、効果時間が短くなっていく。体が凍てつく前に、MPを補充し続けないといけない。

「ウォル、魔法は伏せた姿勢で放て！　体を起こせば吹き飛ばされるぞ！」

兜に仕込んだ携帯電話で指示を送る。

もう荒れ狂う風の音しか聞こえない。ドラゴンの叫びさえ流されていく。通信機能を仕込んでおいて良かったが、これも自分の手を兜に当てながらでないと繋がらないようにしている。電池の残量の問題でね！

たったそれだけの動作ですら難しい。

「こちらの、攻撃出来るタイミングは風が弱まった時だけだが、フロストドラゴンには関係ないことを忘れるなよ！　体を伏せるか、赤い旗にしがみついて、チャンスを待て！」

長弓はもう、風の抵抗が大きすぎて構えることが難しくなっていた。弓がしなり、張られた弦が暴れる。

手に持つ武器を短杖(たんじょう)に変更する。

フロストドラゴン相手に、俺の物理攻撃は通らない。ここからしばらくは、魔法とアイテムだけで対処するしかない。

ウォルの放つ魔法の炎が、白い雪の世界をドラゴン目がけて飛んでいく。

戦いの途中から炎が大きくなった。

赤い旗の下には予備の武器を置いている。魔法効率の悪い剣を媒体にするのではなく、仕込んでおいた杖(つえ)を探し出したのだろう。

『……カリヤ、そろそろ結界が壊れる！　次はどこに跳べばいい!?』

「F地点へ！　ジャンプの時は、事前に出現場所を掃除するのを忘れるなよ！」

一瞬の間を置いて、分かったと彼から返事があった。

そう、ジャンプは転移先に物が存在していた場合、中に取り込んじゃうんだよ。

最近はホームの中で練習していたから事故も起こりようがなくて、重く受け止めてなかったんじゃないかな？　ホームに蜂はいない。

ウォルが念を入れて跳ぶ場合、ＭＰ量的に連続ジャンプは三回が限界だろう。

別の位置から炎の塊が飛び始めたのが、白く染まった世界でうっすらと見えた。

そして日が暮れる。

暗い。だか視界は相変わらず白い。

気温は更に下がった。

ぶっ続けで半日、戦闘を行っている。

前回と比べるとやはり頭数が増えているのは大きい。序盤は怒涛(どとう)の攻撃ラッシュ。中盤に入り、吹雪になってからも攻撃を途切れさせることなく、だが無理しない範囲で続けることが出来た。

ぼっちではなく、交代しながら休憩が取れるのって本当素晴らしい。

『……カリヤ、身に着けていたMPポーションがそろそろなくなる。赤い旗のところに置いている物も使っているが、こちらも残り少ない。あなたのアイテムボックスから融通出来るか？』

「いや、いったんホームに戻ろう。そちらにジャンプする」

伝えて、ドラゴンの側に近づいて罠の周囲を念入りに補強する。

ドラゴンが噛みつきを仕掛けてきたが、スルーしてウォルの元へジャンプ。離れ際に鑑定をしてみたが、もう四割近くHPが削れていた。

転移した先にいたウォルはボロボロだった。周囲には空になったポーションの瓶がいくつか、雪に埋もれている。

口から飲まずに振りかけるだけでも、多少効果は落ちるがポーションは使用することが出来る。

「ポーション酔いは？」

「まだ大丈夫だ。光玉を併用して、間隔を置いて使うようにしていたから」

「長距離を跳ぶ時に体調が悪いと、反動がきつい場合がある。意識をしっかりと持っていてくれ。跳ぶぞ」

念のためにとウォルの肩を担ぐ。
三、二、一とカウントダウンをして、〝リターンホーム〟で我が家に戻った。
扉からガレージへと入ると、後ろ足で立ち上がった白いオコジョが待っていた。

床に座り込んだウォルをオコジョに託し、俺は装備が置かれている一角へと歩み寄る。

「……カリヤ？」

その場で防具を脱ぎながら、俺はウォルに振り返った。

「ん？　着替えたら俺は戻る。ウォルは一晩ゆっくりと休んでくれ。風呂に入って、きちんと食事を取って、ぐっすりベッドで眠ること。何故か分かるか？」

「――ポーションをこれ以上使用したら酔いの症状が出るから。眠って、MPを自然回復させる……」

よく出来ました、と俺は笑った。

「そう、適材適所だ。俺は基礎スペックはウォルより高い。徹夜もたいして応えない。だが、殲滅力はない。頼りになるのはあなたの魔法攻撃力だ。明日の朝には迎えに来るから。準備万端の状態で待っていること。――期待しているぞ」

「――ああ」

頭部の防具を外したウォルは、どこか泣きそうな表情を浮かべながら頷いた。

笑いながら近づき、唇を重ねてウォル成分を補給させてもらう。

「……大丈夫、ここまで上手く罠に嵌めたら、後はHPを削り切るだけだ。凡ミスを犯す気もないしな。無事に戻ってくる。明朝戻ってきた時に、採点をするからな。今の自分に何が出来るか、何が最善なのか。考え、実行しておくように」

頷いて見送るウォルに後を託し、新しい防具に着替えた俺はフロストドラゴンの元へと戻った。

あ、もちろん携帯食をかじりながら武器やアイテムの補充はしたし、トイレも行った。

風呂はちょっと時間的に無理だった。残念。

白い山の稜線から、東の空をオレンジに染め上げながら朝日が昇っていく。

頭から被っていた防雪シートを外し、俺は雪の中に掘った塹壕から外に出た。

岩肌の穴から首だけを覗かせたフロストドラゴンが、現れた俺にうつろな視線を向けているのが分かる。かなり弱っているのか、これまですぐに訪れていたブレスの洗礼がない。

いやー、いつもより多く毒を追加しております。

夜の間ぶっ続けで対峙していた訳だが、かなり奴のHPが削れた。あと二割ちょっとまで持ち込んだぞ、わはははは。

徹夜明けというのは妙なハイテンションになるものだ。

ドラゴンの周囲の罠を念入りに補強して、リターンホームで我が秘密基地へと戻る。

「ただいまー」

「――おかえり、カリヤ」

玄関からガレージの中に入ると、既にウォルが待機していた。

後は頭部の防具を着けるだけの昨日と同じ姿だが、更に工夫を施している。

右手には、短杖が革紐で外れないようにくくりつけられていた。風が強ければ長杖は持てないからな。それで腕にくくりつけておけば持つ必要さえない。腕を相手に向けるだけで良くなる。

ベルトのポーチの形状から、アイテムは酔いの訪れるポーションではなく、光玉を主体に用意したようだ。それも良きかな。

……ちなみに、普通ならこんなアイテム運用は出来ないだろう。採算度外視にもほどがある。

光玉の作製費は、一般に流通するポーションの百倍以上する。俺の自作なので、材料費しかかからないからの潤沢なアイテム量！

また今度、そういうことも彼に念を押しておかないと。金銭感覚は大事。

「眠れたか？」

「正直寝付けなかったので、セバスに睡眠薬を用意してもらった。だからＭＰは全快している。持っていくアイテム類は、光玉と、魔法の威力を高めるポーションをメインにした」

「上出来だ」

「カリヤ、あなたの朝食を用意しているから食べてほしい」

そう言ってウォルが示してみせたのは、テーブルの上で湯気を上げている温かな食事だった。

これは正直、かなりうれしい。

防具を外しながら朝食の元に向かい、下着姿で椅子に座る。シチューと焼きたてのパンだ。ほかほかだ。

「どうぞ。髪が乱れているようだから、私が結い直してもいい？」

「助かる。頼む」

一口食べると、作り置きをしている俺の味ではないのが分かった。

どうしよう、ウォルの手作りだ。まるで新婚さんみたいだ。

髪をブラシで梳かしてもらいながら、俺は幸せを満喫する。自分のために食事を作って待ってくれてるって、どこの天使なんだろう？　好き。

食事を終え、支度を整え、俺は隣に立つウォルの横顔を確かめる。

男の顔だ。

未来を見据える、決意に満ちた顔。

「……準備は万端？」

「ああ」

「覚悟は出来たか？」

「ああ」

「優先順位は？」

「死なない。そして勝つ」

「――上出来だ」

見送るセバスに「行ってくる」と告げ、俺とウォルはホームを出た。

――そしてその日の夕刻、茜色に染まる世界でドラゴン討伐を果たした。

「あー、もう疲れた。このまま湯船で寝たい」

ホームに戻ってきて、まずは二人で風呂に直行した。

寒かったんだよ。ずっと外にいたから。湯に浸かって温もりたかったんだよ。

徹夜もあってもう何をする気力もなかった俺は、

ウォルに甘えて髪も体も洗ってもらった。……自分一人でも出来るけどね、甲斐甲斐しく世話を焼いてくれる恋人に、少しくらい甘えてもいいじゃないか。

体を洗ったウォルが、湯船でぐだーっと身を投げ出した俺の隣に入って来る。

水も滴る美人さんだ。

「おつかれさま、カリヤ。そしてありがとう。あなたのおかげで、私はドラゴンスレイヤーになれた」

いやいや、どうせドラゴンは狩るつもりだったからね。有効活用だよ。

きらきらと水滴をきらめかせながら、キラキラの王子様が笑う。

そんな彼に身を寄せて、ぎゅーっとしがみつく。

「カリヤ？」

「……俺はがんばった。なのでご褒美を今、もらっている」

「……それに関しては私にとってもご褒美だが……体力はともかく、気力は残ってないよね？」

「うん。もうベッドに入ってそのまま寝る。だけど一人じゃ寝ない。ウォルと一緒に寝たい」

ご褒美～、と俺は彼の肩に頬をすり寄せる。色、白いなー。

俺の肌を重ねたら、彼の肌色が透明感を帯びた深みのある白だと分かる。

あー、ついている水滴を舐めたくなったが、さすがに今は自重しよう。セックスをする気力はないんだ残念ながら。

綺麗な王子様は、とても綺麗に笑いながら俺のわがままを叶えてくれた。

風呂から出て、パジャマに着替えて髪も乾かしてもらい、俺の部屋に枕持参でウォルに来てもらう。

寄り添いあってベッドの中に入った。

温かな彼の腕が、俺を包み込むように抱きしめる。

この温もりのためにがんばったんだ、俺は。そして、がんばったご褒美がこの温もりだ。

そのまま、抱きしめてくれる腕の中で俺は眠りについた。

さらばゲイリアス

ようやく、ゲイリアスに遅い春が訪れた。

討伐したフロストドラゴンはガレージ内で解体。

余すところなく有効活用させてもらっている。

ウォルの鎧――ランクAのフロストドラゴンメイルも無事に完成。なんと、更に大雪豹のマントまで作ることが出来た。純白の地に大きな豹紋が美しく浮かび上がった、極上の毛皮だ。

これなー……対フロストドラゴン戦に乱入してきたモンスターだったんだよ……。

あの時、ホームまでウォルを迎えに行った朝の時点で、俺はドラゴンのHPを残り二割ほどにまで削っていた。そのまま順調に進んでいたら、昼前には討伐出来ていたと思う。

だけど、もうあと少しというところで、大雪豹が乱入してきた。

大雪豹のランクはA。体長五メートルにもなる獰猛な雪山の殺し屋だ。

成竜には勝てないが、親から離れた幼竜や深い傷を負った竜なら倒してしまう。瀕死のフロストドラゴンなら勝てると見て取ったんだろう。そいつらが二頭。

あっという間にひどい混戦になった。

弱肉強食の世界であるゲイリアスじゃ、乱入自体はよくあることだ。想定はしていた。翼を持つモンスターでなくて良かったとさえ思う。

だがしかし、こちらの目的はドラゴンスレイヤーの称号だ。素材ももちろんだけど、国に戻るウォルに箔をつけるのが目的なのだ。

今にも死にそうなドラゴンを、大雪豹に止めを刺させる訳にはいかなかった。

大雪豹を殴りつつ、ドラゴンに向かってHPポーションを投げて支援し続けた俺、がんばった……。

おかげでゲット出来た大雪豹のマント。

この世界において、王侯や高位貴族の正装と言えば雪豹のマントらしい。戴冠式(たいかんしき)や結婚式などの時に身に着ける。

それを！　新調！

ウォルいわく、これまでのティシア国王が身に着けていたマントより一メートルほど裾(すそ)が長いようだ。さすが中央国家群の魔境ゲイリアスの最深部。いい素材が獲れるぜ！

まあそんな感じで、アイテム的な準備は万端。

ウォルも訓練場で魔法に磨きをかけ、図書館に置かれた蔵書を読みこんで、この世界の知識を増やした。

以前、精神のまだ成長しきっていなかった部分を心配したが、魔王の忠告を彼は真摯(しんし)に受け止め、克服してくれたようだ。

身にまとう雰囲気が大人びた。エメラルドの瞳(ひとみ)は覇気に満ち、気品ある物腰は更に洗練された。

智勇を兼ね備え、精神を成熟させ。万人が望む理想の王の姿へと、彼は自分を進化させ続ける。

今は、その輝きを目にする者は俺一人。

だがようやく時は訪れた。

さぁ、帰ろう。

国王(あなた)が戻るのを待ち続けている、うるわしの白亜の都へ——。

「帰路に選べるルートは、ほぼ一つだ」

ウォルの私室のテーブルの上には、ティシア国周辺を記した地図が広げられている。俺の前世のゲームの記憶と、彼の今世の情報のハイブリッドだ。

指示棒の先で、コツリと地図に記された小さな湖を示す。

「この、ウーリス湖にある転移ポータルを目指すことになる」

王都アルティシアに向かうなら、国内に存在する転移ポータルを使うのが一番良い。

中央国家群に点在する小さな転移ポータルは、ほとんどがその国の転移ステーションと繋がっている。ティシア国が有する二つの転移ステーションのうちの一つは、王都近郊に存在していた。

「……あまりはっきりと覚えてはいないのだが、その辺りに転移ポータルは存在していただろうか？」

形良い眉をひそめるウォルに、あるんだと俺は頷いた。

「ウーリス湖の転移ポータルは特殊で、転生者のクエストをクリアした者、もしくはその者が所属しているパーティーしか使えない。NPCであるこの世界の人間は使えないはずだが、ウォルは俺のパーティー枠に入っているから大丈夫」

「カリヤはクリアしているのか？」

その問いにも俺は頷く。

——〝前世のゲーム内で〟、だけどな。

転生者は、前世プレイしていたMMORPG《ゴールデン・ドーン》の経歴を引き継いでいる。

アイテムこそ引き継がなかったが、ステータスやスキル、魔法などはすべてゲームと同じ状態で引き継げていた。その中には〝達成したクエストの報酬〟も含まれている。

ウーリス湖のほとりに存在する、該当クエストをクリアしたら出現する白い建物。

今世が、前世にプレイしていたゲームの世界だと気づいてから、存在しているのだろうかと確認しに行った。

本当にあった。

確認しに行った時には、転移ポータルを使用していない。

無人のポータルを使って跳んでも、転移先には人がいるだろう。辺境の村育ちだった俺は、身分証なんて持っていなかった。

繋がる先は王都アルティシア。蛮族は不審者として捕まるかもしれないからな。

それに確認したのは、転生後の世界がゲームに似ているると判明した直後。王都観光よりも、アイテムが作りたくてたまらなかった。

だから湖周辺の素材を採集しただけで帰ったのだが、あの転移ポータルは使える。

「生産職しか実質使えないポータルだから、待ち伏せや罠の類は心配しなくていい」

「日数的にはどれくらいで着くだろう？」

「ゲイリアスを抜けるのに三日、それからジャンプで三日かな」

「転移ポータルに到着したら、携帯電話で姉上に連絡を取り、そして王都へ帰還する――」

ホームを出たら、謎エネルギーが使えないので遠距離の携帯電話が繋がらなくなる。転移ポータルに到着したら、施設のエネルギーを使って連絡を入れ、その後王都に転移すると打ち合わせていた。

カザリン王女が転移ステーションまで迎えに来てくれるらしい。

「明日の朝、晴れていたらこのホームを出る」

「――ああ」

ウォルが頷き、広げていた地図を丸めて渡してきた。右手で受け取り、そのままアイテムボックスにしまい込む。

「このホームも今夜で最後か……」

「ゲイリアス山中を移動している間は、平らな土地なんてないからテントも張れないぞ。ベッドの柔らかさを堪能しておいてくれ」

「――そうか、なら……」

綺麗な顔が悪戯っぽく笑い、そのまま腰を引き寄せられる。

「カリヤは、外ではこういうことは許してくれないよね？」

「――当たり前だ。襲撃を受けたとして、裸で応戦したくないぞ、俺は」

「ならホームを出る前に、私はあなたを堪能しておく」

　笑顔でぎゅっと抱きしめられ、俺も笑いながら彼の背に腕を回した。


　そのまま王子様の寝室に移動だ。

　ホームでは、ほぼ彼の寝室で寝ているような気がする……そして堪能されている気がする。

　大きいベッドを用意して良かったと思っているが、用意した時点ではこんな風に使うつもりはなかったんだけどなぁ……。

　うむ、なかった。彼とセックスをする気は毛頭なかった。

　キスだけで満足するつもりで……触りあいとか、彼のペニスを握ったり、な、舐めたりとか、実行するつもりは本当になくて……なのに何故、こういうことをベッドの上でするようになったのか。

　それも俺がされる側で。

「……っん、ふっ……ぁ……っ」

　大きく広げた足の間で、ウォルが俺の性器に触れている。

　硬く勃ち上がったペニスは、既に一度達していた。先からこぼれ続ける液体を長い指にまとわせ、ウォルがピンク色の舌で俺のペニスを舐め上げる。

「あァ……ン……ッ！」

「カリヤ、抑えなくても、声は遠慮せず出してほしいな。ここには私とあなたしかいないのに」

「……っは、ずかしいからむりぃ……」

　無茶振りしないで、王子様！

　俺の上げるその手の声に、反応するのはあなただけだから！　俺自身でさえドン引きしてるの！

　だって……だって気持ち良すぎて我を失って大声上げてよがる俺の声なんて、俺自身が聞きたくないんだが!?

　――もちろん、事の最中にそんなすらすらとしゃべれる訳がない。代わりに俺の喉は、甘ったるい喘ぎをこぼし続ける。

「……あっ、あっ、あんッ、あン……っ、んン……ッ」

　チュパチュパと音を立てながら先端を吸われると、腰がどうしてもうごめいてしまう。尻に入った二本の指を、股を開いた格好できつく何度も締めあげる。

「ん……っく、あぁ……」

「恥じらい続けるあなたもいいけれど、ゲイリアスで最後の夜なんだから、私を大胆に求めてほしいというのは……駄目？」

「はぅン！」

　ナカの良い場所をいじられ、彼の口元にペニスを押しつけるように腰を浮かせた。

　喉の奥まで導かれ、強く吸われると再び達してしまう。

　ドクドクと吐き出される精液を、ウォルはいつも一滴残らず飲みこんでくれようとするのだけど、それだけは泣いて許してもらっている。

　だって俺はまだ飲めないんだよ！　ごめんね、まだなんというか、味というより抵抗感があって無理。

　それに……口よりナカで出してくれた方が、抱かれる立場としてはうれしいんだ……。

「……ぁ……」

「……私もあなたのナカで達していい？　カリヤ」

　口をぬぐい、耳元で囁かれた甘い声に頷く。

　よりいっそう足を開いて、彼を受け入れる場所をさらけ出した。

「……きて、はやく……あァ……ッ！」

　指が抜かれ、太くて熱いモノが奥へと侵入してきた。気持ちが良くて、もっと、と腰が揺れる。重ねてくる彼の体を抱きしめ、もっと深く、根元まで貫いてほしいとその背に足を絡める。

「っはぁ、あ、あ、あっあァ……ん！」

「カリヤ、感じてくれてる……？」

「お、おくっ……んンッ、ぁあ、あ、そこ、……イイ……ッ」

「……ここ、が、いいのっ⁉」

「ひ、ア……！　んっく、ん……ふアッ、あン、あ、ア、アァー……ッッ！」

俺を抱く男が激しく動く。

奥深くまで抜き差しされ、ぐりぐりと容赦なく前立腺(ぜんりっせん)を刺激されたら、前でも後ろでも達してしまった。

ウォルも、そのままきつく俺を抱きしめるとナカで達してくれて、それが自身の気持ち良さよりもうれしかった。

……その後、五回は達してくれたと思うんだが、正確な数は覚えていない……。

「鍵(かぎ)よーし、ガスの元栓よーし、電気のコンセントよーし」

旅立ちの朝。

外に繋がるガレージには、白いオコジョが見送りに来ていた。つい最近まで整理前の素材が山と積まれていたガレージには、もう何も置かれていない。

アイテムで必要なものは、ホームのインベントリから自分のアイテムボックスに移している。

しばらくホーム内のアイテムは使えない。リターンホームを唱えてゲイリアスまで戻ってくるか、または――。

『マスター、こちらがお望みのホームキーとなります』

オコジョが二本足で立ち上がり、うやうやしく両手で差し出した金色の鍵を受け取る。

俺のホームが登録されている所在地を、ゲイリアスから別の場所に移転させるアイテムだ。

使うかどうかはまだ分からない。

もしかしたら俺は、アルティシアの王城のどこかにホームを設置するかもしれない。リターンホームで安全な場所に逃げたいからと、ゲイリアスの山中にホームを維持し続けるかもしれない。

小さく苦笑しつつ金色の鍵をアイテムボックスに仕舞い、俺は入り口で待つウォルに声を掛けた。

「お待たせ、行こうか」

『いってらっしゃいませ、マスター。ウォルド殿下』

深々と頭を下げるオコジョに見送られ、俺とウォルは冬の間過ごしたホームから一歩を踏み出した。

襲撃

荒れた岩肌の連なる山岳地帯を、ウォルと共に西へと移動する。

積雪はまだ窪地や岩の陰などにかなりの量が残っているが、一晩中吹雪が続くというような天候ではなくなった。

俺の用意出来る結界は、敵の侵入は防ぐが、自然現象は素通りさせる。吹雪や雪崩に巻き込まれる可能性を考えると、ゲイリアス山脈に春が訪れたのだとはっきり判断出来るまで、動けなかった。

杖をつきながら、どこまでも続く山岳地帯を稜線沿いに歩を進める。

目視で彼方にあるジャンプ地点を確かめ、切り立った峡谷を跳び越えるように転移する。

風雨に崩れた大岩の陰から襲い掛かってくるモンスターの攻撃は、杖に付加した初手無効で受け止めて反撃する。激しい戦闘によって崩落する足場に、新たな転移先を見繕ってジャンプする。

モンスターよけの香は意味がない。

吹きすさぶ強風に、匂いがすぐに風下へと流されていくからだ。

日中はそうやって、戦闘をしながら移動して。

だが夜になって気温が下がると、山岳地帯の天候は急激に悪化する。

暗闇の中での移動はほぼ不可能だ。

なので休息を取ることになるが、テントを張れる平地はない。谷間に降り、林立する大岩の陰など、風が避けられる場所に簡易結界を設置する。

雨の降る中、防水シートを端に結んだ支柱を一本だけ立てた。

　支柱を挟むようにして二人身を寄せ、防水シートを広げて体を包み込む。そのまま一晩、座り込んだ姿勢で風雨をしのぐことになる……タキリン城砦から脱出した直後も、こんな感じで野宿していたっけ。

　体の半分は防水シート越しに叩きつけられる雨粒を感じ、もう半分は隣に座る相手の温もりを感じ取る。

　火を熾すことは出来ないが、温かな食事はアイテムボックスの中に入っているから、マグカップに入ったスープを取り出して体を温めた。

「……カリヤが、春が来るまでゲイリアスを出るのは無理だと言っていた意味が、よく分かった」

　手袋をはめたままの手でマグカップを持ち、ウォルがしみじみと呟いた。

「今降っているのが雪なら、朝には雪に埋もれて出られない気がする」

「だろ？　目視出来ないから日中のジャンプも難しくなるんだ。何も見えないホワイトアウトのなかで、身動き出来ずに死んでいく。ゲイリアスで怖いのは、襲い掛かってくるモンスターじゃない。自然現象だ」

　雪山は、遭難するのが一番怖い。

「……まぁ、こんなひどい天候も今夜までだ。明日にはゲイリアスを降りる。山脈の中腹に広がる森林地帯を抜けて、麓の原野までたどりつけるだろう」

「ティシア国内に入る訳だな」

「国内と言っても、人の住む集落を訪れるつもりはないけれどな。物資は足りているし、敵もカザリン殿下たち以外の味方も、まだウォルが大樹海に留まっていると思っているから」

　だから誰にも目撃されないように、身を隠しながら移動する。ティシアの王子が、ゲイリアスを越えて自国に戻ってきたと分かれば、王都にたどりつく前に消そうと追手がかかる。

「特に、クラシエルの転生者たちには気づかれないようにしないと。一気にウーリス湖まで移動するぞ」

大小の石が無造作に転がる荒涼とした原野が続いていたが、地面は緑に覆われていた。

緩やかに起伏する原野のあちこちには、色とりどりの花が咲いている。

ティシアの国土は豊かだ。このゲイリアスに隣接している一帯も。最低限にしか開拓されていない理由は、他に更に条件の良い土地があるからだろう。

この辺は平地ではないし、たまにはぐれのモンスターが山から降りてくるからなー。わざわざ危険な山脈沿いに住まなくても、充分に生活出来るんだ。

もちろん、山には山の恵みがある。

俺の生まれ育った小さな村も、そういう山の恵みで暮らしていた(まあ、元々は他の土地で暮らせなくなった者が逃げてきたんだと思うけどねー。俺の祖父母もそんな感じだったし)。

見晴らしの良い、丘陵の高くなった部分を選んで進む。

道なんてない。人の往来がないのだから。


ゲイリアスを降りたら、世界は一変した。


「カリヤ」

ウォルが静かに俺の名を呼んだ。

「……あなたの生まれ育った村は、ここから遠くはないんだろう？　立ち寄らなくてもいいのか？」

「俺がゲイリアス出身だということを、冒険者ギルドは知っている。もしかすると待ち伏せされている可能性があるし——もう家族は誰もいないからな。いいんだ」

……クロエ平原の戦場から、アロワは無事に家族の元に戻れただろうか？

あまり良い思い出の少ない村で、最後まで親しく接してくれていた、俺の幼馴染(おさななじみ)——。

知り合いはいる。だからこそ、寄ることは出来ない。俺は視線を上げ、周辺を警戒するために開けているシートの合わせ目から、降りしきる雨の向こうの暗闇を見つめた。

ゲイリアスの雪解け水を運ぶ細い川はジャンプで跳び越え、丘陵のあちこちに点在する小さな林は迂回する。

「カリヤ、あれは――」

丘の頂で、ウォルが彼方を指さす。

かなり先に、丘と丘の間を移動する人々の長い列が見えた。

帰属を示す旗を立てていないから、軍ではない。旅をしている隊商でもない。

そうではないと、のろのろと南に向かって進む彼らの姿を見ただけで分かった。

アイテムボックスから望遠鏡を取り出し、無言でウォルに渡す。受け取り、覗き込んだ光景に彼が絶句しているのが分かる。おそらく、あの行列を初めて見るのだろう。

「――これまで住んでいた土地を捨て、戦乱から逃れる人々だ。見て分かるか？　冬物のコートの下に着れるだけの衣服を着こんでいる。連なった荷馬車には、限界まで家財道具を積み上げて、動けない老人や子供を乗せているようだな。後は徒歩だ。背負えるだけの荷を背負い、だから歩みは遅い」

「……麦の種を蒔く、季節のはずだ。それに農地を捨てるなんて、あの者たちの領主が許さないはず……」

「それどころじゃないんだろう。クラシエルが制圧している範囲はもっと北だと聞いていたが、彼らの住んでいた村も危なくなったんだろうな。皆殺しにされたくないから、先祖代々暮らしていた地を捨てて逃げる」

言葉もないウォルに、俺は現実を教える。

似た光景はこれまで幾度も見てきた。

前世では映画や書籍の中で。今世では現実として、貧窮を極めた辺境生活の中で。

「……成人男性の数が少ないのが分かるか？　徴兵されたからだと思う。村に残されていた、老人と女子供ばかりの一行だ。このまま敵兵や盗賊に遭遇し世の中の因果すべてが自分の責任に繋がるなんて、考えちゃいけませんよ、次期王様。

背すじを伸ばした姿勢で、こぶしを固く握りしめ、ウォルが原野を進む難民の列を見つめている。

「……あの者たちに私が出来ることは、早くこの戦争を終わらせるくらいなのだろうな」

「そうだ。戦争が終われば、住んでいた土地に戻れるだろう。今、出来るのはそれくらいだ」

——近づいて、助けたりはしない。

あの一行が、どこか安全な場所に落ち着けるまで護衛をするとかはしない。不足している物資や食料を渡すこともしない。

今、ティシアにいないはずのウォルド王子が存在することを明かすのは、〝こちら〟にとってデメリットしかないから。

だから〝俺〟は彼らを見捨てる。

「……時間をかけすぎた。先を急ごう、ウォル」

「カリヤ、あれは!?」

たり、モンスターに襲われることなく別の地にたどりついても、温かく迎え入れられることはほとんどないだろう。自分の土地を持っていないから、小作として雇われるしかない。貧しく過酷な生活の中、飢えて弱った老人が死に、娘や子供がはした金で売られていく」

「……私、の」

「『責任』か？　馬鹿なことを言うな。責任ってのはトップが取らなきゃいけないのかもしれないけれどな、それは違う。逃げ出す原因を作り出した、戦争が悪い。戦争を吹っ掛けてきたクラシエルが悪い」

難しいことは考えるな、と俺はウォルに告げる。

「侵略戦争はな、どんな理由をつけようが侵略してきた方が悪いんだ。あちらがどんな正義を振りかざそうが、それはあちらの正義であって、こちらのものじゃない。あちらの正義に沿うことはない。あなたは、あなたの正義に従え」

「——ああ」

原野に伸びる難民の列の向こう、小高い丘の上に集団が現れたのが見えた。

数頭の騎馬が丘を駆け下り、数十人の集団がそれに続く。気づいた難民たちが、家財道具を積んだ荷馬車を捨て、周囲に散るようにバラバラと逃げ始める。

「――クラシエル軍だ」

アイテムボックスからもう一つ望遠鏡を取り出して、彼方の状況を確認する。

最初に難民の列に躍りかかった騎兵が、逃げようとする老人を嬲るように斬り殺していた。興奮した馬が、転んだ子供を容赦なく蹴散らす。

遅れてやって来た歩兵に、略奪に遭っている荷馬車。若い娘の姿が、複数の兵士に囲まれて消える。

「カリヤ！」

「一人も残さずに殺せるか!?　あそこまで助けに行こうと思えば、ジャンプで近づく必要がある！　ティシアにジャンプが使える者は、転生者は俺一人だけだ！　あいつらはあの集団だけじゃない。軍なら補給担当が近くにいる。俺は戦闘職じゃないから、どうしても取り逃がすぞ。一兵でも逃がせばあなたが、ウォルド・ティシアが、祖国に戻っているのだとクラシエルにバレる！」

俺の外見は特徴的だ。

オリーブ色の肌を持つ者は、中央国家群の東部以外にはほぼいない。外見だけで、ウォルド王子と共に逃亡した転生者だと判別出来る。

その俺の姿をティシア国内で見かけたと、クラシエル軍の上層部にまで伝わったら。

クラシエルの転生者たちが出てくる。

ジャンプを駆使して瞬時にやって来る。彼らに見つかってしまえばそこで終わる。

「――だが、彼らは私の民だ。私は、彼らを守護する者だ！」

「ウォルド殿下！」

鋭く、俺は彼の敬称を呼んだ。

「自身を危険にさらすつもりか!?」

「アルティシアに戻るまで死ぬつもりはない。カリヤなら、あの敵すべてを倒すのは無理でも、撃退することは出来るだろう？　私もここから援護する。七連弓を貸してくれ。必中効果のあるあの弓なら、心得がなくても魔力があれば射てる」

「自分が行かないというのは正解だ。だが、蹴散らしてからどうする？　明日には追手がかかるぞ!?」

「今夜中にウーリス湖まで移動する」

「――バイヤールか！」

夜間の移動といえば、あの精霊馬たちだ。

たしかに彼らが本気になれば、ウーリス湖まで走り抜けられる距離だ。クラシエルの転生者たちが知る前に、転移ポータルまで逃げ切れる。

出来る限り目立たないつもりだったから、バイヤールたちの助力は考えていなかったが、クラシエル軍と一戦交えてしまえば今さらだ。

「私は、私の民を救いたい。だからカリヤ。あなたの力を貸してほしい――」

――うん、それでいい。

俺はウォルに微笑みかける。

彼らを見捨てるという選択は〝俺〟のものだ。

だが、あなたは違っていていい。あなたは〝あなた〟として振る舞えばいい。

「あなたの御心のままに、ウォルド陛下――」

名も無き民

アイテムボックスの中から、七連弓を取り出して渡す。

「MPポーションの使用は三本まで。逃げ出そうとする者を優先的に狙ってくれ。俺があの場を制圧したら合流して、待機しているはずの残りを叩きに行く」

「分かった」

頷いたウォルに、襲撃されている難民へと視線を移す。ジャンプ一回で到達出来る距離だ。なのでためらいなく転移した。

出現したのは襲撃現場のかなり上空。

眼下で繰り広げられている状況を把握する。

クラシエル軍の兵士は皆、軽装だった。手足のガードはもちろん、兜や胴回りを保護する鎧さえ身に着けていない者もいる。

前線で戦っている部隊ではありえない格好だ。おそらく兵站を担当する後方部隊で、敵との遭遇を想定していないんだろう。北からの侵攻に備えるティシア軍が、ゲイリアス山脈沿いに展開することはない。

相手が非戦闘員だからと襲い掛かった、盗賊そのものだ。

両手を上げて、振り降ろす。

俺が継続して操れる風の刃は二つまで。だがＭＰが続く限り、自在に誘導は出来る。イメージは前世に使っていた電動草刈り機の刃だ。触れるものすべてを切断する、回転する風の円盤――。

難民のものではない悲鳴が響き渡った。

無警戒だった敵兵の首を、魔法で続けざまに切り裂いていく。手を上げて庇おうとした兵に対しては、手首ごと切断する。

頭上から見下ろす体勢では、下半身は狙えない。

頭を、腕を、肩を、腹を。回転する不可視の刃で容赦なくクラシエル兵を攻撃する。

手甲に仕込んでいた光玉が、パリンパリンと澄んだ音を立てて順に砕け、魔法継続で瞬く間に減っていくＭＰを補充する。

七連弓から射ち出される炎の雨の中、俺は難民の集団の中にマントを翻しながら着地した。

制圧はあっという間だった。

馬に乗る隊長格を倒せば、後は烏合の衆と化した。

討ち洩らした敵兵は徒歩で逃げ出している。馬は傷つけず確保しておいたから、乗ればすぐに追いつける。

片手を上げてウォルに合流するよう合図する。

マントのフードを深く被ったウォルが、俺の隣にジャンプで出現した。転移で現れた彼に、難民たちの間からどよめきが起こる。

ちなみに難民たち、先ほどから地面に平伏している。こちらに対して、敵意がないのを示しているんだろうか。

「て、転生者様方、危ないところをお救いくださり、ありがとうございました……！」

集団のまとめ役らしい老人が、地面に額をこすりつけながら震える声で礼を言った。

なるほど。ジャンプをしてみせると、イコールで転生者という認識になるのか。NPCでは、魔法の上限ランクBを極めたうえで、ランクアップアイテムを装備しないとジャンプは使えないからな。

「……カリヤ。怪我をしている民がいる。ポーションを渡せるか？」

表立って正体を明らかにするつもりはないんだろう。俺の背後に立って囁いたウォルに頷き、HPポーションの詰まった木箱を取り出して足元に置く。百本入りが二箱もあれば、今負っている怪我は治せる……介入が早かったので、女たちは無事なようだった。

良かった。

「あー、ご老人。俺はティシアの、現王であるウォルド陛下に仕えている。敵じゃない。味方だ」

安心しろ、と俺は顔を上げた老人に笑いかけた。

「南に向かっているようだが、目的地はブラットル領か？」

そうです、と老人が頷く。

震え続けている彼に、俺は緊張をほぐそうと砕けた口調で続ける。

「そうか。無事にたどりつけるよう付き添ってやりたいところだが、王都に戻ろうとされているウォルド陛下の護衛中だ。せめて、さっきの敵兵が追ってこられないように潰しておいてやるから。ブラットルまで五日も歩けば着くはずだが、食糧は足りて……いなそうだな。少しだが置いていこう。燃えた家財は捨てて、荷馬車に積んでいくといい」

どうせもう転生者だとバレている。なので遠慮なく、大きな袋に入った麦と干し肉、塩をアイテムボックスから取り出した。これにその辺の草でも摘んで煮れば、雑炊として食える。

五日と言ったが、彼らの足ではブラットル領まで十日はかかるかもしれない。

「……ポーションはすぐに怪我人に使ってやれよ。じゃあな、最後まで面倒を見れなくてすまない」

「転生者様！　――国王陛下が、ティシアに戻って来られたのですか？」

顔を上げた老人の頬に、涙が光っていた。

「ど、どうぞ、王をお守りください。よろしくお願いいたします！　このままでは、ティシアはクラシエルに滅ぼされてしまう。王の存在は、我らの最後の希望です」

「……戻ってきてくださった……」

「我らの王が、祖国に」

平伏していた者たちが顔を上げている。狂おしいほどの感情が伝わってきていた。

「――ウォルド陛下は戻って来られた！　もうクラシエルの好きにはさせない！」

片手を天に突き上げた俺の宣言に、悲鳴にも似た歓声が沸き起こった。

逃げたクラシエル兵を追うために、傍らに待機させていた馬の背に乗りこむ。俺とウォルで二頭。残りは難民たちに使ってもらえばいい。

馬首を北へと向け、別れを告げて難民の元から去る。

最後までウォルは被ったフードを外さなかった。

――まぁ、王様本人が助けに来たのだと、教えることも出来なかっただろうけど。

そして今も外さず、並んで馬を駆っている。

難民の列から追い払ったクラシエル兵は、皆同じ方角に逃げていた。

ゆるやかにうねる丘陵以外、遮るものもない原野だったが、前方に糸杉が小さくまとまって生えているのが見えていた。軍の部隊が潜伏しようとするならあの場所が最適かと、俺は目を細めて前方を見る。

必死に逃げている兵士の背を、馬に乗ったまま弓を構えて射抜く。

兵が口々に叫んで、前方の林に隠れている仲間に助けを求めている。その背も容赦なく射抜いていく。誰一人逃す訳にはいかない。

最後の一人だろう兵の背を射抜いた。

「……おかしいな、何故助けに出てこない？」

林の脇に、何台もの荷馬車が停(と)まっている。馬は繋がれていなかった。

探知魔法で周囲を探ると、もう人の反応は林の中だけだった。逃亡した兵士の掃討は終わっている。

だがその林の中から感じる反応が、微妙に弱い。

ゲームのようなこの転生後の世界に、パネルウィンドウは存在しない。ステータスやレベルも目には見えないから、ただ〝なんとなく理解出来る〟といったあやふやな感覚で処理することになる。

林の中に複数の人間が潜んでいるのは分かるんだが、それがどうも敵っぽくない。味方でもないけれど。視線が通らないから〝鑑定〟も出来ない。

林から少し距離を置いて、馬を止めた。

「――林の中に二十人くらい潜んでいる。だけど敵ではないようだ。味方って感じもしないけれど」

隠れているので鑑定出来ないと、ウォルに告げる。

「……心当たりはある。たしかに敵ではないかもしれない。味方でもないが」

そう答えたウォルが、馬上から林に向かって凛(りん)とした声で呼びかけた。

「――クラシエル軍に雇われた冒険者か？　すみ

やかに我々の前に姿を現せ。現れなければ、気づかなかったことにしてその林ごと焼き尽くす――〝炎の槍(フレイムランス)〟！」

ウォルが右手を上げ、振り下ろした。空から落ちてきた炎の柱が一台の荷馬車を貫いた。

高く炎を上げて燃え始めた馬車に、林に潜む気配がざわつく。

やがて、両手を上げて戦闘の意思がないことを示す男たちが、林の中からゆっくりと姿を現した。

「……カリヤ、彼らはクラシエルに雇われた冒険者だ。冒険者ギルドに所属したことがないあなたは知らないだろうから、今教えよう。戦争に冒険者が参加する場合、二つのパターンがある。一つは傭兵(ようへい)として。これは傭兵ギルドと同じ扱いになり、個の兵士として契約を結び、参戦する。もう一つは冒険者ギルドに出された依頼を受けた場合。護衛や伝令が任務となり、戦闘行為には一切参加しない。ギルドからの依頼は強制招集が多い。彼らが積極的に動かないのは、強制されて戦場に来たからだろう」

前世のゲーム内では存在しなかった設定を、ウォルが淡々と教えてくれる。

「今回は輸送物資の護衛だろうか。モンスターや盗賊など戦争以外の外敵から守る任務だ。この護衛依頼を受けた冒険者は、ギルドが用意した白タスキを肩から掛けて誰もが一目見て確認出来るようにする。この白タスキを身に着けた冒険者を、戦争関係者が攻撃することは許されていない。また冒険者も、敵味方問わず一切の戦争関係者に対する攻撃を許されていない。攻撃した場合、白タスキが解けるので一目で契約違反が分かる」

「……その通りだ。我々は強制招集で参加している。あんたたちと戦うつもりはない」

ウォルの説明を聞いていた赤毛の冒険者が、両手を上げたまま声を掛けてきた。

「俺たちの任務は物資の護衛だった。これまでも、一切の戦闘行為に参加していないのは白タスキを確認してくれれば分かる」

「まず、身に着けている武器をすべて足元に置け。それから五歩、後ろに下がれ」

無言で冒険者たちが装備していた武器を外し、足元に置く。

だが、一人だけ抵抗する者がいた。舌打ちをした男が腰のナイフを抜き放ち、ウォルに向かって投げつける。

「魔法使いさ――」

ウォルは初手物理攻撃無効のアイテムを身に着けている。一撃目はオートで弾く。

ナイフは見えない壁にぶつかり、跳ね返される。

「――さえ、先に殺せば勝てるとでも?」

俺の放った矢に眉間(みけん)を貫かれ、攻撃をした男が地に膝(ひざ)をつき、倒れた。

解けた白タスキが風に舞い、荒野の向こうに飛んでいく。

なるほど、攻撃を行ったら自動で外れてしまうのか。

「……話が聞きたいだけだ。今のところは」

「すまなかった。こちらはパーティーで動いている訳じゃない。強制招集で集められた他人ばかりなんだ。バカなことを考える奴はもういない。ちゃんと協力する」

聞きたいこととは？

彼がこの集団のリーダーなのだろう。両手を上げたまま、代表して問いかけてくる赤毛の男に、ウォルは静かに尋ねる。

「荷馬車に馬が繋(つな)がれていない。残っていたクラシエル兵が、どこかに応援を呼びに行っているのか？」

「いや。この部隊は、隊長に至るまで先ほど襲撃に行ってしまったよ。馬は、空の荷馬車を繋げて連れて行ったんだ。……もう、誰も帰ってこないのか？」

「それにしては襲撃者の数が合わない。ここに残されている物資の量からして、本来もう少し規模の大きい部隊では？」

確認の言葉に、赤毛の男が精悍な顔を歪める。

「……二日前に、別の……ティシア軍の部隊を襲撃している。その時、手に入れた〝捕虜〟を、後方へ輸送するために人員を割いた。だから今は人数が少ないんだ」

「非戦闘員ではないのか？　襲撃したのは」

「ギルドの招集を受けている冒険者は、一切の戦闘行為に関与出来ないんだ！　ただ見ているだけしか出来ない！」

「……あ……」

悲痛に叫ぶ赤毛の男の頰はこけ、無精ひげに覆われていた、青い瞳の下にはクマが浮き出ている。

だが俺はその顔を知っていた。休憩所の焚火を仲間と共に囲み、楽しそうに笑っていた赤毛の青年――。

「――そうか。もうおまえたちの所属していた部隊の兵は戻ってこない。おまえたちはクラシエル軍から委託された物資をここで失うが、命だけは助かる」

「……接収するのか？」

「ティシアの民から略奪した物もあるのだろう？　クラシエル軍に渡すつもりはない。我らの物を返してもらうだけだ。――収納してくれ」

ウォルの言葉に、俺は並ぶ荷馬車の近くに転移した。

冒険者たちが驚く中、馬車ごと物資をアイテムボックスに放り込んでいく。まだ燃え続ける一台を残してすべて放り込み、俺はもう一度転移した。

次は冒険者たちの目の前へ。

地面に落ちていた武器を、腰を屈めて触れて収納していく。感情を乗せない声で、ウォルが告げた。

「命だけは助ける」

「……なぁ」

すべてを片づけた俺は、立ちすくんでいる赤毛の男の前に歩を進めた。

「……おまえはいったい何をしているんだ？　何もしてないなら、それでいいと考えているのか？　冒険者というのは、名も無き民の味方じゃなかったのか？　なぁ」

ウォルには聞かれたくなくて、小さな声で彼の名を口にした。

「キース」

「……ア、ロワ……？」

北部諸国連合の地で、パーティーの仲間と共に隊商の護衛をしていた赤毛の青年が愕然とした表情で俺を見た。

視線を振り切り、ジャンプで自分の馬の元に戻る。

冒険者たちはもう、武器も馬も持っていない。雇い主であるクラシエル軍に合流するのに数日はかかるだろう。このまま放置していても構わない。白タスキを身に着けた彼らを始末して、冒険者ギルドを刺激することは避けた方がいいから。だから命は奪わない。

ああ、だけど、

――あの時、縁があれば再会出来ると口にした。

こんな再会は、したくなかった。

馬に乗り、俺はウォルと共にウーリス湖を目指して走り出した。

若き王の帰還

二頭の馬を並べて、どこまでも続く原野を駆ける。見渡す限り、人も獣も存在しなかった。

静かな世界だ。この地のどこかで、今も戦争が行われているなんて思えないほどに。

夕暮れまで馬を走らせ、地平線に赤い夕陽が沈んでからバイヤールを呼ぶ笛を取り出す。

星の瞬き始めた夜空に高い笛の音が響き、どこからともなく白い霧が集まってくる。周囲が白く染まり、霧の中から複数の馬の足音が近づいてきた。

『久しいな、乙女の主！　いつ誘いが来るかと待ちわびていたぞ！』

ふはははと笑いながら、漆黒の巨体を持つ精霊馬が霧の中から現れる。

「元気そうだな、バイヤール。ユキとイサクも元気にしているか？」

『もちろんだとも！　我が最愛の乙女は変わらず美しく、愛息子も健やかに育っておるわ』

そなたらのおかげだ、と人の言葉を操れる黒馬は楽し気に告げた。

十数頭の配下の馬も姿を現し、俺たちは黒馬の群れに取り囲まれた。

『さて、どこに向かいたいのだ？』

「ウーリス湖畔に連れて行ってほしい。転移ポータルがあるんだ」

『ああ、〝見える者にしか見えない祠(ほこら)〟か。たしかにそなたには見えるのだろうな。我には見えぬが、大体の場所は分かる。その近くまで運ぼう』

ウーリス湖の転移ポータルは、非金属系生産職のイベントをクリアすると解放されるポイントだ。戦闘職であるクラシエルの転生者の目には見えない。

もし、ウォルと俺がティシアに戻っているのを知って、ウーリス湖のポータルを使おうとしていると気づいて、該当イベント経験者の非戦闘職をパーティーに入れた状態で今夜中に駆けつける。

不可能だ。だからそのポータルを目指す。

『彼の湖なら、我らが本気を出せば夜明け前までにたどりつけよう。乙女の主は我の背に乗るがいい。そこの……連れは……』

視線を移し、ユキの旦那(だんな)が黙り込んだ。

黒い瞳でウォルをガン見している。なんだなんだ、と他のバイヤールたちもウォルを見て、そのまま動きを止めた。

『……なるほど。この気配、番(つが)いとなったのか。牡(おす)同士だが』

「ぶっ⁉」

本気で吹き出した！

鼻先を近づけ、ユキの旦那がクンクンとウォルの匂いを嗅いで頷いた。

『うむ、乙女の主の方が染められておるようだな』

「なっ!?　なっ!?　なっ!?」

『よいではないか！　番いを得るは喜び。真実の愛というものは良いものだぞ。乙女の主の番いよ、良き伴侶を得ることが出来たな。大事にすると良い！』

「ありがとう」

バレてる――――っ！

しかも気配というか匂いで！

ふらっと倒れ掛かった俺を、これまで乗っていた馬が鼻面を添えて支えてくれた。

大丈夫？　と大きな瞳が向けられる。シンパシー能力を有しているこの世界の動物、いたわりの心が胸に痛い。

とりあえず、連れてきた馬二頭を放置することは出来なかったので、以前のようにバイヤールたちに託した。

精霊界で幸せに暮らしてくれ。

俺はユキの旦那の背に乗り、ウォルは他のバイヤールの背に乗る。

白い霧に包まれたまま、夜の移動を開始する。

ウーリス湖の畔に、その小さな転移ポータルは存在した。

何の妨害を受けることもなく、俺たちは東の空が白み始めた頃にその地に到着した。

礼を言ってバイヤールと別れる。

陽の光が世界を照らす前に、霧と共に黒馬たちは去っていった。また遠慮なく呼ぶがいいと、ユキの旦那は楽しそうに笑っていた。

良い牡馬だ。

湖畔にポツンと存在するドーム屋根の建物。

ゲーム《ゴールデン・ドーン》の世界に無数に存在していた、一か所とだけ行き来が出来る小さな転移ポータル。ここが繋がっている転移先は、ティシア王都であるアルティシア近郊に存在する転移ステーションだ。

扉に触れると、シュンと音を立てて扉が左右にスライドした。少しSFチック。

ウォルと一緒に中に入り、念を入れて内側から鍵を掛けた。建物の中央の床に存在している転移ポータルに近づき、操作盤のメンテ用の蓋を外す。

「……っし、携帯電話のエネルギー確保。これでカザリン殿下と話が出来るはずだが、時間は五分で切り上げてほしい。俺たちが移動するＭＰがなくなる」

「分かった。ありがとう、カリヤ」

操作盤の内部とケーブルで繋げた携帯電話をウォルが受け取る。

事前に打ち合わせていた通り、アルティシア側との連絡は彼に任せ、俺はその他の準備に取り掛かる。

アイテムボックスの中から久々の行水セット出現！

防水シートを敷き、大きなたらいに湯を張ってシャワーセットも取り付ける。着替えも準備。フロストドラゴンメイル、初お目見え！

じゃん、と取り出せば、ウォルがめちゃくちゃ感動してくれた。ずっと秘密にしていたからな！　それからテーブルと椅子を用意し、鏡やブラシなど身だしなみを整える道具を並べる。あ、カミソリセットも。

なんとウォルさん、朝にはおヒゲを剃るようになりました。

大樹海に滞在した頃から手入れしていたそうだが、あそこは俺が用意しなくても揃っていたから気づかなかった。

自分用が必要になったと申し出られた時には動揺したが、考えりゃ俺も使っている。だが、美少年が成長したんだなーと思うと、ちょっぴり胸が熱くなった。

カザリン王女は、今のウォルの姿を見たら驚くだろうな。

もう彼が、双子の姉の身代わりをすることは出来ないだろう。どこからどう見ても、成長著しい美青年だ。

「――カリヤ。姉上と話がついた。ステーション側のポータルの封印を外す手間と、迎えの家臣の移動時間を考えると、昼ちょうどに転移してほしいそうだ」

「仮眠は無理だが、食事をする時間はありそうだな。ウォル、先にシャワーを浴びてくれ。それから朝ごはんを食べよう」

分かった、と頷いたウォルがたらいへと向かう。

その間、もう一つテーブルを出して朝食の用意。携帯電話のケーブルを外して蓋を戻し、ポータルの操作盤に使った分のMPを補充しておく。

ウォルが髪と体を洗い終わって出てきたら、交代で俺もシャワーを浴びる。

手早く洗い終わると、待ち構えていたウォルが俺の髪を乾かしてくれた。

「カリヤの髪を乾かすのは、私の役得だから」

そう、にっこりと笑いながら言われたらお願いするしかないんだが、役得？　役割じゃなくて？

時間をかけて、一緒に温かな朝食を食べた。

それからきっちりと身支度を整える。

一目見て、国王と分かる装いを。

正統なる王が帰ってきたのだと、出迎えに来たすべての臣民に知らしめないと。

光沢を帯びたパールホワイトの鱗。小さな鱗ばかりを重ねているから、遠目に見ると一枚の金属のようにも見える。鎧のランクはAで、ランクアップアイテムを身に着けることなくNPCが装備出来る最高峰だ。

手甲もブーツも、ドラゴンメイルシリーズでまとめてみました。鎧の下には、特殊効果を付加した各種アクセサリーをじゃんじゃん仕込むぜー。

腰に差すのは、柄に魔法媒体のエメラルドをはめ込んだミスリルの剣。ミスリルと銀なら、非金属系生産職にも扱える。呪文効果を高める装飾を鞘に施した。

　それと世界樹の枝で作った魔法攻撃用の短杖。コロポックルたちが、お母さんからもらってきてくれた特殊素材だ。

　こちらは素材のランクに俺の腕が負けた。形を整えるのが精いっぱいで、何も加工が施せてない……生産職のランクを上げたい。切実に。

　黄金に輝く髪を整え、ティシア王室に伝わる宝冠を頭に載せる。

　一度ざっくりと短く切った金の髪は、脇の下辺りまで伸びていた。耳を見せたいとウォルが言ったから、横の毛はブラシを使って後ろでまとめ、髪と同じ金色の糸で縛る。

　うむ、すっきりと宝冠が見えるようになったぞ。

　足元まで届く長さの、白いマントを両肩で留める。彼の俺的イメージカラーは白と金と緑だから、白いマントの留め金もエメラルドと金で。

　俺の目の前に、超絶美形の国王陛下がいらっしゃいます。

　なに、このキラキラしい装備に身を包んだ、絶世の美青年。国民、皆が一目見て惚れると思う。俺は惚れた。

「惚れてくれてありがとう。次はカリヤが着替えて、私に見せてくれる？」

　ウォルに正直な感想を告げると、苦笑しながら催促されてしまった。案外、鎧を着用するのは時間がかかる。それほど余裕がなくなったな、と俺もあわてて自分用に用意した服に着替える。

　まぁ、俺は生産職だから鎧は身に着けないんだけれどね。

　着るのはエルフ風のゆったりとしたズボンに、裾丈の長いシャツ。そして華やかな刺繍のある、襟元のかっちりとした裾丈の長い上着。今後、俺はこの服装をメインに着ていくことになる。

　ウォルと話し合って決めたことだ。

　前世は女性だったと今後自称する予定の俺だが、

さすがに今世でずっと女装をするのは抵抗がある。

エルフ男性の正装は、上着の裾丈がスカートのように長い。足元まで届く長さの場合もある。

大樹海に滞在中に、エルフからたくさんの服をもらってしまっていた。せっかくなので今後も着ようかと考えている。

どうだ、とウォルに着替えた姿を見せると、「綺麗だよ」とほめてくれた。

そのままブラシを手に取り手招きされたので、椅子に座って髪の仕上げを任せることにする。背後に回ったウォルが、俺の髪を手に取って梳き始めた。

「……カリヤ。私がタキリン城砦で使っていた髪留めはまだ持っている？」

「ああ、あの円環？」

預かっているよ、と俺は十センチくらいの金属の環をアイテムボックスから取り出した。

金属の環の表面には模様が描かれている。これまでまじまじと見たことはなかったが、そこには剣と星々――ティシア王家のシンボルが描かれていた。

俺の髪をくしけずり、一つにまとめたウォルが円環で留めてくれる。

「――いいのか？　俺が身に着けても」

「あなたは私の婚約者だ。不都合はない」

ブラシをテーブルの上に置き、ウォルが目の前に移動してきた。椅子に座ったままの俺の前で、彼はその美しい顔にかすかな微笑みを浮かべる。

「カリヤ」

手のひらで包み込むように俺の頬に触れ、彼はエメラルドの瞳を伏せた。

「……苦労をさせないとは、決して言えない。あなたと共に幸せになりたいから、私は出来る限りのことをする。だが、ティシアでは王家の権威は低い。アルティシアの宮廷で、あなたは苦労するだろう。欲に駆られた者はあなたを利用しようとし、心無き者はあなたを傷つけようと企む。だが、これだけは信じてほしい」

宝石の瞳が、まっすぐに俺の姿を映した。

「ウォルド・ティシアはあなたを愛している。この気持ちは決して変わらない。私があなたを裏切ることはない」

「――うん」

そのまま顔を寄せてくる彼を、目を閉じて受け入れた。

額に柔らかな唇が触れる。優しく口づけた唇が、ゆっくりと離れていく。

転移の魔法陣の脇にある操作盤から、アルティシア側の封印が解かれた合図が聞こえた。

出していた諸々をアイテムボックスに片づけている間に、ウォルが内側から閉めていた扉の鍵を外してくれた。そのまま鍵がかかっていたら、次に使うだろう相手に迷惑がかかるからな。アルティシアのステーションに転移したら、そちら側からもう一度封印をする予定だけど。……戦争中なので申し訳ない。終わったら自由に行き来出来るから！


約束した時間が来た。

小さな転移ポータルに二人で乗り、内側から作動させる。魔法陣の縁から金の光が現れ、ポータルを半円の形に包み込む。

振動が少しだけして、光がまた縁の中へと消えていく。

ポータルの周囲には、数人の騎士と侍女が待っていた。

現れたウォルの姿を認め、彼らが一斉に礼をとる。

「……お帰りなさいませ、ウォルド陛下。カザリン王姉殿下は、ルシアン王兄殿下と共にステーションの外でお待ちです」

顔を上げた白髪の老騎士は、ウォルの姿を見て眩しそうに目を細めた。

「――念のためにと着替えを用意しておりましたが、必要はなかったようですな。着用されている御召し物は、大樹海で手配されたものでしょうか？」

「これらはすべてカリヤが準備してくれた」

「……Sランク生産職……」

視線を向けてきた老騎士に、軽く目礼を返す。

「姉上を待たせるつもりはない。事前に打ち合わせたいことがあるなら、歩きながら聞こう」

白いマントの裾を翻らせて、ウォルが歩き始める。老騎士の手ぶりに、俺は彼のすぐ後に続く。どうやら話すことはないらしい。

ウーリス湖と繋がるポータルが設置されていた小部屋を出ると、警備に立つ兵が一斉に敬礼の姿勢をとった。

静寂が支配するステーションのホールを、足音を響かせてウォルが歩む。胸元にこぶしを当てた兵士が、通り過ぎていく王の姿に次々と頭を下げる。

建物の地下に設置されている転移ステーションから、階段を上がってホールへと出る。正面にある巨大な両開きの扉が、ウォルの歩みに合わせてゆっくりと外側に向かって開いていく。

うねりのようなどよめきが聞こえた。

アルティシア・ステーションの玄関は、地面より高い位置にあった。

その階段下の正面の位置に、美しく装ったカザリン王女がいた。彼女の少し後方に、黒髪のルシアン王子が騎士の礼装を着て立っている。

現れたウォルの姿を認め、彼女は泣きそうな表情で微笑んだ。

両手を交差させて胸元に押し当て、ドレスの裾をさばきながら彼女はその場で片膝をつく。彼女が膝をつくのと同時に、背後の者たちも最敬礼の姿勢を取りながら順に膝をついていく。

水面に広がる波紋のように、集まったすべての人々が順に膝をついて首を垂れていく。

彼の背から見た光景を、俺は一生忘れないだろう。

騎士の持つきらめく槍の穂先。風に翻る、白地に剣と星の天蓋をあしらったティシア国旗。そして出迎えに集まった人々の向こう、彼方に見える王都アルティシア。

――新緑に覆われた草原の中、高くそびえたつ白い外壁。

都の中央に位置する王宮を取り囲む高い尖塔が、いくつも天へ向かって伸びている。

きらきらと光を弾く白い屋根瓦。一目見た誰もが、その都の美しさを称える。

それは中央国家群、南方に輝く宝石。うるわしの白亜の都――。

ウォルが出迎えに応えるために右手を挙げた。

幕間

「……殺される。このままじゃあたし、殺されちゃう……どうして、こんなことになるなんて……っ！」


どうしよう、と〝少女〟は頭を掻きむしりながら、塔の最上階にある自室の中を歩き回っていた。

背を流れるまっすぐな黒髪は、乱暴な行為に無残にもつれていた。

いつも少女の側頭で美しく輝いていた、ミスリルの台座に宝石の花を咲かせた髪飾りが、振り乱す髪の端に絡まって揺れている。

美しい少女のはずだった。

錯乱した今の姿じゃ見る影もないけれどな――と開け放たれた扉の前で、イデはいびつな笑みを口の端に浮かべる。

腕を組んで扉に寄りかかり、彼は絶望の言葉を吐き続ける少女の姿を目を眇めて眺める。

この国の……タリスのＮＰＣはお人よしの間抜けばかりだった。誰も気づきやしなかった。

塔を有する城の主も、仕える騎士も、侍女も、下働きの老人子どもに至るまで。雰囲気だけは清楚で慎み深い、淫売の演技にあらゆる者が騙されていた。

「……どうしよう、どうしよう……。このままじゃ浮気したって殺される……あいつに、あたしが殺されちゃう……」

高い高い塔の上。

NPCの侍女は汗をかきながら、重い水瓶を抱えて螺旋の階段を上がる。主の寵愛を得た少女が、最上階で不自由なく暮らせるように。

魔法使いがいるのだから、水魔法を使わせれば良かったのに。

だが少女は魔法で作った水を嫌がった。森の泉から湧き出る清水が好ましいのだと訴え、彼女を愛した城の主は望むままに願いを叶えた。

感謝の言葉を述べる少女が、だが自分の足では急な階段を上らないことに、うれしそうに微笑むNPCは気づいていない。

少女が、自分のために汗をかく侍女の苦労を嘲笑いながらバルコニーで眺めていることも。

Eランクの彼女は、自分の取り巻きである男友達の〝ジャンプ〟で塔の上の自室まで移動する。

そしてそのまま寝室で、複数相手のセックスに溺れていた。

城の主は夜ごと塔に通っていたが、昼間は不在だ。

侍女の控える部屋は、息を切らして階段を上ってくる姿が見たいのだという少女のほの暗い欲望により、塔の外に設置されている。

塔の最上階で、少女は自由だった。

自由に男たちを引き込み、股を開いて快楽を貪っていた。

「よお、子どもが出来たんだって？　王族の仲間入りおめでとうー」

「――イデ！」

掛けられた軽薄な声に、清らかな美貌を醜悪に歪めながら黒髪の少女が振り返った。

「あんた、騙したわね!?　プレイヤーはどれだけナカに出しても、絶対に妊娠しないって……！」

「あぁー、アレ？」

自身も少女との乱交を繰り返していた少年は、クッと喉を鳴らして嗤う。

「嘘は言ってないけど？　プレイヤーの男は種ナシ。どれだけセックスしても妊娠しない。だけどさァ、王弟はプレイヤーじゃないだろ？　そろそろ落として三か月だったっけ。ヤること続けてたら、そりゃあ出来もするんじゃない？」

「なによ、ソレ!?　知らなかったわよ、そんなの！　あたしはEランクなのよ!?　《ゴールデン・ドーン》なんてゲームしたことないのに、そういうの知っている訳がないじゃない！　ハンサムだけど、結婚なんて考えてなかった！　あいつが帝国に行っている間だけの、遊びのつもりだったのに！」

　殺されるわ、と震える声で呟きながら、少女は自身の黒髪を掻きむしる。

「子どもが出来ちゃうなんて……あの地味男がいない間の、暇つぶしのつもりだったのに……」

「ちゃあんと避妊していれば良かったのにねェ」

うそぶくイデに、少女が美貌をゆがめた。

「だけどさ、もう王サマ一行まで連絡が行って、サキタの旦那も知ってるんじゃない？　王国碑に名前を刻まれちゃったもんなァ。妊娠させた女を、責任取って結婚する男って、女としてはうれしいんじゃないの？　おまけにイケメンだし。王弟だし。金持ちだし」

「あたしが先にサキタと婚約してなければね！……どうしよう、SSランクのプレイヤーを裏切ったのよ？　せめて王国碑に名前を刻まれなければ、ごまかせたはず……」

　MMORPG《ゴールデン・ドーン》の、元プレイヤーのサポートをするために設立された冒険者ギルドなら、この世界の常識を教えているはずだった。

　ろくに講習にも参加せず、結局この〝ゲームによく似た世界〟の仕組みを中途半端にしか知らない少女の言葉は滑稽で、イデは笑みを深くする。

「……ヘェ？　ごまかせるつもりだったんだ？」

「――うるさい。もうバレたんだから、王弟にレイプされたことにするわ。あたしは被害者なの。プレイヤーの女だから監禁されて、むりやり妊娠させられたのよ……」

「いや、このタリスの関係者に聞かれたら嘘だってバレるじゃん。ノリノリで王弟にすり寄って、恋人に納まっていたくせに」

「ッ！　そんなの！　口封じすりゃいいじゃない！　殴ってでも言うこと聞かせなさいよ！　あんたたちが！　相手はたかがＮＰＣなんだから！」

「この城の人間、一人残さず？　それもおもしろいかもだけどさァ、そんなコトしたらもうティシアにいられなくなるんだけど？」

「ティシアなんて、歴史だけあるド田舎じゃない！　どうせならあたしはラギオン帝国に転生したかった！　サキタが連れて行ってくれなかったから、だから留守番中にちょっとくらい浮気しても仕方ないじゃない！」

　その言葉、とイデは自分の赤茶色の瞳を細めて告げた。

「……ラギオンから戻ってきたサキタの旦那の前で言ってみる？　あの顔のせいっつーかあの性格で、こじらせまくってるからなァ、旦那は」

「――――」

「さんざん貢がされてさァ。自分を裏切った婚約者を、素手で八つ裂きにくらいはするんじゃない？」

「……いやだ、殺されたくない……」

「じゃあさ」

　オレンジの髪を持つ十六歳の少年は、涙を頬に伝わせる少女へ無邪気に告げた。

「サキタに殺されたくないんなら、いっそ自分から死んじゃえば？」

「――私は、あの子の自死は自業自得だったと思っている」

　パチリ、とイデは長いまつげを瞬いた。

彼の目の前には、クラシエル王妃がゆったりとソファーに腰かけていた。

ほとんどの元プレイヤーがそうであるように、彼女もまた美しい。

鮮やかな赤毛を結い上げ、くびれた腰も見事な肢体を、豪奢なドレスに包んでいる。とても出産したとは思えないプロポーションだ。顔立ちはきつかったが、強気な美貌は一国の王妃としてふさわしいのかもしれない。

〝タリスの悲劇〟より八年。

共にティシアを出た女は、隣国クラシエルの王妃の地位を射止め、昨年には世継ぎの王子である第一子を産んでいた。

クラシエルの至高の貴婦人となったSSランクプレイヤーは、手に持つ扇の下で苦々し気に赤く塗った唇を歪めた。

「あの男好き。どうせ浮気の末に、避妊に失敗したんでしょう。どうしようもなくなって自殺したに決まっている」

「えーと、王妃サマ。一応、アンタと〝彼女〟は親友同士なんだからね？　戦争を吹っ掛ける大義名分を忘れてもらっちゃ困るなァ」

「ええ。陛下に頼まれましたからね。ですから名前は貸しました。そういう設定にしてほしいって。クロエ平原での開戦にも協力したわ」

だけどね、とクラシエル王妃である女は扇で口元を隠しながら告げた。

「もう私は戦争には参加しない。サキタには王子の養育のためと告げたけれど、あなたにははっきり言っておく。あんなビッチのために、私は戦いたくない。陛下も戦わせたくはない」

「王サマも？」

「そう。あなたたちが焚きつけた、クラシエル王。王子誕生の知らせを聞いて国に戻っていらした陛下ですが、もう戦線に戻すつもりはありません」

これからは王都アルクラシエルの、私と王子の側にいてもらいますから。

　イデは赤茶色の瞳をゆっくりと細めた。

　ようやく、と王妃だけに聞こえる声で呟く。

「……サキタを忘れる気になったんだ……？」

　ピクリと扇を持つ手が震え、一拍の間をおいて王妃は嫣然（えんぜん）と笑った。

「――ええ。無駄な時間を使ったわ。私はあの女が嫌いだった。だけど、タリスに星を落として、ティシアを捨てた彼を追ってクラシエルに移り、クロエを焼いて。それでもあの女に狂い続けている彼にようやく目が覚めた。何よりも愛する存在が出来たわ。愛しい息子。息子には父親が必要だと思うの。陛下には安全な王都にいていただきます」

「いや、王サマはなんか自分からノリノリでティシアを蹂躙（じゅうりん）してるんだけど。新興国のクラシエルじゃあ、歴史の長さとか文化とか諸々で隣国（ティシア）に勝てないとか、サキタ並みにこじらせてるよなァ、王サマも」

「〝説得〟しました。――もう一人、いえ、一人と言わず、SSランクプレイヤーの血を引く子供が欲しくないかと。陛下はこのまま王都に留まってくださるそうよ。私も、愛する息子に弟か妹が欲しいの。互いの利益が一致したわ」

「……女って怖（こ）ぇェ」

「その代わり譲りましょう。停戦はせず、クラシエル軍は引きません。陛下の代わりの指揮は適当な将軍にやらせて、サキタの復讐（ふくしゅう）を共に遂げてちょうだい。――あなたの目的が何かは知りませんが」

　語るべきことは語ったと、すっと王妃が立ち上がる。控えていた女官を引き連れて部屋を出ていく貴婦人の後ろ姿に向かって、イデは声を掛けた。

「なぁ、王妃サマ。こういう特殊クエストって知ってる？　クエストっていうか、都市伝説の類なんだけど」

　足を止め、首だけを巡らせて振り返った王妃に、イデは楽しそうに笑いかけた。

「『王族を三人殺（キル）したら、プレイヤーのランクが上がる』ってやつ。他にも、自分よりも高ランクのプレイヤーを殺したらプレイヤーランクが上がるとかもあるみたいだけど」

「……王族を三人は聞いたことがあるわ。本当にそんなランクアップ方法があるとは思えませんが。都市伝説を試して中央国家群内のお尋ね者になるくらいなら、辺境に向かって正規のクエストをこなした方がよほど健全」

「やってみなければ、本当かどうかは分からな」

部屋の中に稲妻が走った。

先ほどまで王妃の座っていたソファーが、イデの目前で真っ二つに切り裂かれる。

無詠唱で魔法を行使した王妃は、その美貌に笑みを浮かべてみせた。

「――残っているのは王兄、王姉、そして若き王。クロエ平原の前王と王太子はカウントに入るのかしら？　戦争なら敵の王族を殺しても不問。試したかったらティシア王家で試しなさい。私の息子とその父親に手を出すのなら、今ここで殺す」

敵意はないと両手を上げてみせたイデに、クラシエル王妃は口元を扇で隠す。

今度こそ本当に去っていった彼女に、イデはそのまま上げた手を頭の後ろで組んだ。

（……サキタの旦那も、彼女を選んでおけば良かったのに。あんな淫売（ビッチ）に狂わされて……いや、俺は狂ってほしかったんだけどサ）

――だって、狂った方が世界は楽しい――。

イデの求めているのは、狂気と快楽だった。

それは八年前から変わらない。哀れな少女が命を落とした日から――。

「……い、いやよ、死にたくない。自殺なんかしたくない……っ！」

髪を振り乱して暴れる少女を抱えて、十六歳のイデは塔のバルコニーへと出た。

強い風が吹いている。

声は流れて、高い塔の下に控える侍女や兵士までは届かないだろう。

長い黒髪に絡まっていた髪飾りが、乱暴な動きに落ちてバルコニーの隅まで転がっていった。

「いやだってサ、どうせアンタ、サキタに脅されたら全部しゃべるだろう？ 王弟と浮気していただけじゃなく、俺たちともセックスしていたって。俺たちも死にたくはないんだ。だったら、アンタ一人で死んでくれた方が助かるなァって」

「――――！」

絶叫しようとする口を片手でふさぎ、バルコニーの端まで進んだイデは、腕の中の少女へと笑いかけた。

「安心しろよ。タリス城の住人は、アンタの望み通り口封じしといてやるよ。その方が楽しそうだものなァ」

バイバイ。

Eランクの少女は、これ以上はないというほど大きく目を見開き、イデの視界から消えた。

数瞬の間をおいて、中身の詰まった肉の弾ける音がする。

それと同時にイデの耳に、彼にしか聞こえない〝声〟が響いた。

それは、前世で繰り返し聞いたシステムの導き。

前振りもなく天より降ってくる、〝ゲーム〟からのメッセージ。

――条件をクリアしました。

特殊ランクアップクエスト『王族の殺害』を受諾・開始しますか？

現在の進捗（しんちょく）状況……2／3。

＞はい
いいえ

ウォルが左手に持つ短剣の刃を、自分の右手のひらに押し当てた。

そのまますっと引くと、手のひらが音もなく切れる。あふれる鮮血に染まった右手を、彼は目前の石碑に押し当てる。

ティシア国の〝王国碑〟が、金色の光を発した。

刻まれていた彼の名前の横に、俺の名前が輝きながら現れる。赤い血が石の表面に吸い込まれていき、深く刻まれた二本の線が、互いの名を結び合わせる。

膝をついた姿勢で控えていた男の、捧げ持つ盆の上に血に濡れた短剣が置かれる。

男が下がり、抱えるほどの大きさのボウルを捧げ持った別の男が前に進み出た。

ポーションで満たされたボウルで、彼は自分の手を洗う。取り出した手には、もう傷は残っていなかった。


「――ご婚約おめでとうございます、ウォルド陛下」

「「「「おめでとうございます」」」」

ティシア王宮、謁見の間にある王国碑の前に集まっていた貴族たちが、一斉に祝いの言葉を述べた。

ゲイリアスのカリヤさん、本日正式にティシア国のウォルド陛下と婚約いたしました。

ウォルがティシア国の王都アルティシアに戻ったのが春。季節はもう初夏である。

即位自体はサクッと、戻った当日の夕方には行われた。いつまでも王様不在という訳にはいかないのが、国というものなので。

そこからもうゴタゴタしていたんだよ……。

ウォルは姉のカザリン王女を通じて、俺の存在を根回ししていたはずだった。

だけど即位式、家族席にあるはずの俺の椅子はなかった。

一介の平民だからねー。そりゃあ普通に考えたら、謁見の間の隅っこでも出席なんて無理無理。婚約が内定していたとしても、正式に公表するまでは関係ないし。……ここで既に、彼と俺との結婚賛成派、反対派の争いが起こっていたようだ。

うむ、存在するんだよ。賛成派と反対派。他にもいろいろと。

宮廷闘争の勃発というやつだ。

カザリン王女は賛成派筆頭だ。

クロエ平原からタキリン城砦撤退まで、それなりに付き合いのあった彼女は強烈に俺を支持してくれている。

ウォルがティシアに不在だったこの一年は、実質的に彼女とルシアン王子が国を回していた。彼女が支持してくれていたら、すんなり俺の存在も認められるかなぁと思っていたんだ、が。

——反対派に、半分とはいえ血の繋がった兄のルシアン王子が属してしまった。

ルシアン王子は魔力が低いので王位継承権を持っていない。

この世界の王族は、王国に伝わる血統アイテムを扱えるだけの魔力を持たないと王位継承権は与えられないからだ。王様には決してなれないルシアン王子だが、だからこそ少し離れた位置からの存在感を発揮していた。

そして俺との結婚賛成派も反対派も、一枚岩ではないのがなんともかんとも。

賛成派のご意見

・転生者、Sランク生産職を我が国に取り込みたい！　男だけど王妃にしたら取り込める！

・お飾りの王妃にして、子を産む側妃には自分の娘を！

・いや、子どもが望めないならカザリン王姉の子を養子にするだろう。王姉の配偶者に自分（の息子）を！

反対派のご意見
・ぶっちゃけ世継ぎを産めないじゃん。反対！
・転生者の女（そういう建前なんだ、俺の扱い……）って側妃用意するの無理じゃん。反対！
・出身ド貧民じゃん。反対！
・国のために〝男〟と結婚しなきゃいけない陛下がかわいそう！　反対！

……ぶっちゃけ反対派の最後の意見は胸をえぐった……。

そ、相思相愛なんだけどな、一応。年上の転生者が初心(ウブ)な王子を騙(だま)したり脅したりして、関係を強要した訳じゃなく……そう受け取る者がいるのは覚悟していたが。

とりあえず今はクラシエルとの戦争中。

仲間内での争いは一時中断して、婚約だけはしておこうと両者が折り合ったのがつい先日。賛成派にとっては婚姻への第一歩で、反対派にとっては婚約破棄の可能性は残る玉虫色の折衷案らしい。

ウォルはこの展開を読んでいたらしく、『婚約期間中、私があなたでないと駄目なのを見せつけるから安心して』と笑顔で言ってくれている。

若さ故にまだまだ侮られてはいるらしいけれど、切れ者の陛下すごい。

ご自身の即位式では追い出されるはずだった俺の席を、転生者のリーダーであった老師が使っていた場所に用意してくれた。

ティシアで、今は亡き老師の偉業にケチをつける者はいない。その彼が座っていた転生者席を、ウォルを無事帰国させた功労者である俺が使えない道理がない。

そう指示してくれたおかげで、王族と貴族の間に設けられた席で見ることが出来た。おニューの大雪豹(ゆきひょう)のマントを身に着けた新国王の姿、格好良かったです。

王国碑に名を刻み終えたウォルが俺に視線を向け

る。

　側に近寄り、差し出された手に自分の左手を重ねた。

　傍らの王国碑には、婚約をして王家の一員に迎えられた俺の名前が金色に輝いている。

　それは、王位を継げるだけの魔力を持っているという証明であり、俺の体にティシア王家の血統が存在する証でもある。つまりだ、
　今この瞬間、ウォルとしっかりヤッちゃってるんだと皆にバレた。

　見事にバレた。お手付きだと――！

　顔は静かに笑みを湛えているが、内心悶えまくっているのは許してほしい。

　ウォルと俺の関係は、面識がない者には偽装婚約だと思われているらしいが、しっかりとヤることはやってるんだ……。

　差し出した左手の薬指に、指輪が嵌められる。ティシア王家に代々伝わる由緒正しい指輪の一つだそうで、宝石が五つ並んで輝いている。

　この石、後で俺が入れ替えてもいいよと言質はもらっている。土台さえそのままの外観なら他は問題ないらしい。やったー、特殊効果付与に改造するぜー。

「カリヤ」

　名を呼ばれ、指輪に視線を落としていた顔を上げる。

　絶世の美貌が目の前にあった。

　もうウォルとは身長がほぼ同じ……いや、まだわずかだが俺の方が高いかな。

　穏やかな微笑を浮かべたウォルが、すっと身を屈めた。俺の左手を飾る指輪に、うやうやしく口づけが落とされる――それは、誰にも頭を下げない国王である彼が、示すことが出来る最上級の敬意だった。

　婚約式を無事に終え、平時ならそのまま宮中舞踏会や王都内のパレードを行って慶事を祝うらしいが、

今は戦争中。

わざわざ集まってくれた貴族たちだが、領地を持つ者はすぐにも戻らなくてはならない。なので、謁見の間の奥に置かれた王国碑の前、ウォルと並んで立ったままお見送りだ。

挨拶(あいさつ)の順番は決められている。俺にとってはちょうど良い機会なので、読み上げられた名前と相手の顔、覚えたプロフィールを一致させていく。

まあ、プロフィールというか立ち位置は、相手が名乗る時に分かるんだけど。

「ウォルド陛下、カリヤ妃殿下。この度はご婚約おめでとうございます」

こう言ってくれるのは結婚賛成派。

あ、正式な結婚はまだだけれど、王国碑に名前が金で記された俺は、国宝アイテム『白の天蓋(てんがい)』を動かせるので準王族として扱われることになる。

「妃殿下の英知は今の、そしてこれからのティシアになくてはならないもの。先日は足をお運びいただきまして、ありがとうございました。魔法院はいつでも妃殿下の来訪を歓迎いたします」

またのおいでをお待ちしております、と頭を下げたのは、ティシア王立魔法院の院長であるマティウス・セフィエラだった。

年齢は六十代くらい。背すじをピンと伸ばして立つ、白髪藍(あい)眼のおじいちゃんだ。

セフィエラ家は代々高位の魔法使いを輩出する貴族らしい。先代当主であるマティウスは家督を息子へと早々に譲り、魔法使いの養成・管理機関である王立魔法院の院長に就任していた。

ティシア国魔法使いの頂点に立つこの白髪のご老人と俺は、良い関係を築けていると思う。

どの国でも、魔法使いはだいたい魔法院に所属している。そんな魔法使いたちの多くと俺は、一年半前のタキリン城砦で交流があったからな。

王都アルティシアに詰めていたセフィエラ氏と直

接の面識はなかったが、何人もの魔法使いが転生者である俺の指導を受けにタキリン城砦を訪れた。

そしてアルティシアにウォルが戻ってから。

俺はちょくちょく王都の魔法院を訪れては、冬の間に増産していたMPポーションやら光玉やらを差し入れている。魔法の指導も行っている。

魔法院の敷地は王城に隣接しているからね。行きやすいんだよ。同じ格で騎士を養成する騎士院とか、役人を育成する政務院、技術者を養成する技術院なども ある。前世のゲーム内でも存在していました。

ちなみに、非金属系生産職のAランク昇格クエストは、ラギオン帝国の技術院が舞台です。

そういえばタキリン城砦で別れたボンドン少年は、魔法院に在籍していた。再会したら泣いて喜んでくれた。

「ウォルド陛下、カリヤ様。お二方の幸せをお祈りしております」

こう言うのは結婚反対派。意地でも俺の敬称を口にしたくないんだろうなー。

まあ反対派も、戦争中は俺を今の立場から強引に引きずり下ろすことはないだろう。

アルティシアに戻ってから、タキリン城砦再びとばかり、ティシア後宮の女性人員を使ったアイテム供給体制を整えたからな！

ウォルと正式に婚約するまでは立場が不安定すぎて、俺はティシア王城から外に出られなかった。

なのでカザリン王姉殿下全面協力のもと、後宮でひたすらアイテム作製に励む毎日だった。ティシア国内のアイテム流通が改善したと、関係者の皆様から好評を得ております。

反対派とはまだ上手く付き合える。クラシエルと戦争中である限り、転生者である俺の存在が必要だと認めているから。

問題は、ウォルと俺の関係を気にしない派だった。

「我が娘を、ぜひ妃殿下の側に仕えさせたいのです。

受け入れてはいただけないでしょうか？」

あ、これ側妃狙いだ。

領地を持つ貴族のほとんどは、身軽に動けるよう単身で婚約式に出席している。

だが領地がまだ戦火に巻き込まれていない遠方の貴族、領地を持たない法衣貴族の中には、自分の一族を伴ってきた者もいる。

息子や右腕を紹介してくれるならいいんだ。奥方でもまぁ……いいんだ（お茶会に誘われたり、誘ってくれと言われるが、戦時中なんで忙しくて無理と断れば無理強いはされない）。

だが、お隣に立っている娘さんはダメだ。

目をハートマークにしてウォルばかりを見つめている。絶世の美青年な王様なので、見惚れてしまうのは仕方ない。

側妃お断りの通達は出ているので、今のところ正面から打診されてはいない。だけどなぁ、あからさまに俺を踏み台にしようとされるのもなぁ……。

苦笑をしながら娘さんを眺めていたら、俺の代わりにウォルが穏やかに断ってくれた。

「王妃には、既に前王妃の下で働いていた者たちが充分な数で仕えている。いまだクラシエルとの戦争は継続中だ。先ほども伝えたが、今の王家に行儀見習いの娘を預かる余裕はない」

次の者をと促す仕草に、残念そうに父娘が肩を落とす。

俺じゃなくカザリン殿下に仕えたいと言っていたら、受け入れてもらえたかもしれないのにねぇ。ポーション作製メンバーは多い方が良いと、にこやかに仰っておられるから。

そんなカザリン王姉殿下、俺たちの隣で微笑を浮かべながら謁見を見守ってらっしゃいます。

見た目は可愛い系だが、実はやり手だった王姉殿下。国王不在のティシアをまとめていた手腕は誰もが認めているらしいです。

俺の前ではものすごく可愛い方だけど。たしかにちょっと押しは強いが。

――そして父娘が場所を譲り、次に現れた二人組に俺は目を見開いた。

「ブラットル領主、ロト・ブラットル様。そして従弟、レド・ブラットル様――」

昔の男

レド様だ！

俺が今世で生まれ育ったゲイリアス山岳地帯の小村は、ブラットル領に属していた。

レド様はそこの領主一族の人間だ。領主の甥で――代替わりしたと聞いたから、今は領主の従弟という立場なのか。クラシエルとの戦争で徴集された俺の、上司だった青年。

金髪碧眼の青年の、優しそうな容貌は変わっていなかった。いや、少し頬の肉が削げただろうか？

苦労したのかもな……クロエ平原の大敗の後、タキリン城砦で彼の姿を見ていない。たまたま会わなかったのか、別のルートを使って逃げていたのか。ともかく、知り合いが無事で良かった……と懐かしさに目を細め、あれ？　と俺は彼のことを思い返していた。

（……たしかレド様、軍の中で俺のパトロン……愛人だったと噂されていなかったっけ……？）

や　ば　い　。

忘れてたーっ！　俺の悪評！

そういや俺、ブラットル軍でレド様の愛人だと思われていたんだった！　顔と体（……）を使って小隊長の地位についたとかなんとか。

その後ナダルに乗り換えたんだっけ。次はナダルの愛人。タキリン城砦でもそう思われていた！

……やばいぞ、すっかり忘れていた。

そんな噂のあったことはウォルに教えていない。

だって見事に忘れていたから！

ナダルサイドは『保身に利用してもいいよー』とあの白髪の青年……たしかフィアスが言ってくれていたけど。だが、俺自身が噂の否定をしたことは一度もない。まあ、面と向かって尋ねられたこともなかったし。

しかし、これはかなりヤバい気がする。

ゲイリアスのカリヤさん、現在十歳年下のティシア国王の婚約者なんですが……過去の俺の噂を知っている者がいたら、同性の間を渡り歩いてのし上がってきた男が、最上の獲物をゲットしたように受け取られているんじゃ……。

「——カリヤ様。最近ブラットル領にたどりついた流民が、移動途中に妃殿下と外見が一致する転生者に助けられたと訴えていました。ウォルド陛下の命で助けていただいたと。お心当たりはございますか？」

ロト・ブラットルが婚約を祝う言葉の後に尋ねてきたのを、顔が引きつっているのを悟られないよう祈りながら肯定する。

流民ね、助けた助けた。

食料とポーション持たせてさよならしていたが、無事にたどりついたのか。良かった……ではなく！

もの言いたげに、レド様が俺を見ている。

だけど彼は何も言わなかった。とりあえず、ごまかすように笑いかけておいた。

——今ここで、他人の前で俺の過去をほのめかすようなら、俺も過去をバラす。先代領主が隷属の首輪を使おうとしたって言おうじゃないか。

身構えていたが、暴露合戦はなかった。

ロト・ブラットルがいつか俺と故郷のことで話が出来たらうれしいと言ってきたのに、あいまいに頷(うなず)いておく。

あー……、たぶん現領主は俺とレド様の関係を知っているな。そう匂わせている。

挨拶を終え、その場を去る二人の背中を見ながら思う。ブラットルは噂を盾に脅迫してくるだろうか？　支持や協力くらいは要求するかもしれない。次回の再会を求めたのだから。

婚約式が終わったら、ウォルにあの頃の悪評を改めて伝えておこう。

だが、俺の立場を悪くしたいと思う者がいる限り、悪評は裏で広まるだろうな。人の口に戸は立てられない。

……俺自身に関してなら何を言われても気にしないし、反論とかも出来るならするんだけれど……俺のせいでウォルが悪く言われるのは嫌だな……。

「――カリヤ、疲れた？」

挨拶が切れたのを見計らい、ウォルが小声で尋ねてくる。

大丈夫だと、俺は微笑を浮かべる。うん、今世は辺境のど田舎で生きてきたから人見知りっぽいけど、前世は営業職のリーマンだったからね。不特定多数とのやりとりには慣れているよ。

ちょーっとストレス溜まっているが。まあ想定の範囲内だ。

「大丈夫、ありがとう」

エメラルドの瞳を細めて、小さく頷いてくれる彼の姿が貴い。もう挨拶の相手も残り少ないからな。

さっきのブラットルみたいな揺さぶりがない限り、多少の嫌みならがんばれると思う。

だが、さすが一国の宮廷。伏魔殿。

揺さぶりがあれ一つで終わる訳がなかった。

「お願いがございます、妃殿下。我が末娘の病が重く、枕から頭を上げることが出来ない日々が続いております。Sランク生産職の妃殿下なら、万能薬であるエリクサーを作る技術をお持ちのはず。娘のために下賜していただけないでしょうか？」

突然、紹介されるなり床に膝をついて申し出てきた一人の貴族に、謁見の間にどよめきが走った。

あれ？　俺個人の件に関しては触れないって根回しがあったはずじゃ……ああ、タブーだったのは結婚と性別の件だっけ？　俺のスキルに関しては大丈夫なんだ？

ただ、あからさまに抜け駆けではあったらしい。

周囲のざわめきの中、膝をついた男がいっそう深く頭を下げる。

「どの医者も匙を投げ、もはやアイテムマスターである妃殿下のお慈悲にすがるしかなく。ランクがSならばエリクサーを作製出来ると聞いております。お持ちでしたら、ぜひ我が娘に――」

「持っています」

男がうれしそうに頭を上げた。周囲の貴族がぎらりと目を光らせる。

――悪評については話し合っていなかったけれど、エリクサーや各種アイテム関連についてはウォルと話し合っている。

俺はゆっくりと微笑みを浮かべた。

「用意は出来ます。エリクサーが必要だというのなら、よほどの状態なのでしょう。ティシアの民のためになるのでしたら、正当な理由さえ聞かせていただけるのならお譲りしたいと〝私〟は考えています」

言葉遣いは丁寧に。ついでに公式の場の一人称は『私』に。

わざわざ女性の真似をしなくても、これまでのような受け答えでいいよとはウォルは言ってくれているけれど、〝王妃〟予定なんだ。最低限の猫くらいは被りたいと思っているぞ？

「では……！」

「交易スキル保持者の算定した価格でお譲りいたしましょう。ティシア国民のためでしたら、上乗せする利益分は結構です」

「――は？」

ぽかんと男が口を開けた。

言葉の内容を理解して、顔を真っ赤にして立ち上がる。

「自分で作れるのに、金を取るのか⁉」

「エリクサー一本、十万ゴルド。いや、戦争中なのでもっと高騰している。それに今のティシアでは、市場に存在しないので入手自体が困難だろう。それをただ願っただけで、無償で手に入れることが出来ると？」

代わりに答えたのはウォルだった。

俺を庇うように歩を進め、男と対峙する。

「――私が、カリヤを王妃に迎えるにあたって誓約した事柄がいくつかある。そのうちの一つが、カリヤの転生者としての能力や資産を不当に搾取しないことだ」

まっすぐに男を見つめながら、ウォルが説明した。

「ティシアでは物資が不足しがちだったのは皆もよく知っているだろう。それが生産系転生者が一人所属してくれただけで、状況は劇的に変化した。既に、王都アルティシアを中心に、流通状態が改善されつつある。――カリヤは私の要請を受け、近く王立技術院の院長に就任する予定だ」

視線が一斉に俺を向いた。

前世のMMORPG《ゴールデン・ドーン》では、一国の機関（技術院や魔法院・騎士院など）のトップにプレイヤーが就任すれば、生産量や習得率などにボーナスが与えられていた。

転生したこの世界でも〝ルール〟は適用される。

今、この場に集まっているNPCたちは、おそらくその事実を知っている――。

「エリクサー、もしくは他の希少なアイテム類を個人的に手に入れたいのであれば、我が王妃に直接乞う前に、王たる私を通せ」

多忙な妃を煩わせたくはない。

ウォルの良く通る声を、この場にいる皆が食い入るように聞き入っていた。

「特にエリクサーの扱いだが、売られること自体が稀な希少品なれど、ティシアの民に使うのであればカリヤは言っている。

交易スキルの算定値段で譲るとカリヤは言っている。

王家はマージンを取るつもりはない。また、もし素材を揃えられるのであれば、技術料だけで作製するそうだ」

「……だがそれでも高い……」

「まがい物のエリクシールは信用出来ない。無理をしてでもエリクサーを……」

前に立たれていたので俺からは見えなかったが、美貌(びぼう)の王があでやかに笑う気配がした。

言葉を失って見入る臣下の前で、彼はおもむろに俺が渡していた〝それ〟を懐から取り出す。

「王妃が、夫たる私個人へ愛の証にと贈ってくれたものだ。複数ある。これは王妃の資産ではなく、私が個人で有している物となる」

黄金色に輝く液体を満たした小瓶を、ウォルは目線の位置まで掲げてみせた。

一本当たりの価格、十万ゴルド。それは失われた生命さえ蘇らせる、万能の秘薬。

「――国王として、ティシア王家に忠誠を誓い、クラシエルとの戦争で過分の働きを見せてくれた家臣に褒賞として与えようと考えている」

ホウレンソウは大事

かすかな囁(ささや)きが耳元で聞こえ、俺は作業の手を止めた。

「――会議を終えて、陛下が戻ってこられます。カザリン殿下もご一緒です」

告げると、壁際に控えていた侍従や女官の皆さんが、一斉に部屋の主を迎える準備をし始めた。

俺も、テーブルの上に広げていた作業道具をアイテムボックスの中に片づける。ついでに、耳元につけていた通信アイテムも外してチェック。

前世のゲームでも存在していた装備アイテムだ。

色は鮮やかな赤。シンプルな半円の形で、耳につけるピアス型。だけど耳に穴を開けるのが嫌なので、シール式に改造している。

　正直、通信範囲の狭さや半日しか持たない稼働時間など、アイテムとしては欠点だらけだ。一回ごとの使い捨てだから仕方ないかもしれないけど。

　だがこのウォルの私室から、同じ王城内にある会議室までなら充分通信範囲内。俺は会議に同席していないけれど、これを通してやりとりは全部聞かせてもらった。時々、ウォルが独り言めいて注釈を入れてくれるので内容も理解出来た、と思う。

　部屋の扉が侍従たちの手によって開かれる。

　ティシア王家の双子を出迎えるため、俺は腰を下ろしていたソファーから立ち上がった。


「では、本日は婚約式、おつかれさまでした」

「「おつかれさまでした」」

　ウォル、カザリン王姉、俺と。三人で丸いテーブルを囲むソファーに座り、手に持つグラスをぶつけあう。

　打ち上げというか、軽い食事の出るミーティングです。

　俺とウォルが王都アルティシアに戻ってきてから、重要な会議などが終わった後は、彼女も一緒にウォルの部屋に集まって話し合うことにしている。

　家族間の意思の疎通はマメにしておかないとな。ホウレンソウは大事。

「その後の会議もおつかれさまでした、姉上。そしてカリヤも」

「会議に関しては、俺はピアスを通して聞いていただけだけどね」

　ウォルのねぎらいに肩を竦めた俺に、彼女がふふっと笑った。

「あら、時おりアドバイスを伝えてくれているでしょう？　ウォルドが耳元を触っているから分かったわ。他の者たちも、片方しかつけていないピアスに興味があるみたい」

「恋人や伴侶間では、愛の証として一つのピアスを片方ずつ身に着けるのは一般的なことらしいですよ、姉上」

「まぁ、不自然さを隠す見事な惚気ね！　……ですがアイテムを介する手間をかけなくても、カリヤが自ら会議に参加すればいいのに、と私は思っているのだけれど」

　これまでも何度か同じような言葉をかけてくれている彼女に、俺は今回も首を横に振る。

「俺は、政治には一切関わる気はないので」

　ゲイリアスの山中で、二人で何度も話し合って出した結論だ。

　年上の転生者が年若い国王を意のままに操っていると見られるのはまずい。ウォルの立場が揺らぐ。俺の持つ知識が役に立つと判断したら、こっそりアドバイスくらいはするけれど。

　俺は政治に口を出さないし、戦争中は王妃としての役割からも距離を置く予定だ。

　婚約はしたけれど、まだ正式に結婚している訳じゃないからな。ドヤ顔して地位をひけらかすのは厳禁だし、ぶっちゃけそんな時間の余裕もない。

　アイテムマスターとして王城の内外を走り回らないといけないのです。

　生産の効率を上げるため、王立技術院の院長に就任する。他にも、他者に任せる訳にはいかないエルフとの折衝は俺の役割だ。

　後宮関連など、本来王妃が行わなくちゃいけない役割全般に関しては、カザリン王姉にすべてお任せしている。

『カリヤには、カリヤにしか出来ないことをしてもらいたいから。これまでも王城の女主人の役割は私が受け持っていました。だから奥向けは安心して任せて』

　と、気持ちの良い笑顔で請け負ってくれた王姉、可愛い顔してマジ男前。

　あ、それから基本、公式の場以外では俺は以前と同じ言葉遣いと一人称を続けることにしている。

王妃として猫を被るのは、公式行事だけー。後は勘弁してください。

問題とする声もあったみたいだが、ウォルが俺の好きなようにさせると黙らせていた。助かります、国王陛下。

テーブルの上に並べた菓子をつまみながら、先ほどの会議の内容と今後の方針について話し合う。

菓子はゲイリアスでウォルが作っていた物だ。存在を知ったカザリン王姉が食べたがって、それからはアイテムボックスの中から一品は出すようにしている。

「――王国碑に名前を刻み、王族として迎え入れたことによって、ようやくカリヤの行動範囲が広がった。これまでは王城と、隣接した王立各院くらいしか出入り出来なかったからな」

ウォルの言葉に頷く。

貴族出身でない俺は、これまではただのゲイリアスの馬の骨だった。王城内ならウォルの威光が届くけれど、権限を何も持っていないので城の外に出るのは控えていた。

だが今後は、堂々と王妃(予定)として活動出来る。

「王国碑に登録したことにより、あなたは今後ティシア国中に張り巡らされている結界の干渉を受けない。国内ならばどこも遮られることなく〝ジャンプ〟で移動出来るようになったから」

「それは地味に助かる」

前世の《ゴールデン・ドーン》では、主要な王城や都市の外壁、王城内部は結界が張られているという設定で、ジャンプで直接入ることが出来なかった(中から外に出ることは可能)。

今世でもそうだった。

だが王族の一員として登録されたことにより、ティシア国内に関してはその縛りはなくなった。

「カリヤは今後、どのように行動するつもりですか?」

カザリン王姉に尋ねられ、俺は予定を挙げていった。

「まず、早急にアルティシア郊外の転移ステーションへ向かいたいと考えています。そこで使用頻度の低い転移ポータルの設定を変更して、大樹海と繋(つな)げます。王城にあった転移システムで、手紙のやりとりは出来ていますが、人の行き来が出来るようにしないと」

商人ギルドや冒険者ギルドの支部にも設置されている〝転移システム〟は、転移ポータルより小型で、何より生物の行き来が出来ない。

同盟を結んだエルフたちとの間に〝道〟を繋げるのは、俺に課せられた重大な役割だった。

なにせ、転移ポータルのシステム全般、扱えるのはアイテムマスターだけだから。

転移システムのメンテナンスを出来るのがアイテムSランク、簡易型の転移ポータルを作製出来るのがSS(ダブルエス)、固定型の転移ポータルを作製出来るのがSSS(トリプルエス)。

タキリンの転移ステーションが解放されたとは聞いていないので、クラシエルにSランク以上のアイテムマスター、もしくはSSランクの武器・防具マスターはいないのだろう。

生産職プレイヤーは、武器(ウェポン)・防具(アーマー)・道具(アイテム)からメインを一つ選んだら、後の二つはワンランク下しか覚えられない仕様です。

俺の場合はアイテムを選んだので、武器・防具は一つ下のAランクまでしか作製出来ません。

「それからアルティシアの冒険者ギルドにも行かないと。大樹海から来た青髪のエルフが、身を寄せているんですよね？　彼と話をしておきたい」

世界樹の怒りを買って大樹海から追放された若いエルフの身柄を、ティシアは引き取っている。

俺たちが戻ってくるより先にアルティシアに来ていた彼は、王城で匿われているのだと思っていたが、冒険者ギルドに移されていた。

冒険者ギルドの建物内部は、所属する職員以外の干渉を完全に遮断出来るらしい。

王城に身柄を置いておくよりは安全だと考えて、とカザリン王姉が謝罪しつつ打ち明けてくれていた。そう、王城内部も決して安全ではないのだよ。

俺も自分の寝室に、何度も忍び込まれていた。男に。

表向き女性扱いだから、寝室は後宮にあるのに！　王族以外の異性は基本許されない、女性ばかりの空間のはずなのに！

責任者であるカザリン王姉も何度も謝ってくれて、後宮内からスパイやらを排除しようとがんばってくれている。手引きがないと入り込めないらしいので。

なのでまぁ……心配したウォルの計らいで、正式な結婚前から彼の寝室を一緒に使わせてもらっていたりするのだが……。

「――その後、アルティシアの問題を解決したらコートレイ領に向かいます」

俺の宣言に双子が頷いた。

「コートレイ家の当主の試練ですね。転生者の力を借りないと達成出来ないという」

「当代ナダルはまだ登城していない。クラシエルの侵攻に対して、コートレイの有する軍団も動かないままだ。代替わりを終えていないからだと聞いているが……」

双子が沈痛な表情を浮かべているのは、彼らの剣の師が先代ナダルだったというのもあるのだろう。

彼らも覚えているだろう胸の痛みを感じながら、俺はかすかな笑みを浮かべた。

「俺は戦闘ランクもBまで修めているので、ランクアップイベント――試練に協力出来ます。戦闘職に転向するつもりはないから成功してもキャンセルすることになりますが、ナダルの息子は当主を襲名出来るようになるはず」

「コートレイ家はティシア王家の親しき友。助かります。ありがとう、カリヤ」

感謝の言葉を口にするカザリン王姉に、いえいえと俺も首を振る。

――ナダルの乳兄弟とも約束をしている。この国のただ一人の転生者である俺が、彼の息子の力になるのは当然のことだ。

「カリヤがアルティシアを離れている間、私もルシアン兄上と交代して前線を回ってくる。私が王都に戻ってから、ずっと詰めてくださっているからな。そろそろ休んでいただかないと。それに、最前線の領主は即位式にも顔を出せなかった。新王となった私の顔見せにもなる」

「……気をつけて」

「王軍が出る訳ではないからな。私自身が直接戦場に立つことはない。慰問みたいなものだ。それを終えたら――ラギオン帝国に、カリヤと共に即位の挨拶（あいさつ）に向かう」

重々しく告げたウォルに、俺とカザリン王姉は黙ったまま頷いた。

ラギオン。

中央国家群にただ一つしか存在しない帝国。冒険者ギルドの総本部があり、裏でクラシエルと手を結んでいた同盟国。

表向きはまだ、帝国とティシアの所属する南部諸国連合との同盟関係は継続している。同盟には見えない上下の関係が存在し、南部諸国連合の君主は代替わりのたびに帝国を表敬訪問するのが慣例となっていた。

戦争終結後でもかまわないが、あえて最中にラギオンに向かうことをウォルは選択した。

黙っていたつもりはなかったけれど

「――ラギオン帝国への表敬訪問に関しては、私とカリヤがアルティシアに戻ってきてから話し合おうか。エルフが訪問に同行するか否かで、方針が変わってくる」

ウォルの指摘に俺は同意した。

これまで鎖国を続けていた大樹海と、ティシアとの同盟をはっきりと目に見える形で国際社会に公表する。その最初の舞台は、出来ればラギオン帝国にしたい。

たーぶーん、〝俺〟が直接行って頼めば、エルフたちは喜んで協力してくれるんじゃないかと思う。コロポックルのマイホーム効果で。

すまんな、ティシアの持つ手札は少ないんだ。使える縁はなんだって使わせてもらうぞ。

そのためにも、早く転移ステーションを繋げないとなー。

「……それにしても、段取りに変更があったけれど無事に婚約式が終わって良かったわ」

紅茶を飲みながら、しみじみとカザリン王姉が呟いた。

「締めでエリクサーのことを公表するつもりだったのに、途中で披露してしまったからその後はかなりぐだぐだになってしまって……」

彼女のため息に、ウォルが苦笑する。

「これ以上はないというほど、劇的に発表出来たと思うが？」

「たしかに、皆の食いつきは予想以上にすごかったわ。王家があからさまに〝釣る真似〟をしたのですから。――カリヤ、本当にエリクサーを餌にしても良かったのね？」

「ええ」

アイテムボックスの中から金色の小瓶を無造作に取り出し、テーブルの上に置く。

「……エリクサーの作製には、二通りの方法があります。簡単に言えば、世界樹の葉を使う方法と使わない方法です。大樹海でしか世界樹の葉は得られないので、中央国家群内ではこれまで後者の方法でしかエリクサーを作製出来なかった。そして後者の方法は、素材を揃えるのが非常に難しい。それも価格を上昇させる一因だったのでしょう。だが、ティシアが国交を結びました。クラシエルとの戦争が終われば、まずはこの国経由で大樹海の素材が交易されるようになります。世界樹の葉を使ったエリクサーが流通し始める。価格は一気に下がるでしょう。餌に出来るのは今だけですから、この機を利用すればいい」

世界樹の葉は、エルフ族なら一日に一枚、タダで入手出来る。そして葉が一枚あれば、エリクサーが一本作れるからな！

俺のアイテムボックス内のエリクサーの在庫は、現在二百本を優に超えている。

そして作ろうと思えばまだまだ作れる。

御礼だとルカの家族から毎日のように葉をもらい、店売りを買い占め、更にはコロポックルたちのまいほーむの家賃収入が半端なかった。

価格が下がるのはエリクサーだけじゃない。各種アイテムや、大樹海産の非金属系の武器防具もだ。

経済に詳しい者なら、大樹海の解放により物価の変動が訪れることが理解出来るだろう。

その者たちに考えてほしい。

あくまで変動が訪れるのは、〝戦争後に同盟国であるティシアが存在すれば〟だ。

ティシアが滅亡すれば、同盟自体がなくなる。エルフは大樹海の外に出てこないぞー。

ふと、昼間のことを思い出した。

エリクサーを求めていた貴族の娘さんとやらは、かなり状態が悪かったりするんだろうか。

俺にとってエリクサーは、いつでも量産出来る消費アイテムだ。だがあの膝(ひざ)をついて願い出ていた父親にとっては、手に入れることが困難な幻の秘薬なのだろう。何人もの医者を呼び寄せて娘さんを診せてきたのなら、もう購入する金も残っていないとか？　だから頭を下げてきた？

一介の貴族に、条件として出したエリクサーを作製出来る素材を揃えられると思わない。

知ってしまった他人の不幸は放置しづらいなぁ。

……他者の手前、タダで渡す訳にはいかないから、出世払いとか理由を作れば……。

「カリヤ、何か気になることでも？」

ウォルが穏やかに尋ねてくる。

婚約式で訴えていた貴族の、娘のことが少し気になるのだと説明したら、まぁ、とカザリン王姉が明るい緑色の瞳（ひとみ）を見開いた。

「本当に、カリヤは情が深いのね」

「無知な足手まといを連れて敵地を数年間逃亡する覚悟が持てるほど、カリヤは優しいのですよ、姉上」

「数年？」

「当初の予定では。私がティシアに一年ほどで戻って来れたのは、運が良かったのと、彼の慈悲深い心根が招いた縁のおかげだと考えています」

「外見だけでなく、心も美しいのね……」

……双子は俺をベタ褒めする傾向がある。

というか、おそらく俺を話題とすることで、彼ら独自のコミュニケーションを取っているのだと思われる。

下手に反論すると、「「そんなことはない（わ）」」と息の合った反撃が来るので、その手の台詞を口にし始めたら満足するまで放置することにしていた。

姉と話していたウォルが、クッキーをかじりながら大人しく待っていた俺に苦笑を向ける。

「カリヤ。今日の嘆願だが、あなたが気にする価値はない。〝あれ〟の末娘は亡き兄上の妃候補だったので覚えているが、その頃は生来の健康を売り文句にしていた」

「その後、体を壊したなどと聞いたこともありません。慈悲深い婚約者の噂を聞き、あわよくばと浅はかに企みでもしたのでしょう」

貴族怖ぇ……っ。

い、いや、前向きに捉（とら）えよう。

かわいそうな女の子なんて存在しなかったんだ、よかった……！

「――やはり、すぐにもカリヤに護衛騎士をつけた方が良いか」

　ふぅ、とウォルが肩を落とした。双子の姉も頷く。

「王城内なら女官でなんとかなるけれど、城の外までは連れ歩けないものね」

「護衛騎士って？」

　俺は首を傾げた。

　騎士……馬に乗って戦う軍人。武官。

　タキリン城砦(じょうさい)にいた頃も、ボディガードとして何人かが交代で側にいてくれたっけ。だが彼らを護衛騎士とは呼んでいなかった。何か違うのだろうか？

「護衛騎士は、主のためだけの剣だ。幼少の頃からただ一人の主に仕え、生涯を主と共に生きる。乳兄弟か、分家といった身内が護衛騎士に就くことが多い」

「つまり側近扱いの専属武官よ。カリヤが王妃になれば正式に任命しますが、前倒しで誰か用意しようと思って」

「必要なんですか？」

「「王族は必須(ひっす)」」

　見事にハモった声に、なるほどと困惑しつつも俺は納得した。

「護衛騎士なら、主を守るための正当防衛が認められている。あなたに対して邪(よこしま)な想いや悪意を持つ者への牽制(けんせい)になるはずだ」

「いやー……一応、自分の身くらいは守れるかなぁ……？」

「たとえばブラットル領主の従弟ね。今後、過去の因縁をちらつかせる可能性もあるでしょう？　そんな輩は、近づく前に排除させることが出来るわ」

「――――」

　既にバレていた。

　俺の愛人遍歴。

　間違いなくウォルも王姉も知っていらっしゃる

——。

だらだらと嫌な汗をかいている俺の、膝に置いていた手にそっとウォルが触れてきた。

俺と揃(そろ)いの婚約指輪を嵌めた手が、きつく握ったこぶしをそっと包み込んだ。

「……大丈夫。カリヤが潔白であったことは知っているから。あなたのように美しければ、下世話な噂も立つだろう。その噂を逆に利用して身を守らせたと、ナダルからも聞いていた」

「王家に仕えることになるのですから、タキリンで既にカリヤの素性は調べていたの。他国の間諜(かんちょう)ではないか、犯罪歴はあるか、悪意を抱いてはいないか」

「その頃、タキリン城砦で我が王家が抱えていた〝秘密〟に、あなたは近づける立場だったから。ゲイリアスまで人をやって調べた。あなたの生い立ちや、生まれ育った村でどのような扱いを受けていたか……村長の、娘との破局も」

壁際に控えている女官や侍従には、聞こえていないだろう大きさの声。

ウォルはそのきらめくエメラルドの瞳で、俺をまっすぐ見つめながら真摯(しんし)に訴える。

「私は知っていた。過去を乗り越え、あなたが毅然(きぜん)と前を見つめていたことを。その清廉な魂にいつしか魅了されていた——」

「……ウォル……」

私は、もう誰かがあなたを貶(おとし)めようとする行為を許さない。

「ブラットル領主があなたに対して揺さぶりをかけてきたのは、我が王家が甘く見られているからだろう。すまない。私は強くなる。あなたが不安なく、私に寄り添って笑っていられるように。こんな強張った表情を二度と浮かべさせず、いつでも甘やかに微笑(ほほえ)んでいられるように」

「…………」

いつの間にか、ソファーに座っていたはずのカザリン王姉の姿がなかった。

壁際に並んでいた侍従や女官たちが、気配を殺し、音も立てずに次々と退室していく。

開いた扉の前に立ち、手振りで彼らの退室を促していた王姉が、そーっと俺たちの方を振り返った。

俺と目線があい、にこりと笑った美少女が閉じていく扉の向こうへと消えた。

――心遣い感謝します、義姉上。

「……ありがとう。愛しているよ、俺の国王陛下」

部屋に二人きりになって。

俯くウォルのあごを、曲げた指ですくい上げる。

見つめてくるエメラルドの瞳に笑いかけ、俺はそっと彼にキスをした。

繋ぎあう手

キスを交わしながら、二人絡み合うようにして寝室のベッドの上に身を投げ出す。

上着のボタンを次々に外していく、彼の長い指先。

衣服をはだけ、露わにされていく胸元に、いまだ慣れない羞恥に体が震えた。ベルトを外す動きに腰を浮かせて協力すると、そのまま下着ごと下半身の装備が引き剥がされる。

俺の体を挟むようにして膝立ちになったウォルが、自分の服を一気に脱ぎ捨てる。ベッドの天蓋から垂れ下がる薄布越しに届く部屋の照明に、彼の肩にまで届く豪奢な金髪が光を弾いて輝いた。

「――カリヤ――」

俺の体を抱きしめる腕に、抱擁で応える。

視線があって、ウォルがうれしそうだから俺もうれしくなって笑った。

まばゆい金色の髪を絡めるように指で梳き、自分の左手に嵌まった指輪に胸が詰まる。

「……婚約、したんだな……」

「あなたが私を選んでくれてうれしい。私のものだと、こういう風に形にして主張してくれることが」

俺の左手に指を絡めて引き寄せ、そのままウォルが指輪にキスをした。

「愛している、カリヤ」

返事をしようとした唇は、そのまま彼の唇でふさがれた。

指を絡めあい、いわゆる〝恋人つなぎ〟をしたままの左手が顔の横、シーツの上に縫い付けられる。指輪を嵌めたウォルの手のひらが俺の頬に優しく触れて、首すじを辿(たど)り、胸の先端をつまみ上げる。

「……っふ、んん……っ」

キスを続けながら、彼の膝が閉じていた俺の足を割り開いた。

熱を持ち始めていた俺の中心に、彼のモノがこすりつけられて。その既に張りつめるほどに硬くなった熱の塊に、前だけでなく後ろも、これから訪れるだろう快楽の予感に震えた。

しかし、ボタンはすべて外したが、上着は脱げていない……ま、第二ラウンド開始時には脱がせてもらえるだろう。

第一ラウンドは仕方ないか。これまでを振り返るに、ウォルさんは着衣プレイはお嫌いではない。

ベッドの中に入る前に、仕掛けている守護結界を作動させておいた。

二人きりの旅の間、初期に夜間使っていた種類の改良版だ。六時間、外から内部への侵入を防ぐプラス、中の音を外へ漏らさなくしてみました。

アルティシアの王城で暮らし始めてから知ったのだが、王族の情事って誰かに見守られながら行われるものだったんだよ……。

いや、分かる。一夜のお相手が暗殺者とかいう場合もあるかもしれないよな。健康状態チェックの一環かもしれないし。

だけど無理。俺は、見られながらは無理。

それなのに最初の頃は最中でも、乱入者が容赦なく現れていた……早馬飛ばしてやって来た伝令とかならまだ理解出来る。だが、俺とウォルの関係を疑う面々は、致している場面を確認しようと無理やり寝室に押し入ってくるんだ。

……うん、ウォルさん若いから舐められてるって事前に教えてくれていたけれど、こういう行動に表れるのかって思った。

普通なら、国王相手にやらんだろ。

後宮にある俺の部屋にも、密命を帯びているっぽいイケメンたちが忍び込んできていたりした。

人様のベッドに全裸待機して、昨夜は楽しかったですねって……俺はウォルの部屋にずっと泊まっているんだが。

どうやらスキャンダルをでっち上げて、俺の立場を悪くしたかったたっぽい。

『お慕いしています、一晩だけでも』パターンもあった。あの一連の侵入は、後宮責任者であるカザリン王姉がガチ切れしていた。

やはり宮廷は伏魔殿。

なら自衛をするぞ、と俺は立ち上がった。


夜の間に、俺とウォルのベッドに近づく奴は許さん。守護結界だ。

範囲はベッドの周囲。生死確認が必要なら、薄絹越しに目を凝らしてくれ。

最中の声も聴かせる趣味はないので、中から外へは防音だ。緊急の場合は外からの声は聞こえるから、ウォルだけ外に出て応対してもらう予定。

「――んっ」

後ろに、指と同じくらいの太さのモノが侵入してきた。

夜のお供、固形バージョンだ。

うっすらと額に汗をにじませたウォルが、指で奥に押し込みながら俺の唇に啄むようにキスをする。

「何か考え事？　カリヤ」

「……ウォルといかにして、充実した夜を過ごすか？」

俺の左手に指を絡めたまま、笑ったウォルが後ろに差し込む指を二本に増やした。

え？　固形って塗り込める必要がないタイプなんだけど!?

「まっ、奥に入れてるのが……っ」

「こうすればすぐに溶ける」

大きく開いた股の間を、こすりつけるように彼のペニスが行き来しだした。

勃ち上がった自分のペニスにこすりつけられる刺激が気持ち良い。今からこれが入って来て、もっと深い刺激を与えられるのだと思うと、彼の指を咥えたままの後ろが反応する。

もう指じゃ足りない。

もっと硬くて太い、彼の熱を直接感じ取りたい。

「ナカが熱くなって……ほら、あっという間に溶けた」

「な、ら、すぐに埋め――っ！」

ズンと、一息に貫かれ、背中が反り返る。

「あ、はぁ……ッ」

片手を繋げたまま、もう片方の手で太ももを持ち上げるように抱え込み、ウォルが密着した腰を動かし始めた。

「あっ、あっ、ん……！」

「あなたは、私に指輪をくれるばかりだったけれど、ようやく与えることが出来た――」

繋げた手に、ウォルが力を込める。

「愛している、私のアイテムマスター」

開発されてしまったというべきか、ウォルはピンポイントで俺の感じる場所を狙って動き続ける。

片手でベッドに縫いつけられたまま、突き上げられ、揺さぶられて。繋がった部分から押し寄せる快楽に、喘ぐことしか出来ない。

「あ、ふっ……ん、んぁ…ッ、あぁア……ッ！」

「――――ッ！」

奥深くまで突き上げたウォルが動きを止めた。

そうしてナカに注ぎ込まれる感覚に、咥えこんだままの個所がひくひくと反応している。

……淫らに、もっと欲しいとねだっている。

ようやく、ウォルが繋げていた手を解いた。

腕を通したままだった俺の上着が、優しい手つきで脱がされていく。袖を抜き、肩から滑り落とし、横たわったままだった体が起こされ、脱がされた服がベッドの下へと落とされた。

「…………」

まだ一部繋がったままなんだが。

ウォルがまだ俺のナカにいて、その体勢で上半身を抱き込むように引き寄せられて、これって、

(――対面座位――)

「あ、あああ――っ……！」

名称を思い出したと同時に、彼の膝の上で上下に揺すぶられ始める。

……うん、第二ラウンド前に、上着は脱ぐことが出来たな……！

護衛騎士

さて、婚約式を無事に終え、俺は正式にティシア国王の婚約者として認められた。

〝陛下の寵愛を受けている愛人(という扱いだった。これまで)〟からランクアップだ。王国碑に名前を刻んだので、準王族扱いだ。

という訳で、本日から将来の王妃としての〝公務〟が始まる訳なんだが、

――本当に公務をする必要はなかった。

アルティシアに帰還してからも好き放題に動き回らせてもらっていたんだが、今後もこれまでと同じ感じでいいらしい。

まあ、カザリン王姉がいらっしゃるからな。

しっかりと後宮を掌握している彼女の領分を侵す気はまったくない。いずれ彼女がどこかに嫁がれたら俺が頑張らなくちゃいけないかもしれないが、戦争が終わるまではその可能性はないと聞くし。

だが普段は好きにさせてもらっていても、ウォルの婚約者として出席する公式の場では、それなりに被らなきゃならない猫はある。

そして猫を被るには協力者が必要だ。

という訳で、顔合わせだ。改めて奥向けに婚約者紹介の場を設けることになった。

場所は国王であるウォルの政務室。

並んで立つ俺とウォルの前にずらりと整列しているのは、将来の王妃に仕える予定の女官の皆さんプラスアルファだ。

ティシア後宮の女主人であるカザリン殿下も同席している。彼女が紹介してくれるようだ。

「まずはリザ。彼女が後宮の女官を統括しています」

タキリン城砦でお世話になった、背すじを伸ばして立つ老齢の女官長が綺麗な所作で礼をした。

お元気そうで何よりです、リザさん。

今の俺の立場じゃ〝さん〟づけで呼んではいけないが、心の中でだけはこっそりと。

「カリヤ付き、つまり将来の王妃付きの女官たちを束ねることになるのが、こちらのクレアです」

「おそれ多くも妃殿下付き筆頭としてご指名いただきました。改めて、どうぞよろしくお願いいたします」

三十代そこそこに見える美女が、にっこりと笑って俺に向かって頭を下げた。

このクレアさん、実はリザさんの実の娘さんだそうです。後宮の女官さんたちは家名を伏せ、名前のみで呼ばれる習慣らしい。

結婚を機に退職していたが、子供が成人したので宮廷に復帰したのだとか。元は、先の王太子妃付き筆頭女官だったプロフェッショナルだ。

俺に仕えてくれる女官は、先の王太子妃と王妃付きだったメンバーをほぼそのまま譲り受けている。

数はそれほど多くない。何故なら、貴族の妻女が多かった女官はこの一年でかなり辞めてしまっているそうだから。結婚したり、実家の都合とかで。

ろくに後宮で寝泊まりせず、ウォルの元に入り浸っている俺だが、それでも彼女たちは献身的に仕えてくれている。

「そして、ミリアムは陛下付きからカリヤ付きに異動ですね」

「はいっ。カリヤ妃殿下、ティシア王家への揺るがぬ忠誠をもって、一命を賭して仕えさせていただきます」

　どうぞよろしくお願いいたします、と銀髪の少女が綺麗な礼をする。

　彼女のことは、アルティシアに来る前から知っていた。タキリン城砦で〝カザリン王女〟に仕えていた女官の一人だったからだ。

　銀髪に紫の瞳という、色彩的にかなり目を引く美少女。おまけに性格はほがらかで人懐こい。

　だが、と俺は傍らのウォルに視線を向けた。

「――いいのか？　たしか彼女、ウォルの乳兄弟なんだろう？」

　この世界の王侯貴族の場合、同じ乳で育った乳母の子どもとは特別な縁を結ぶのだと前世のゲーム知識で俺は知っていた。そういうゲーム内エピソードやクエストがいくつかあったので。

　乳兄弟が男なら側近の一人として、女なら女官や侍女として、生涯仕えることになる。

　今世でもその風習は存在したのかと感心していた。第三王子だったウォルの乳兄弟は女で、ずっと一緒に育ってきたらしい（余談だが、カザリン王姉の乳兄弟も女だ）。

「ミリアムなら安心してカリヤを任せられる」

「はいっ。私もカリヤ様にお仕え出来るなんて、とてもうれしいですっ。あ、ウォルド様が嫌いになった訳じゃありませんけどね？」

　にこにこと笑っている美少女の、だが俺はその隣へと意識が向かってしまっていた。

　だって、〝彼〟がそれまで伏せていた視線を上げたから。そのどこか見覚えのある、鮮やかな紫に気づいてしまったから。

女ばかりのこの場の黒一点。

首元を高く締める襟の上で切られた髪の色は、隣の少女と同じ銀だった。瞳の紫も。

背はすらりと高いが、適度な筋肉に覆われているらしい様子が騎士服の上から窺える。スタイルが良すぎて、着やせして見えるくらいだ。

少女より年上で、俺よりは年下。おそらく二十代中頃と思われる年齢の青年は、俺に対して冷ややかなといってもいい眼差しを向けていた。

色素薄い系の美青年の無表情は、ちょっと迫力がある。

コホン、とカザリン王姉が小さく咳払いをした。

「ミリアムの隣にいるのは彼女の兄で、このたびカリヤの護衛騎士に任命しました。名は、ライナー・コートレイ」

護衛騎士?

たしかに、立場的に必要だと昨夜聞いていた。以前から人選を進めていたんだろうか。

だがその前に、コートレイ!?

「ライナーは当代ナダルの従兄だ。以前は私の護衛騎士として、妹ミリアムと共に仕えてくれていたが、クラシエルとの戦争前に怪我を負ってコートレイ領に戻っていた。傷も癒えたと聞くので、カリヤの騎士として復帰してもらう」

「――ウォルド陛下」

よく通る声が低く響いた。

「傷は癒えましたが、足に若干後遺症が残っております。騎士としては以前と同じ働きは出来ませんが、本当にそれでもよろしいのですか?」

「かまわない。おまえに求めたいのは、王妃の側に付き従う護衛騎士としての任務だけではない。カリヤは近く、領主の試練のためにコートレイ領に赴く。その際の案内と折衝を期待している」

「……コートレイ領の民の一人として、陛下のご配慮に感謝いたします。それでしたらこのライナー・

コートレイ、護衛騎士としてティシア王家のために励ませていただきます」

「……いや、ウォル。俺……彼はちょっと……」

「カリヤ？」

眉をひそめてしまった俺に、ウォルはどうかしたのか、という風に首を傾げる。

だが、透徹したエメラルドの眼差しは、俺の反応を予想していたかのように落ち着いていた。

思わず、身を寄せて彼の腕を引いてしまう。

耳元に唇を寄せ、小声で俺はウォルに尋ねた。

「彼でないと駄目なのか？　出来れば、護衛騎士はもっと……年下がいいんだが」

「すまない、カリヤ。あなたを預けるに足る、信用の出来る者は少ないんだ。王妃を守る騎士団を創設してもいいが、どうしても時間はかかる」

「そうじゃなくって……！」

分かっているらしいウォルに、俺は唇をかんだ。

ライナー・コートレイの身長は俺より高く、騎士として鍛えている体格も立派だ。

もしも万が一、彼と一緒に行動している時に襲撃でも受けたら。

俺の戦闘ランクはBだ。ある程度戦えはするが、同じBランクなら生産職よりも戦闘職の方が強い。

だからまずはその場から逃げる。

ウォルと北部諸国連合の地を踏破した時も、基本は戦わずに逃げに徹していたくらいだ。

俺では、彼を連れて〝ジャンプ〟は出来ない。あのスキルは、自分より体重が軽い相手でないと一緒に跳ぶことが出来ない。

——彼を見捨てて、一人で逃げてしまうことになる。

「……カリヤ。あなたの懸念は理解している。私はあなたを剣を用いた戦場に出すつもりはない。だからその懸念が現実になることはないが、それ以外の戦場では、あなたはまだ戦い方を知らない」

そんなあなたを守るために、彼を呼び寄せたんだ。

「コートレイ領に向かった時、彼は必要になる。その他にも、王妃たるあなたが城の外で活動を行う場合、必ず貴婦人を守護する騎士が必要になるんだ。……受け入れてほしい」

「…………」

ため息を細くつき、俺はウォルの腕をゆっくりと放した。ウォルが俺をなだめるように、頬に手で触れてするりと撫(な)でてくる。

王妃の、貴婦人の立場としては、どうしても騎士のボディガードが必要になるんだろう。

一人でふらふらと跳びまわるのは論外、か。

頷(うなず)き、俺は護衛騎士を受け入れた。

先に受け入れていたライナー・コートレイは、そのまま最後まで無言だった。

アルティシア・ステーション

王都アルティシアの南側の外壁門からは、馬車がすれ違えるほど広い幅を持つ石畳の街道が延びている。

道の先にあるのはアルティシア・ステーション。『3』のナンバリングが屋根に刻印された、巨大な建築物だ。

数多くの転移ポータルが設置されている、ティシアが国内に二か所有している転移ステーション。

北のタキリンは敵勢力(クラシエル)の手に落ちてしまったが、南に存在するこのアルティシア・ステーションはまだティシアが押さえている。

本日の俺はそちらに向かっています。婚約して身分の保証を得て、ようやく外を自由に出歩けるようになったので、アイテムマスターとして転移ステーションのメンテナンスに行くのです。

……しかし、これって自由に出歩けているっていうのか……？

若干遠い目をしながら、俺は走る馬車の窓の外へと視線をやった。

王家の紋章が入った四頭立ての馬車が、近衛の騎兵二十人に周囲を守られて街道を走っている。新しく俺の護衛騎士に就任したライナー・コートレイも、一緒に騎馬を走らせている。

先触れの指示に従ったのだろう。街道にいた馬車が、騎馬が、徒歩の人々が、邪魔にならないようにと石畳の外へと移動し、道沿いに膝をついて頭を下げていた。

……ああ、うん。覚えがある。

昔、ゲイリアスにまだいた頃。麓(ふもと)へ降りた時、たまたま貴族らしき一行に出くわしたことがあったっけ。

雨が降った後だった。通り過ぎる馬車の車輪が泥をはねて、頭から被っても道端に移動した誰もが皆、ぬかるみの中で平伏していた。ゲームに似てはいても、ここは異世界なのだと泥水が染みて冷たくなっていく膝を感じながら納得した――。

成り上がりすごいわー、俺。

ヒエラルキーの最下層から頂点に駆け上がっている。中身は街の子供に石を投げられていた蛮族のまなんだけどなぁ……。

「妃殿下、このたびは魔法院、技術院の同行をお許しいただきまして、ありがとうございました」

向かい合わせに座った老人の声に、窓の外から馬車の中へと意識を切り替える。

魔法院院長であるマティウス・セフィエラが、穏やかな笑みを浮かべてこちらを見ていた。

「転生者のスキル発現の場に立ち会えることは、滅多にございません。貴重な機会を与えていただき、両院一同感謝いたしております」

セフィエラ氏の隣に座った技術院院長も頭を下げる。ハゲた頭も眩(まぶ)しいご老人である技術院院長は、近々俺に院長職を譲り渡して補佐へと異動する予定

（プレイヤーがトップに就任したら、生産ボーナスがつくので）だ。

なので実質、技術院の体制は変わっていない。

「いえ、今後は魔法院には転移ポータルへの定期的なMP供給と、技術院にはそのサポートを頼む予定です。どのようにポータルをメンテナンスすればいいのかなど、今日は皆で見学してください」

せっかくですから……と、俺はセフィエラ氏に笑いかけた。

「今回、この馬車の後ろについてきている魔法使い三十人と生産職三十人。彼らの最大MPも上げてしまおうかと考えているのですが、いかがでしょうか？」

じじい二人の顔が明るくなった。

転生者がサポートすれば、NPCの成長率が上がる。もちろん彼らはそのことを知っている。

「それはありがたい」

「ぜひともよろしくお願いいたします、妃殿下！」

言質を取り、うむ、と俺は頷いた。

「転移ポータルへの、MP供給が追いついていないと報告が上がっています。限界までMPを使えば最大値は上がるものですから、MPポーションを服用して、ポーション酔いを体験するまで限界に挑戦してみましょう。技術院の面々は、魔法使いの使用するMPポーションを大量生産しましょうか」

「……ああ、なるほど……」

おーい、じじいズ。笑顔がこわばったみたいだがどうした？

彼らも『どのようにすれば最大MPが上がりやすいか』は知っていたのだろう。

しかし実行に移すのは難しかったに違いない。生産職はともかく、魔法の素質を持っている者は貴族に多い。貴族家同士のしがらみなどを考えると、無茶な接し方は出来ない。

だけど俺、陛下の婚約者だから。利用出来るものはなんだって利用させてもらおう！

「素材と作製キットは持ってますので大丈夫。なに、ポーション酔いで死ぬことはありません。戦場に出て命の危険にさらされる訳でもない。ちょうど良い機会なので、せっかくですから有効活用を」

「――それで、まだランクの低い者たちを選ばれたのですか」

「たしかに、妃殿下に見守られながら訓練していただけるのはありがたい……」

任せてほしい。

一連の従軍経験から、俺は師弟システムを利用した〝新人向け基礎訓練(ブートキャンプ)〟のエキスパートっぽくなっている。

己の吐いたゲロの中でのたうちまわれる、滅多にない経験を味わわせてやるぜ！

――いや、実際はそこまで無理はさせなかったよ？

アルティシア・ステーション到着初日。

まず、転移ポータルのメンテナンスをひよっこたちに見学させる。その後、俺はおもむろにチェックを終えたポータルへのMP充填(じゅうてん)と、MPポーション作製を指示した。

魔法使いには、ポータルにMPがなくなったらポーションを飲んで回復するを繰り返させる。ポーション酔いで体が動かなくなるまで。

生産職には、魔法使いの飲むMPポーションをスキルで作製させる。それにより自分のMPが少なくなったらポーションを飲んで回復するを繰り返させる。ポーション酔いで体が動かなくなるまで。

翌日は、酔いつぶれた屍(しかばね)がそこかしこに転がる中、ひたすら俺一人で転移ポータルをメンテナンスし続けた。

更に翌日。復活したひよっこたちにメンテナンスを終えた転移ポータルを任せる。俺は作業を続行し、また力尽きた魔法使いと生産職たちが倒れていく

――。

ついつい、泊まり込みでひよっこを鍛えてしまった。

ごめん、ウォル。婚約早々外泊だ。

だけどチェックして分かったんだけど、随分長い間整備されていなかったらしい転移ポータルの状態が良くなくて、そのまま放置とかしたくなかったんだよぅ……。

人材と物資の円滑な流通は、国家の生命線だと思う。戦時中においては特に。

さいわい、転移ステーションには常駐の警備兵がいる。泊まり込みにあたって、彼らの宿舎を間借りさせてもらえた。

ここで俺の護衛騎士、ライナーが活躍した。

初日しか予定を空けていなかったじじいズの王都への送迎。俺が泊まり込むにあたっての、身の回りの世話をする女官や侍女たちの召喚(必要らしい)。ステーションの警備体制の変更。ぜーんぶ、彼が指示を出して対処してくれた。

それでいて、忙しいはずなのに時間の取れる限り俺の斜め後ろに立ち、ボディガードもしてくれている。

有能だ……さすがウォルが用意してくれた人材。

だが、うすうす気づいていたことだが、どうやら俺は彼に良くは思われていないらしい。

顔合わせ以降、任務に関する会話はあっても、それ以外で彼から話しかけてきたことは一切ない。

うーむ、時間をかけて互いに理解していくしかないんだろうなぁ……。

「すごい、最大MP量が三倍に増えてる……」

「俺もランクが上がった……もう無理だと思っていたのに……」

五日後、アルティシア・ステーションの玄関ホール。

集められたひよっこたちが、鑑定球を手に持って呆然と自分の状態を確認している。

　ざわめく彼らを前に、俺はにっこりと笑いかけた。

「言っただろう？　諸君が限界まで努力をしたなら、必ず強くなれると。これまでも、諸君は努力をしてきた。だが、努力をしてもすべてが反映されるのではないとも知っていた」

　だがこれからは違う。諸君の力をすべて引き出せる俺がいる。諸君が更に強くなれるように励まそう。アドバイスを送ろう。俺の持つ知識を、受け取れる限り教えよう。

「これで終わりじゃない。——諸君は、まだまだ強くなれる」

「妃殿下！」

「カリヤ様！」

　喜色を浮かべたひよっこたちが、俺に向かって駆け寄ってくる。

　ははは、喜びのハグかぁ。受け止めてやるからどーんと飛び込んで来い！

　ガキンと、鈍い音がホール内に響き渡った。

「——弁えろ。この方はいずれティシアの王妃となられる方だ」

目の前にライナーの背中があった。

　音は、彼の腰に佩いていたはずの長剣が外され、鞘に収められた剣先を床に叩きつけたものだった。

　こくこくと頷きながら後ずさるひよっこたち。

　そうか、今後はみだりにハグをしてはいけないのかと感心しながら、ようやく本題に取り掛かるかと俺は意識を切り替えた。

　アルティシア・ステーションを訪れた本当の目的。

　——他の場所と繋がっている転移ポータルの設定を変更して、エルフの住む大樹海とティシア間で繋げなおすためだ。

さて、どこと繋がっている転移ポータルを大樹海へと変更するか？

これはもう、現在クラシエルに占領されているタキリン・ステーション一択だろう。

タキリン城砦陥落直前、他のポータルは破壊していたがアルティシアのポータルだけは破壊出来なかった。破壊する前に、俺はウォルを連れてランダム転移で逃げていた。

最後にアルティシアへと移動した魔法使いの面々が、渡していた符で封鎖してくれていたのだが、よくぞ持ってくれたと思う。

べったべたに符を貼りまくってオブジェと化していた操作台を見た時には笑ってしまった。

五日かけて慎重に符を剥がし、内部データの座標を大樹海のものに変更した。いつうっかりタキリンとの繋がりが復活して、あちらからクラシエル兵がなだれ込んで来やしないかと冷や冷やしていたのだが、無事変更出来たようだ。

という訳で、タキリンと繋がっていた転移ポータルの部屋に移動する。

ひよっこたちが興味津々の様子でついて来たので、壁際に並ばせて見学させることにした。ステーション同士が繋がったポータルの部屋はかなり広いので、彼らも全員収容出来る。

無事に繋がっているかの確認で、今から親書を送って、返事が戻ってくるのを待つだけなんだけどな。

既に大樹海側とは、王宮の水晶球を経由して打ち合わせは済んでいる。あの地を去る時に、繋げる予定のポータルにアルティシア側の座標は登録してきた(自国のことなのでウォルが覚えていた)。

これで、完全に大樹海とティシアが繋がった訳だ。

あらかじめ預かっていた、金の箔押しが施された封筒を魔法陣の中央へと置く。

空き空間がもったいないなー。この魔法陣、かなり大きいサイズなので人間五十人くらいなら一回で転移させることが出来るのに。

だがまずは試運転だ。確認せずに動かして、惨殺死体が出現したりするのは怖いし。

多分成功する！　メンテナンスは完璧だ！

「転移開始」

操作を任せた魔法使いがスイッチを押す。操作盤側面にあるメンテナンス用の蓋を外した状態で、俺と技術院の院生が内部の状態をチェックする。

「――転移完了」

魔法陣の縁から現れた金色の膜が、陣を覆うように半円のドームを作り、消えた。

置かれた封筒は消えていた。

「……異常ありません」

「転移成功！」

わっと、周囲を取り囲んでいたひよっこたちが盛り上がった。

うむ、操作盤にも異常なし！

「妃殿下、操作台に反応が表れました」

「返事が早いな……――総員、警戒！」

小さな音を響かせて、再び金色の半円のドームが魔法陣の上に出現し、消える。

返事の封筒だけが届くはずだったのに、複数の人影が見えたので警告を発した俺だが、すぐに撤回した。

「すまん、敵じゃない。気の早いエルフがやって来てしまったようだ」

「驚かせてすまないな。久しぶりだ、カリヤ！」

魔法陣の中には、エルフが十名ほど立っていた。

満面の笑みを浮かべながら一歩踏み出したのは、西の里の兵士長であるエリアーシュだった。

うっすらと青みを帯びた肌色に、青銀色の長い髪。アクアマリンの瞳を持つ儚げで華奢な美人は、人族が思い浮かべる理想のエルフそのものだ。

――だけど、コレの中身はおっさん。

年齢不詳というか、下手をすれば十代に見えなくもない若々しい外見だけど、聞いた年齢は三十三歳。性格も豪快で男らしい。たおやかな外見からは想像も出来ないがな！

うーむ、外見詐欺にコロコロとひよっこたちが引っかかっている気がする……。

「相変わらず美しいな、と言おうと思ったが、更に美しさが増したな、カリヤ！」

軽い足取りで近寄り、にこにこと笑いながら差し出してきたエリアの右手を、苦笑を浮かべながら握り返す。

腹黒のアンゼからの称賛なら聞き流すが、エリアは普通にそう感じてくれてるんだろうなぁ。

「色気が垂れ流されているというか、ウォルド王子はようやく手を出されたのか。慈しまれているようで何よりだ……っと、もう王位に就かれたんだったか。ご即位、お祝い申し上げる」

「ありがとう」

「残念だったな、ヴェン！　正式な婚姻はまだだが、カリヤは既に人妻だ。新婚家庭に余計な波風は立てるなよ？」

「エリア、私の弟がヘタレなのは否定しませんが、鞭打つのは止めてやってください。阿呆にも、肉体関係がまだならもう一度口説けば振り向いてくれないかと甘い夢を見ていましたが、夢くらいなら見てもかまわないじゃありませんか、夢くらいなら」

「……」

振り返ったエリアの背後に視線を向けると、エルフ一行の内の一人が、魔法陣の上に膝から崩れ落ちていた。

やれやれと、その傍らで腕を組んで見下ろしている長身の美丈夫。その面影に心当たりがあった。

俺が大樹海にいた頃、髪を金に、肌の色を白く染めていた長身のエルフは、色彩を本来のものに戻したらしい。月の光を思わせる青みを帯びた肌に、複雑に編み込んだ長い髪の色は鮮やかなスカイブルー。

こちらに藍色の瞳を向けたエルフは、見る者が見れば分かる胡散臭い笑みを浮かべた。

「お久しぶりです、カリヤ様。この度はウォルド陛下とのご婚約披露、おめでとうございます」

「……やっぱり里じゃ手を出していなかったじゃないか……口約束だけならと、わずかでも期待するじゃないかぁ……っ」

「皆、言ってただろうが、諦めろと。――ああ、ティシアの方々、お気になさらず。貴国の王妃が美しすぎて、惑わされた男がエルフの中にもいたというだけのことです。そっとお慕いしていただけで、手なんてとても出せなかったヘタレですからご安心を」

　面白おかしく解説してみせたアンゼに、部屋の空気が緩んだ。ガチのやりとりなら、俺はなかなか面倒くさい立場になっていたかもしれない。

　だけどアンゼの軽やかな語り口調は、修羅場未遂を笑い話に変えたようだ……うん、唐突に崩れ落ちるのは止めておこうな、ヴェンデリーン。当事者である俺はフォロー出来なかったぞ？

　……そして早く復活してくれ。

　俺の斜め背後にいる護衛騎士の気配が、氷点下並みに凍てついている気がするんだが振り向いて確認出来ないんだ。

　アンゼが笑顔で弟のケツを蹴った。

　のろのろと立ち上がった美丈夫は、彼もまた染めていた色彩を元に戻していた。黒髪は深いマリンブルーに、俺と同じだったオリーブの肌色は、エルフの月の輝きを放つ青に。

　魔法陣の上に立っていたエルフ一行が、俺の方に向かって歩き出す。双子の他の面々は、エリアの部下である里の兵士だった。

　一番前にいたヴェンが、眉を寄せながら小さく笑う。

「――思い返していた記憶以上に、美しくなっていた。婚約おめでとう、カリヤ」

「ありがとう、ヴェンデリーン」

　笑みを浮かべ、差し出した手で握手を交わす。

「大人数だな。今日はポータルが正常に動くかどうかの確認だけだと思っていたが。せっかく来たんだし、お茶でも飲んでいくか？」

「茶ならウォルド陛下の元でいただこう。実は、無事にポータルが繋がったら王宮まで挨拶に出向きたいと、今朝になってだが水晶球でやりとりをしていたんだ。承諾は得ている」

　馬を使えばアルティシア・ステーションから半日かからず往復出来ると聞いたから。

　そう答えるヴェンに、俺はポータルの設置された部屋を守っていた兵に確認するように合図した。

　頷き、姿を消した兵士がすぐに戻ってくる。

「申し訳ございません。王宮から水晶球にて、たしかにその旨の連絡が来ておりました。エルフご一行の騎馬は、アルティシア・ステーションの厩舎にて用意いたします。移動されますか？」

「妃殿下はいかがされますか？　こちらでお待ちになりますか。それとも同行されるなら馬車を用意いたしましょうか」

　兵士の報告を受け、尋ねてきた護衛騎士に首を振る。

「俺も騎馬で同行する。用意を頼む、ライナー」

「……かしこまりました」

　手配に向かいます、とライナーが先に部屋を出ていく。

　すごいな、有能マネージャー。

　王妃の立場じゃ馬になんて乗らないよ、馬車に乗るものだよと拒否されるかと思ったが、俺の意思を通してくれた。

　エルフだけ馬に乗せて、俺が馬車でついていくという選択肢は取れなかった。自分の馬車を彼らに警護させている、みたいなシチュになるからな。エルフとティシアは対等な立場だ。その前提は崩せない。

　それに俺は普段からエルフの民族服を着用しているから、ホスト役はこなさないと。

よしと頷き、残りの作業を周囲のひよっこに指示する。ティシアにやって来た客人たちに笑いかけて、俺はエルフ一行の案内を始めた。

国王陛下と婚約者の五日ぶりの夜

突然やって来たエルフ一行は、王都アルティシアでうるわしの国王陛下とお茶を共にし、早々に大樹海へと帰っていった――。

一行で語れてしまう本日の出来事だが、ティシア……いや、中央国家群の歴史における一大転換点になったかもしれない。

数百年にわたって大樹海に閉じこもり、人族との交流を断っていたエルフが、結界の外へと公に姿を現したのだ。

白亜の王宮へと続く大通りを、隊列を組んで騎馬で駆けていくエルフご一行。

青みを帯びた肌色に、長くとがった耳先。緑や青といった髪色は、実際に見かけることはなくても、おとぎ話や伝承として人々の間に伝わっていた。

美貌(びぼう)を誇るエルフたちを取り囲むようにして並走する騎士が掲げるのは、白いティシア国旗とたなびく緑青の大樹海旗。

通り過ぎる一行をあぜんと見つめていた国民の、向ける表情が徐々に高揚したものへと変わっていく様子が、すれ違う俺にも見えた。

走り抜けた背後から聞こえてくる、ティシア万歳と響き始めた歓声。

本当にエルフと国交を結んだのかと、王家の発表に半信半疑だった者も少なからずいたのだろう。

だがたしかに、エルフは王都アルティシアへとやって来たのだ。

行きはほとんど勢いで王宮まで駆け抜けた。

重臣を引き連れて城門の前まで出迎えていたウォルが、ヴェンデリーンたちの来訪を微笑(ほほえ)みながら歓迎し——ている間に、俺は急いで自室に戻って着替えました。

俺の正装である、女物のドレスに見えなくもない裾の長いエルフ服。

そのまま何もなかったかのようにしれっと合流するつもりだったのに、気づいた女官さんたちに綺麗にした方がいいからと追加で飾り立てられ、なんとか応接間でお茶を淹れ始めていたカザリン義姉上の横に立つ。

やあ、と目線のあったヴェンに手を上げたら絶句されてしまった。エリアとアンゼは笑うのを堪えていた。一緒に来たはずなのに急に姿を消したかと思うと、ちゃっかり着替えて現れたからだろうなー。

ウォルだけならともかく、この場には重臣の皆さんがいるので。

俺のことをよく思ってない反対派もいる。俺が男の服のまま活動していたら、その方々は噛みついてくるんだよ。王妃になるつもりはあるのかって。

という訳で、出迎え時に彼らに気づかれてなかったみたいだから、こっそり着替えてきた！　エルフの服だから知っているだろうが、女装ではない。

だから、そうあからさまに何とも言えない表情で目線を逸らすな、ヴェンデリーン。

にこやかにお茶をしている間に、大通りに警護の兵士を並べておく。

来訪を聞きつけて集まった王都の住民の大歓声の中、訪れたエルフ一行はアルティシア・ステーションを経由して大樹海へと戻っていった。

俺はついていかなかった。

王城の正門前に立ち、ウォルの隣で笑いながら手を振ってエルフたちを見送った。

どうせすぐ、顔を合わせることになるし。

「五日間おつかれさま、カリヤ」

ウォルが自室と繋がった扉を開けて、寝室の中へと入って来る。

王様は大変だ。

やって来たエルフ一行を見送った後も、改めて重臣の皆さんと夕食を挟みながら会議をしていた。

寝室に設置した作業机に座っていた俺は、彼に笑顔を向けると広げていた部品をアイテムボックスの中に戻していく。

「ウォルもおつかれさま。五日振りー。俺がいなくて寂しかった？」

「もちろん寂しかった」

主に独り寝が、と座る俺を背後から抱きしめつつ、珍しく彼が軽口を叩く。

ふわりとほのかな良い香りに包まれ、それがウォルの使っている香水の匂いだと気づいた。

既にガウン姿なのに入浴剤の香りでない、ということは。

「ウォル、風呂にはもう入ってる？」

「今日はアンゼリーンたちに会う前に。あなたの髪を乾かしたかったのに、なかなか会議が終わらなかった……」

風呂上がりの俺が自分で乾かしてしまった髪を一房手に取り、残念そうにウォルが唇を落とす。

「ウォルが今からもう一度入るなら、寝室に併設している風呂の支度をするけれど？　乾かそうか、髪」

「いや、今夜はもう休む。私の髪を乾かしてもらうために、あなたの時間を取りたくはない」

椅子から立ち上がると、改めて彼に抱きしめられた。

五日ぶりの温もりに、黙って抱擁に身を任せる。

「……今夜はもう下がっていい。灯りは私が消す。朝はいつもの時間に起きる」

ウォルの指示に、部屋の隅に控えていた侍従と女官が無言で頭を下げた。

寝室を出てすぐにある控えの間へと移動する二人を見送り、寄り添ってベッドへと向かう。ウォルが片手を上げて小さく呪文を呟いた。

指先から風の流れが生まれ、寝室の壁に設置された燭台の火を消していく。

繊細な魔力操作だ。

ウォルさん、本当に魔法が上手になった。

ベッド脇の灯りは俺製だ。声の指示で消えてくれる。

それだけを残し、二人でベッドの上へと移動すると天蓋の布で周囲を覆う。

ベッドの下には守護結界が設置されている。発動させたので、もう外から天蓋の内部へは侵入出来ない。中で行われる、会話や音も聞こえなくなる。

よし、と俺は勢いよくパジャマを脱ぎ捨てた。

アイテムボックスの中から旅の戦士バージョンの衣類と装備一式を取り出し、手早く身に着けていく。

ウォルも着ていたガウンの紐をほどき、内側に入れていた書類やアイテムをベッドの上へと並べる。

「カリヤ、この革のホルダーに収められたカードが、ティシア王家の極秘の使者に与えられるものだ。私のサインと捺された印は使者の身分と往来を保証するもので、国内であれば身元を詮索されることなくすべての場所で通用する」

「見せれば、どんな末端の兵士でも納得してくれる？」

「ああ、ティシア国内なら。既にあなたを登録しておいた」

アイテムの性質上、〝いない者として扱われる〟ことになる。

一言二言程度の接触なら、使用したあなたが遠ざかれば、相手は出会ったことさえ忘れる認識阻害が掛かっているものだ。

「登録者以外は決して使用出来ない。落としても奪われても大丈夫だから、失くしたら教えてくれ。再発行する」

「――――」

ふと嫌な予感がして、そのカードを鑑定してみたが見事に弾かれた。俺、Sランクなのに。

やべー。コレ、ウォルがいつも身に着けている宝冠並みの王家の秘物な気がするんだが!?

……決して失くさないようにしよう。

「それからこの書類をエルフに渡してほしい。アルティシア・ステーションに隣接して建設する施設の、概要を記した物だ。彼らにとっては我が国で最初の拠点になる予定の」

「推敲出来たのか？」

「した。彼らにはクラシエルとの戦いに、少しでも早く参戦してもらわないといけない。整地は明日から始める予定だ。希望や変更個所があれば、早めに連絡が欲しいと伝えてくれるか？」

「了解。預かっていくよ」

カードと書類をアイテムボックス内に放り込み、ブーツを履き終えた俺はそのままベッドの上に立ち上がった。

あ、靴の裏は綺麗です。ちゃんと準備する時に点検して、磨き上げています。

ベッドの上に座ったままのパジャマ姿のウォルが、眩しそうに目を細めて俺を見上げている。

「――私も一緒に出向きたい」

「ウォルにはアリバイ作りをお願いしたいからダメ。守護結界を作動させている。俺の安心のために、中に入って寝ててくれ。結界が六時間経って切れてからでないと戻れないから、戻るのは六時間後以降になる。夜明けまでには帰ってくる予定だけれど、遅くなったら俺の不在は誤魔化していてくれ」

「我が王妃は、五日ぶりなので思わず可愛がりすぎたら、起き上がれなくなっているとか？」

「……未練を作らせるなよ。出かけたくなくなるだろう？」

「早く戻ってきてくれれば、言葉通りに出来る」

色気ある笑みを浮かべるウォルに、思わず身を屈めて唇を重ね合わせる。

このままベッドの上にもつれあって転がりたくなるが、それは我慢だ。

互いに舌を絡め合わせるキスをして、名残惜しさを感じながらも身を離す。

首元の布地を指で引っ掛け、鼻の上までたくし上げて顔を隠す。これでキスはしたくても出来なくなったぞ！

「行ってくる」

「――気をつけて」

深呼吸して息を整え、俺は〝ジャンプ〟を発動した。

まずは上へ。

ティシア王宮の、そびえ立つ尖塔よりもはるかに高い中空に出現する。

夜の闇の中、月明かりに照らし出される眼下の風景を確かめた。

闇に沈む草原の中に広がる白亜の都、アルティシア。

都を中心に、黒い草原に白い街道が通っている。

月明かりに浮かび上がるそれを視線でたどり、南に延びる先に夜闇に浮かぶアルティシア・ステーションを見つけた。

ジャンプで転移した直後の停止時間が過ぎ、俺の体が重力に従って落下しようとする。

その落ちる前に、再び転移する。中空でジャンプを繰り返し、アルティシア・ステーションへと向かう。

両腕の手甲に仕込んでいた光玉が、すごい勢いで失われていくＭＰを補充しようと自動的に割れていく。

パリンパリンと澄んだ音を立てて光玉が割れる音を聞きながら、ジャンプで連続転移し続けた俺は無事にアルティシア・ステーションの少し手前へと着地した。

ただいま暗躍中、大樹海再訪

アルティシア・ステーションより離れて着地したのは、ジャンプで移動してきたのを警備する兵士に目撃されたくなかったからです。

ティシアに転生者は俺しかいない。ジャンプ＝転生者＝俺という図式が簡単に出来上がるので。

国王の婚約者が真夜中に、単身で行動しているのを知られたくはないからなぁ。特に婚約者付き護衛騎士様には。

うむ、ライナーが俺より小柄だったら、連れて跳ぶのもやぶさかではなかったんだけれど。別行動じゃ合流するまでの時間のロスが大きすぎる。

今夜はＲＴＡ（リアルタイムアタックの略。移動や戦闘などをすべてひっくるめた総合時間を競うゲーム用語）なのだ。

……嘘です、ごめんなさい。俺より小柄でも今夜は置いてきた。

アルティシア・ステーションの入り口にある階段を上がり、大きく開け放されたままの玄関扉をくぐる。

ここまでは、堂々と行動していれば誰何（すいか）されない。転移ステーションは基本、二十四時間誰にでも開かれている施設だからだ。玄関を入ってすぐの大ホールは、利用者の待ち合わせにも使われたりする。

問題は、転移ポータルが設置された地下へと降りていく、大階段前のチェックから。

階段をふさぐように兵士と役人が立っている。前世のゲーム内ではポータルを使用する際にかかる料金は自動的に所持金から引き落とされていたが、今世はそういう機能はない。

行先の確認と使用料、諸税もここで徴集される。タキリンでは見なかったんだが、軍事施設なので免除されていたらしい。

――ティシア国以外の転移ステーションでは、それに加えて冒険者ギルドから派遣された人員が今も待機している。

俺とウォルはティシアに帰ったのだから、もう張りこまなくてもいいと思うんだけどねぇ。

近づいた蛮族、兵士に呼び止められたのでウォルからもらった身分証明を提示してみた。

驚くほどあっさりと通過出来た。被っていたマントのフードを外す必要はなく、行先の確認もされなかった。

本来ならここで行先と経費徴集済の旨を記した札が作成され、受け取ったそれを行先ポータル担当の兵に渡して、転移施設の利用が可能になる。それらの手続きの代わりに、もう一度身分証明を見せればいいらしい。

深夜という時間帯のせいか、人気のない転移ステーション。

昨日までは、この廊下の隅に力尽きたひよっこたちが転がっていた。自力で宿舎のベッドまでたどりつけない場合は、基本放置したからな。毛布くらいは掛けてやっていたけれど。

ひよっこたちの〝新人向け基礎訓練(ブートキャンプ)〟は終了した。俺がエルフを王都に案内した後、彼らには馬車を用意して、魔法・技術両院に戻るよう手配している。もう寮の自分のベッドで休んでいるだろうか？

せめて今夜くらいは、ゆっくりと眠ってほしい。

――彼らは、これから対クラシエル戦争の前線に順次派遣されていくのだから。

早い者は近いうちに出立するウォルに随伴して。

首を軽く振って、俺はひよっこたちの今後を頭の隅へと押しやる。今は彼らの未来に意識を割く時じゃない。

大樹海と繋(つな)がる転移ポータルが置かれた部屋は、他の部屋とは違い複数の武装した兵士に守られていた。手に握られていた槍(やり)が交差して、俺の行く手を阻む。

出入り口の両端に立つ兵士の誰何の声に、マントの合わせ目から王家の身分証明のカードを取り出して見せた。

カードを見た兵士が一瞬黙り込み、何事もなかったかのように視線を外すと元の姿勢に戻った。

槍の石突が、床に突き立てられて硬い音を立てる。

「……まるで、前世のゲームの中にいたＮＰＣの動きだ……」

俺の独り言に答える者はいなかった。

警備する兵士の間をすり抜け、部屋の中へと入る。

昼間は人でいっぱいだった空間に、今は誰の姿もない。

今日、再起動したばかりの転移ポータル。その操作盤の前に立つ。

手袋を外し、台の上の読み取りパネルに右手のひらを押しつける。スキャンされ、俺を認識した転移ポータルが軽い起動音を響かせた。

ポータルの中に入り、足元の魔法陣に向かって手をかざす仕草をすると、反応したポータルがすぐに転移を始めた。


魔法陣の縁から金色の膜が現れて半円を作り、転移が終了してすぐに消える。

転移した先は、照明器具がなくても明るい部屋だった。

先ほどまでいたアルティシア・ステーションと同じくらいの大きさ。やはり兵士が複数、出入り口に詰めている。

だがここはアルエルブン・ステーション。

エルフの都に存在する、大樹海唯一の転移ステーションだ。

王都に属していることを示す揃いの鎧を着たエルフ兵。その横に、見知った男前がいることに気づいた。

「ヴェン、もしかして待っててくれてたのか？」

フードを外し、鼻まで覆っていた布地に指先を入れて引き下ろしながら、ポータルを降りて彼の元に近づく。

昼間も会った双子の片割れは、少し眩しそうに藍色の目を細めて俺を見た。

「――ああ。アンゼとエリアは上階にいる。案内しよう」

もしかしてヴェンデリーン、俺の到着をずっと待っていてくれたんだろうか？

こっちだ、と踵を返す広い背中。

敬礼をしてくれるエルフ兵に会釈し、俺はその背について歩き始めた。


ただいま暗躍中、アルエルブン・ステーション

大樹海にただ一つだけ存在する転移ステーションは、エルフの王都アルエルブンの中にある。

秋の終わり、俺とウォルが大樹海の退去を前に一度だけ寄ったことがあるステーション。その来賓用の控室らしき部屋には多くのエルフが集まっていた。

そういや前回の来訪時は大樹海を去る直前。ウォルがエルフの王に退去の挨拶をしに王宮まで行ってたんだっけ。

俺は留守番だった。転移システムのメンテナンスを出来るのは転生者だけだから、ティシアと繋げる予定の転移ポータル以外もついでとばかりに点検していた。

アルエルブンを見てみたいと思いはしたけれど、いつかまた来れるだろうと転移ステーションから出なかったんだよなー。

再び訪れることは出来たが、今回もエルフの都見学はお預けだ。

やらなきゃいけないことが多すぎる。

「……さて、作業をしながらになるが、おさらいもかねて説明をしていく。気になることがあれば都度、遠慮なく聞いてくれ」

テーブルの上に素材と道具を広げて、作っているのは指輪型認証アイテムだ。

低ランクのアイテムなら謎の光と共に短縮再現で

量産出来るのだが、高ランクの物はそれが出来ない。

「ティシアと大樹海を繋ぐ転移ポータルは、認証アイテムを持っていないと稼働しない設定にした。この指輪を身に着けている者が一人でもいない限り、転移ポータルは動かせない」

　個人ごとに登録をするアイテムの作製には、材料として対象者の髪の毛が必要だった。

　昼間にアルティシアへ来ていたヴェンとアンゼ、エリアに彼の部下たちの髪の毛は既にもらっている。必要なのは数本なので、ハゲる心配もない。

　寝室の中まで持ち込んで仕上げたアイテムを手渡し、今はティシアを訪れなかった者の髪の毛を受け取って、追加を作製している。

　しかし人数多いー。王都だけでなく、各里からも選ばれた希望者が来ているから仕方ないけど。

　髪の色を映した宝石をはめ込んだ指輪は、その髪色の持ち主にしか扱えない。

「カリヤ殿。ティシア側の登録者が、貴殿とウォルド陛下のみになると聞いたが」

　王都の役人だというエルフの言葉に、俺は頷(うなず)いた。

「クラシエルとの戦争が終わるまでは、ティシア側からは俺以外が大樹海を訪れることはない。陛下は万が一の保険で登録しておくけれど。戦争が終わっても、しばらく人族に通行を許す予定はないな」

「エルフ側からの訪問は許可されるのだろう？」

「ああ。誰か一人でも認証アイテムを持っていれば、転移ポータルは使える。ただ使えるのはアルティシアと繋がるポータル一か所のみだ。ステーション内にある、国外や国内に繋がる他のポータルの使用許可はまだ出せない」

「理由をお尋ねしても？」

　んんー、と眉を寄せながら、俺は言葉を探る。

「……エルフが、冒険者ギルドや奴隷売買組織にさらわれないように？」

「っ！　我々の身の安全は――」

「申し訳ないが、保障なんて出来る訳がない。戦争中なんだ」

既にティシア王宮とは転移システムを介してやりとりをしているだろうが……と、俺はざっくりとティシア側の事情を説明する。

ようやく王家を立ててくれるようにはなったけれど、領主や貴族全員が絶対の忠誠を持っている訳じゃない。

俺を排斥しようと、いまだに寝室に侵入されているからな。お慕いしていますとか侵入者は言っているが、彼らが行おうとしているのはただのレイプだ。ウォルが与えた血統を失わせたいだけだ。

誰が手引きをしているのか、スパイなのだからと探し出したいが、そんな時間もないのが現状だ。

いくらエルフは王家が保護しているからと牽制(けんせい)しても、己の欲のために手を出そうという輩はいるだろう。

「ティシアでは必ず、複数で行動してほしい。こちらからも護衛の兵はつけるが。これからアルティシア・ステーション脇に建設する大樹海の拠点は、外観だけ作って渡す。エルフ以外の立ち入りを禁じる中は、自分たちで好きに改装してほしい。エルフの宿泊は基本、拠点のみ許可されることになる。

――理由は分かるな、ヴェン」

「……荷物が、下手すると自分自身も盗まれる」

「治安のいい大樹海じゃ考えられないと思うけど、こっちの現実はそうなんだ」

大樹海、窓も扉も存在しないものなー。

ヴェンのように大樹海の外で活動していた者は知っているだろうが、おそらく大多数のエルフは自分たちの受けていた特殊な恩恵を理解していない。

人側も理解出来ないだろうしな。

大樹海の治安がいいのは、乱す者が現れたら世界樹が容赦をしないからだ。

犯罪など考えない、善良で誠実な人物。もしくは損得を長期的に判断出来る、頭の良い人物。そういう相手を派遣したいが、選抜している時間がない。

介入したがっている他国のごり押しをはねのける意味でも、ティシアはしばらく俺以外の誰も大樹海に入らせない。

「拠点だが、希望や変更個所があれば早めに連絡を頼む。明日から整地に入る予定だ。アルティシア・ステーションを守る兵士が、その拠点も守ることになる。拠点の中なら安心して眠れるはずだから——完成するまではティシア訪問は日帰りで」

あ、そういえばと、俺は近くに座っているエリアとアンゼに視線を向けた。

「エリアーシュとアンゼリーンは陛下と一緒に前線を回ってくれるんだよな。よろしく頼む」

明後日から前線に向かうウォルの旅に、二人は同行してくれる。

エリアがほがらかに笑った。

「俺は、カリヤに恩があるからな。エルフである俺を連れていたら、ティシアが大樹海と同盟を結んだのだと一目で分かるだろ」

「エリア一人では何かと心配ですからね。私もご一緒します」

「ありがとう。アンゼが一緒なら、更に心強いよ」

エリアの申し出はありがたかったが、心配もしていたんだ。彼は見かけだけなら華奢で可憐なエルフ美人だから。だけど腹黒……じゃない、アンゼが一緒なら大丈夫！　何が起ころうと大丈夫！

相手が地獄に落ちるだけだ。

——アンゼ、エリアとついでにウォルもよろしく頼む。

質疑応答を繰り返しているうちに、追加のアイテムを作り終えた。

脅されることも変に絡まれることもない、平和に終わった時間でした。

エルフたちは基本、ティシア側に対して無理難題は吹っ掛けない。ティシアというか、〝俺〟に対してだが、腫物みたいに丁寧に扱っている。

理由はこれだ。

「おーい、起床ー。そろそろ別の場所に移動するからな。ホテル・カリヤはチェックアウト時間だ」

大樹海到着早々に結われていた俺の髪の毛の中から、ひょこひょこと小さな幼女が顔を出した。


えー、まだねたりない。

よなかにおいだされるとは。

ちぇっくあうとの、えんちょうをきぼうする。


「ダメ。今夜はすぐにいなくなるって、先に言っておいただろう？　またのご利用をお待ちしています」


うう、ざんねん。

またべっそうをつくらせてね、かりや。


ころころと髪の中から下へと転がり落ちた身長十センチの幼女たちが、手を振りながら部屋の壁へと向かい、溶け込むように消えた。


何事も起こらなかったことに、周囲のエルフたちが安堵の息をついている。

なんとカリヤさん、世話になっていた西の里だけではなく、アルエルブンのコロポックルたちにもまいほーむもしくは別荘認定をいただいております。

どうもコロポックル間の共通認識なるものがあるらしい。どの世界樹に所属するコロポックルたちも、気に入った相手には親しく接するようだ。

ヴェンは笑顔で足を蹴られていたからな。幼女、容赦ない。

「さて、じゃあ次の目的地に向かうので、今夜はここまでで。俺も近々、アルティシアを離れる予定だからアイテムの追加作製はお休みだ。しばらくは手持ちで回してくれ」

「ありがとうございました、カリヤ殿」

頭を下げるエルフたちに頷き、こちらだと先導するヴェンの後に続いて部屋を出る。

エリアとアンゼとはここでお別れだ。

再び地下へと降り、案内されたのは転移ポータルが設置された部屋のうちの一つだった。

「――これを」

真面目な顔をしたヴェンが、俺に向かって握りしめていた手のひらを開く。

世界樹の葉を模しただろう緑の宝石が輝く、美しい指輪がそこに載っていた。

ただいま暗躍中、精霊界の友

「――他種族も、エルフの同胞だと認める指輪だ。今から使う転移ポータルは、エルフ族しか使えないという制限がかかっている。それを無効にするためのものだな。どの指でもいい。嵌(は)めてくれ」

差し出された可憐な指輪に少し躊躇(ちゅうちょ)して(いや、ものすごく可愛かったんだ)、とりあえず左手の小指が目立たなくていいかなーと嵌める。

自然にサイズが補正される機能を持っていた指輪は、ぴったりと俺の指の根元に納まってくれた。

うむ、可愛い。

頷き、ヴェンデリーンはエルフ族にしか使えないという転移ポータルの中に入った。

彼に続き、俺も転移ポータルの中に入る。

向かい合わせに立った俺を、エルフの青年は藍色の瞳(ひとみ)でまっすぐ見据えた。

「この転移ポータルの存在はエルフ族以外には秘匿されている。今から先、見た光景を他言しないでほしい。出来れば婚約者であるティシア王にも」

出来ないなら、目的地に着くまで目隠しをさせてもらう。

重々しく告げるヴェンに大丈夫と頷く。

エルフにはエルフの守るべきものがある。無闇に踏み込もうとは思わない。

それを俺が知ることを許されたというなら、彼らは俺を信頼してくれているのだ。本来なら種族の敵である、転生者の俺を。

「分かった」

ほっと安心した風にヴェンが息をつき、ポータルを操作した。魔法陣の縁から、かすかな音を発しながら金色の膜がせりあがり、半円状にポータルを包み込んで消えた。

転移したのは、白く均一な光で満たされた小部屋だった。

中央国家群に数多くある、小さい転移ポータルの設置された建物。だがその建物の床には、本来あるべき魔法陣の他に、一回り小さな簡易式の転移ポータルがいくつも設置されている。

まるで小さな転移ステーションだった。

MMORPG《ゴールデン・ドーン》に正規では存在していなかったけれど、その〝裏技〟を俺は知っていた。

「……ヴェン。この〝転移ステーション〟のポータルは、転生者が作ったものだな？」

「そうだ」

俺の指摘にエルフの男が頷く。

「昔、大樹海が封鎖された頃に作られた。あるSSS(トリプルエス)生産職が協力してくれたと伝わっている。彼女――女性転生者だったんだが、当時の自分と同じ転生者の横暴に胸を痛め、鎖国後も大樹海に残りエルフのために尽くしてくれた。人族や冒険者ギルドの知らない転移ポータルを各地に設置し、簡易ポータルを量産して遺(のこ)した。鎖国後もエルフが中央国家群内を行動出来たのは、彼女の遺したポータルを利用出来たからだ」

アイテムマスター・ランクSS(ダブルエス)は簡易ポータルを作ることが出来、SSSは固定ポータルを作製出来る。

簡易ポータルは場所を選ばず設置出来るが陣が小さく、稼働に必要なMP消費量も多い。

固定ポータルは、大型化出来てMP消費量も少ないので、安定して稼働出来る。

なんだかこう説明するとアイテムマスターすげーって思われるかもしれないが、前世のゲーム内では不遇だった。

だって、各種アイテムは普通に課金で購入出来たんだ。イベント報酬でもらえる場合もあったし。だからゲーム内でアイテムマスターは少なかった。よほどのモノ好きぐらいだった。

そうかー、俺以外にもいたのかー、モノ好き。

しかし、謎が解けたぞ。

大樹海の外でエルフが活動する時は、普段使われていない転移ポータルを借用していると思っていたが、安全な自前を持っていたのか。

前世のゲーム内では、プレイヤーは移動に不便なエリアに、購入した転移ポータルを使って〝裏技〟の中継地点を作っていた。この〝転移ステーションもどき〟も、ヴェンたちが簡易ポータルを組み合わせて自作したのだろう。

なるほどと建物の中を見回しながら納得していたら、ヴェンが先に歩き出したのでその後に続く。

小さな建物を出ると、外には月明かりに照らされた暗い森が広がっていた。

足元を見ると、建物を取り囲む石畳に結界効果が付与されていた。石畳の外からは、この小さな建物が存在していることは分からないだろう。モンスターも侵入出来ない結界だ。

「ここは？」

「――クラシエル南東、黒森の周辺部だ」

俺は無言のまま、自分が〝リターンホーム〟を発動出来るか確認した。

たしかに、帰還のスキルが使えなくなっている。ここはティシアと敵対している北部諸国連合の土地だ。

木々の間を渡りぬける風が、漆黒に溶ける葉を揺らす。

暗い森のはるか奥から、モンスターの遠吠えがかすかに聞こえた。

「エルフが持つ転移ポータルで、一番クラシエルに近かったのがこの黒森の中だ。なのでここをステーション化した。既にクラシエル国内の各所に、ここに置いている簡易ポータルの対を設置している」

「〝足場〟は完成済みという訳か」

「そうだ。人族に知られていない転移ポータルを使って、我らはクラシエル本国を直接襲撃することが出来る――」

「直接、武力で報復したいだろうが、しばらくは我慢してくれよ」

「分かっている。ティシア側から立案された作戦の方が、最終的に多く痛手を与えることが出来るようだからな。エルフはあの案に従うよ」

苦笑しているヴェンに、笑い返しながら俺は結界の石畳から一歩外に出た。

ここが、ヴェンが俺を案内したがっていた目的地。

黒森の中だとしても、モンスターのランク平均はC。数の暴力で襲い掛かられない限り対処出来る。

アイテムボックスの中にしまい込んでいた笛を取り出し、高らかに吹き鳴らす。

澄んだ高音が森の中に響き渡り、変化はすぐに訪れた。

転移ポータルを取り囲むように湧き始めた白い霧。

霧はすぐに深くなり、黒い森を白く染めていく。

何も見えなくなった周囲から、複数の蹄（ひづめ）の音が近づいてきた。

『――久しいな、乙女の主よ！　息災にしていたか？』

ふははと笑いながら、巨大な黒い馬体が霧の中から現れる。人語を解する精霊界の馬は、仲間の群れを引き連れて呼びだした俺の下へと近づいてきた。

「バイヤール。見ての通り、元気にしているよ。おまえも元気そうだが、ユキとイサクは？」

『もちろん、我が最愛の乙女と愛息子も、つつがなく過ごしておるわ』

うれしそうに答えた黒馬は、馬首を巡らせて俺の背後のヴェンデリーンを見た。

『共にいるのはエルフの子の笛を使った、縁者と名乗った者だったな。約束通り、乙女の主を連れてきたか』

「ああ、これでカリヤの知り合いだと信用してもらえただろうか？」

『ふっ、急くでない。今から乙女の主より、直々に詳細を聞こうではないか』

黒馬が、面白そうに黒い瞳をきらめかせて俺を見下ろした。

『我が最愛の乙女の、主たる者よ。そなた、人の戦いにこのバイヤールの助力が欲しいそうだな。それも、自らが使う訳でなく、エルフ共の騎馬になれと？』

「作戦のメインはあくまでおまえたちだ。エルフはサポートに入る感じで。厩舎の鍵を開けたり、妨害する敵を攻撃させたりとか、役に立つはずだぞ？」

ウインクしてみせた俺に、とても楽しそうに黒馬が笑う。

『たとえ戦場でも遠慮なく呼べと言いはしたが、まさか我らの嫁取りを、敵国の地で行うのが戦の手段になるとは考えもつかなかったぞ！』

「頼む、バイヤール。敵国クラシエルに存在する馬、牡牝に関わらず、すべて惑わして精霊界に連れ去ってほしい」

――何故なら、この世界に鉄道や車は存在しない。

蒸気機関はない。火薬も存在しない。製造方法を転生者が知っていても、作れなかったらしい。謎の力が働き決して成功しなかったとか。

おそらく理由は、〝MMORPG《ゴールデン・ドーン》にはなかったから〟だと思う。

だからこの転生後の、ゲームによく似た世界にも存在しなかった。作り出すことも出来なかった。

アルティシアの王城で調べたら、そう転生者関連の文献に書かれていた。

という訳で、この世界の輸送は馬頼りだ。

もちろん、人力でリヤカーを引くことも出来るし、牛やロバといった馬以外の動物に引かせることも出来る。辺境なら、モンスターを飼い慣らして使役することも可能だろう。

荷物を瞬時に移動させる手段として、冒険者ギルドや商業ギルドにも転移システムがある。

だが、輸送の基本は馬。

戦場となっているティシア国内で行動を起こすのではなく、クラシエル本国で馬の数を減らして流通網を破壊する。最初は普通にバイヤールに乗って、直接殴り込みをかけるつもりだったエルフたちに、それよりもと提案したのはウォルだ。

うちの王様すげぇ。見た目は絶世の美形なのに容赦がねぇ。

たしかにバイヤールをただの機動力として扱うより、その特殊能力を発揮させた方が利点が大きい。

精霊界に住む黒馬に、牝はいない。

彼らは番いの相手をこちらの世界に求め、夜ふけに界を渡ってくる。そして気に入った馬がいると精霊界へと連れ去っていくのだが、その習性を利用する。

『喚ばれるか、よほどの無理をしないと、偶然界が重なった時しか我らは精霊界を出ることが出来ないからな。番いを得ることの出来ないバイヤールは多い。皆、喜んで協力するだろう』

前向きな検討、ありがとう。

ちなみにこの連れ去り行為、飼い主にとっては強奪かもしれないが、馬にとっては一目惚れ故の駆け落ちらしいからな。双方に愛があって、納得しての駆け落ちならいいんじゃね？　と無責任に俺は思うぞー。

『しかし牝のみではいかんのか？　我ら、牡は必要ないんだが』

「一頭残らずすべて連れ去ってくれ。牡馬は、後でティシアが引き取るから」

この戦時中のご時世、馬の値段は高騰しているからな。ありがたく引き取らせてもらいたい！

『ふはは、愉快愉快。夜の闇の中は我らが世界。任せておけ、乙女の主！　――だが、主や我らが友である主の番い、エルフの子ならともかく、友以外に背を貸すのはいささか不快である。エルフに使い勝手があると言われても、な』

「期限は区切る」

　手を伸ばし、俺は高い位置にあるバイヤールの鼻すじに触れた。

　目を細め、だが黒馬は黙って撫でられてくれる。

「〝この戦争が終わるまで〟。それまではどうか付き合ってほしい。頼む、友よ――」


ただいま暗躍中、冒険者ギルド・アルティシア支部

　クラシエルより無事帰還ー！

　ちょっとやばかった。ヴェンに転移先をあらかじめ聞いておけば良かった。

　まさか敵国内だったとは。

　〝リターンホーム〟は、敵の支配地域内では使えない。もしあの場で敵襲があったら、逃げる手段がジャンプのみになっていた。

　今度はエルフ男を連れての逃避行再びかぁ……って、ヴェンデリーンは俺より体格がいいから、ジャンプで逃亡は無理だな。

　ウォルを連れて北部諸国連合内を逃げ切れた理由は、まだ少年だった彼の体格と、人数が一人だけという奇跡の複合技だったと思う。

　彼の体格が俺以上だったら徒歩の旅で帰国まで何年もかかっていただろうし、二人以上の人数だったらウォル以外を見捨てていた。

　いや、戻ってきた大樹海内でも、結界が張られているから転移は使えないんだけどね？

　おまけに実はゲイリアスのカリヤさん、今〝リターンホーム〟を唱えてもあの辺境の秘密基地には戻れないんだけどね？

――ゲイリアス出立前に、俺はオコジョのサポートAIから金色の鍵を受け取っていた。実はアレ、俺の〝ホーム〟の引っ越しアイテムだったりする。

ゲイリアス山岳地帯の奥深くに設定していたホームだが、今後、緊急避難に使うには立地があまりにも不便すぎるかなと思って。

ウォルはティシア王なんだから、王都アルティシアのどこかにでも変更しようかなと思っていたんだよ。俺も……その、今後は彼と一緒に生きていくんだから。王宮の庭とか、寝室のクローゼットの中にでもホームを移そうかと考えていたんだが、ティシア宮廷、伏魔殿すぎた。

ホームの中は安全なんだけど、入り口に転移して戻った瞬間を待ち伏せされる未来が見えてしまうんだよなぁ。

『ここなら安全』って思える設置場所は、まだ見つけていない。

金色の鍵は俺のアイテムボックス内に眠っている――。

「……じゃあヴェン、これが俺とウォルの笛。預けておくよ」

アルティシアと繋がる転移ポータルの前で、俺はアイテムボックスの中から金色の鍵ではなく、精霊馬を呼びだす笛を取り出した。

バイヤールから友好の証として受け取っていた笛は、各自に一つずつの計三つ。

エルフを警戒していた黒馬たちだが、呼び出された俺が間に立って橋渡しをしたことにより、不審感は拭えたと思う。

三つの笛を駆使して、今後エルフは夜の霧に紛れてクラシエル本国各地を襲撃する。

「ゲリラ戦のアドバイスを送らせてもらうが、まずは国の端から、小さな集落を先に狙え。すぐにバレない。それから隊商は、野営地を見つけたら襲え。外国から来た隊商ならなおさら、もう二度とクラシエルに来る気をなくすよう、徹底的に」

神妙な顔で頷きながら、ヴェンデリーンが笛を受け取る。

「小さな集落から外壁に守られた街へと、徐々に襲撃先の規模を大きくしていく。その頃には襲撃がバレているだろうから、駐屯地といった軍事施設なら、馬だけでなく物資も奪っていいぞ。ただ火は極力放たないようにしてほしい。そして――人も殺すな」

「――人族の同胞は殺すなと?」

声を低くして問いかけてきたエルフに、俺は「そうだ」と肯定した。

「火を放てば、人を殺せば、相手は死に物狂いで反撃してくるようになる。だが怪我を負っても命さえ無事なら、住む場所が失われないなら、さほど本気で抵抗されない」

「これまで人族の手にかかったエルフの復讐は!? 俺たちは奴隷としてさらわれて死んだ、同胞の仇を討つために参戦するんだぞ。恨まれる覚悟は出来ている!」

「直接殺したいのなら、ティシア国内で戦ってくれ。エリアが指揮する部隊が設立される予定だから、そちらで受け入れる」

「だが――……」

顔をこわばらせて反論していたヴェンデリーンは、俺の表情の変化に気づいて言葉を止めた。

……向けられる彼の表情に、きっと俺はおぞましい笑みを浮かべているんだろうなと思う。

戦争。

前世日本人であった俺が、どこか遠い世界の出来事のように感じていた殺し合い。それがこの世界では現実に起こっている。

「――命は取るな。怪我を負わせろ。指を二本落とせばもう剣は握れない。足の腱を断てば、杖なしでは歩けなくなる。一人の怪我人の世話をするために、二人が取られる。殺せば恨みを買うが、生かして残せばそれだけで感謝される。クラシエルの地で、命を奪わずエルフは感謝をされろ。殺しと恨みは、ティシアが引き受ける」

　忘れることはない。

　クロエ平原を燃やし尽くした炎。

　国王が、王太子が、大勢の将兵の命がたった一夜で失われた、あの圧倒的な赤の世界――。

「……カリヤ」

「――ま、うちの王様の配慮でもある。大樹海は鎖国を解いたばかりだ。せっかく中央国家群に再デビューするんだから、ダーティーなイメージをもたせたくないっていうか、エルフは高潔っていうイメージを人族は持っているから守っとけ。この先、エルフの役に立つだろうから」


　戻ってきたアルティシア・ステーションの転移ポータルの部屋に、人の姿はなかった。

　まだ夜明け前だからなー。

　もうちょっといろいろと、アルエルブン・ステーションで動こうかと考えていたんだが、結局早めに戻ってきてしまった。

　ヴェンデリーンには悪いことをした。

　彼は基本、善良な男だ。敵に対して『一思いに殺さずに、嬲って放置しとけ』って外道はきついかもしれない。双子の兄貴の方なら嬉々として実行するだろうけど。

　脳裏に残ってしまった炎のイメージを、首を振って掻き消そうと試みる。

　明後日、前線に向かうウォルを見送ってから、俺はコートレイ領に向かう。

　だからきっと、思い出してしまうんだ。

　タキリン城砦の高い搭の上から、闇の向こうに見つめた赤の光景を――。

「……えーっと、六時間後じゃないと守護結界が切れないから、ウォルのベッドに戻れないんだよな。せっかく王城の外にいるんだ。やらなきゃいけないこと、やらなきゃいけないこと……アルティシアの冒険者ギルドに行っとくか」

本来転移ステーションに敷かれているジャンプ避けの結界も、ティシア国内に限っては、王族扱いの俺の行動を妨げない。

なので一気にアルティシア・ステーションの外へと飛び出した。高い空の上を連続ジャンプで転移し、王都へと戻る。

白亜の都の上空から下を見下ろし、俺は人気のない細い路地へと跳んだ。

「着地成功！」

気分良くマントのフードを被り直し、首元の布地を鼻の上まで引き上げる。

ほい、蛮族出現。

前世のゲーム内よりはるかに広くなったが、王都アルティシアの地図は頭の中に叩き(たた)こんでいる。

路地から大通りへと出て、まだ灯りのついている飲食店を眺めながら俺は徒歩で冒険者ギルドのアルティシア支部へと向かった。

魔法仕掛けの街灯が照らす石畳の通りには、酔っ払いだけでなく深夜に働く商売人や巡回兵の姿もある。うーむ、不夜城って感じがするな。さすが一国の首都。

前世のゲーム内でもお世話になった覚えのある、冒険者ギルドの建物が姿を現した。

だがゲームのように賑(にぎ)わっていない気がする……二十四時間、いつでもNPCやプレイヤーが出入りして開きっぱなしだった扉は閉ざされていた。

扉の両脇に設置された外灯はついている。ということは、営業していない訳ではないと思うんだが……。

冒険者ギルドの扉を片手で押し開く。

小さくきしむ音を立てながら、開いた扉の先には灯りを落として薄暗いホールが広がっていた。

ホールを抜けた正面にはカウンターがあり、その一番端の窓口にだけ、柔らかな光の揺れるランプが置かれている。

「……うん？　珍しいな。こんな時間に冒険者が訪れるのは」


穏やかな声が掛かった。

読んでいた本のページを閉じてカウンターの上に置き、背を預けていた椅子からギルド職員らしき男が体を起こす。

「君はアルティシア支部は初めてかな？　ここは人手不足でね。朝の鐘から夜の鐘まで。二十四時間開いてはいないんだ。営業時間は、朝の鐘から夜の鐘まで。だけど他の国から訪れた冒険者はそれを知らないし、素材を売ってすぐに現金を得たいという者もいるから、私のような宿直が詰めている。さて、どんな御用だろう？」

ランプの光の中、四十代くらいに見える男の一つにまとめた髪は、優しい光の色に染まっている。

だが、俺はその髪が色のない白だと知っていた。

「ようこそ、アルティシア支部へ」

「……石切り場に売られたという仲間とは、無事に合流出来たか？　エーリク」

男が大きく目を見開く。

俺は被っていたマントのフードを後ろへと落として顔をあらわにした。鼻先まで覆っていた布地も引き下ろ……あ、当時の俺、ヒゲ装備の蛮族だった。

さて、彼は覚えているかな？

「——魔法使い殿」

ただいま暗躍中、ギルドの預かりもの

呼びかけは聞き覚えがあるもので。

やはりそうだったかと、俺は頷いて肯定する。

まさか再び出会えるとは思っていなかった。

彼の名前はエーリク。元、冒険者ギルド・クラシエル支部に所属していたというBランク冒険者だ。

中央国家群の北部でエルフの子ルカーシュをさらい、クラシエルに売りに行こうとしていた奴隷商がいた。エーリクはそこで使役されていた奴隷だった。

出会ったのは半年以上前、ウォルと北部を逃げていた最中だ。

崖から馬車ごと落ちてきた彼の、負っていた怪我をポーションで癒やし、隷属の首輪から解放した。

そのまま、自由になった彼とは別れた。

彼は同じ奴隷に落ちた仲間を助けに西へ。俺はウォルと共に東へ――中央国家群北部の要衝であるアルシリンを抜けて、東部の果てまで自力で向かうつもりだったが、奴隷商の馬車に乗せられていたルカーシュと出会ったことで大樹海経由でティシアに戻って来れた。

「その声だ、覚えている。ヒゲを剃ったんだな。しかし、まさか恩人であるあなたと再会出来るとは……どうしてアルティシアに？　あなたは連れの方と東に向かっていたはずだ。まるで違う方角だろう？」

「ティシアは故郷だから不思議はないさ。俺はゲイリアスの出身だ。それよりもエーリク。あんたはクラシエル人じゃなかったか？」

何故、戦争中の敵国であるティシアに？

俺の問いに、白髪の男は温和な顔に苦笑を浮かべる。

「石切り場にいた仲間を助け出した時点で、私たちはお尋ね者になった。クラシエルの冒険者ギルドに追われることになったから、思いきって敵対しているティシアへ逃げた方が安全だろうと考えたんだ」

以前からの友人たちも、クラシエルの冒険者ギルドはおかしいと気づき始めていた。

彼らの力を借り、隠していた財産を売り払った金で他国の転移ポータルからティシアの隣国へと跳んで、徒歩でティシアに入った。

「――ティシアの冒険者ギルドは、戦争が始まってから総本部の影響を完全に断っているのだと噂になっていた。以前はクラシエルのスパイが潜伏していたのだが、鑑定球を大量に用意して職員すべてを調べて排除したのだと。たしかにティシアの冒険者ギルドは本部の干渉を排して独自に動き、私のようにクラシエル支部に恨みを持つ冒険者が集まっていた。それならば、と私たちもティシア支部に協力することにしたんだ。私は交易スキルをもっていたので、こうして臨時の職員に。他の仲間は、ティシア軍に雇われて護衛任務に就いている」

説明をしながら、エーリクがカウンターに置かれた機器を操作する。暗かったホールに灯りがともった。訪れた俺のために明るくしてくれたらしい。

改まって俺を見た白髪の男は、穏やかな表情を曇らせながら、ずっと抱いていたらしい懸念を口にした。

「その、魔法使い殿……あの長持をどうされたのか聞いても？」

ああ、彼はずっと奴隷商の積み荷を気にしていたのか。

長持の中に捕らわれていたエルフの子供の安否を尋ねられ、大丈夫と俺は頷いた。

「あの子なら隷属の首輪を外して、大樹海に送り届けたよ。今はご両親のもとで穏やかに暮らしている」

「……そうか、良かった。あの谷底で助けられたのは、私だけではなかったんだな。ありがとう、魔法使いど……」

ふとエーリクが言葉を途切らせた。

「……大樹海に、さらわれていたエルフの子を送り届ける？　若い国王とたった二人きりで追手から逃れ続け、エルフと同盟を結んでティシアに帰還した……そうだ、あなたはたしかに連れの少年にカリヤと呼ばれていた……。え？　まさか転生者だという次期王妃？」

――俺とウォルの婚約は、国民に対して正式に発表されている。

俺自身の容姿などはまだ公になっていないけれど、手を取りあって逃げ続けていた一年余りの日々は、ラブロマンスとして民の間に流布させているとは聞いていた。

〝流布させている〟、だ。

ウォルさん、反対する貴族連中に対して外堀を埋めていってます。身分を越えたラブロマンス、庶民は大好きだからな！

信じられない、とエーリクが驚きの表情で俺を凝視する。

「え？　女性？　た、たしかに美しいが、美しいが、あの時はどう見てもヒゲを生やした男だったはず……え？　変装……？」

ヒゲの蛮族しか知らなかったエーリクが混乱している。

転生者の前世が云々という話を持ち出してうやむやにしてもいいんだが、時間がかかりそうだ。このまま続けよう。

「――そのエルフ繋がりで今夜は来た。青髪のエルフが一人、ティシア王家からこの冒険者ギルド・アルティシア支部に預けられているだろう？　彼の近況が知りたいんだが」

エーリクは混乱しきった表情のまま、視線を横へと滑らせた。

カウンターの向こう、職員側のスペースに置かれていたアイテムを取り出し、俺の前に示す。

それは鑑定球だった。

見覚えがあるのは、俺がタキリン城砦にいた頃に求めに応じて大量生産していたものだからだ。

相手に触れさせながら質問をすれば、その答えの真偽が分かる。タキリン城砦で使用した後はアルティシアに移したと聞いていたが、冒険者ギルドまで回っていたか。

たしかにこれを使えば、嘘をついた者の判別がつく。スパイを見つけやすくなる。

……俺、ランクSだから自分より低ランクのアイテムは効かないんだが……まぁ、やましいところはないので協力しようか。

指示される前に、意を汲んで鑑定球の上に手を置く。

「……マニュアルで、初来訪の者はチェックを受けてもらう規則になっているので。あなたの名前はカリヤ？」

「そう。ゲイリアスのカリヤ。姓はない」

マニュアルに沿った質問に、正直に答えていく。

うん、適切な運用がされているなら、鑑定球配布後に他国のスパイは入り込んでいないな。

最後の質問は、彼と俺（とウォル）しか答えを知らないものだった。

「――私の、奴隷時の名前をご存じか？」

「あんたに名前はなかった。十六番。その数字が、あんたに振られていたナンバーだ」

数瞬目を閉じ、エーリクが頷いた。

「……協力、感謝いたします。その数字は、再会した仲間にも教えておりません。奴隷商と、私を解放してくれた恩人しか知らないはずのものでした。タデアーシュのことがお知りになりたいのですね？」

青髪のエルフ、タデアーシュという名前だったらしい。そこまで興味がなかったので知らなかった。

「ああ。それと、口調は今まで通りで頼む。俺はあんたにとって、ただの魔法使いだ」

「……承知した、〝魔法使い〟殿。ご存じだとは思うが、冒険者ギルド内部、このカウンターの内側は登録されたギルド関係者しか出入りが出来ない。そういう絶対の結界に守られている。なのでタデアーシュはギルド職員としてティシア王家から預かった」

いまだ敵味方の判別がつかないティシア王宮では、エルフを守り切れない。

そう判断したカザリン王女が、ウォルの帰還前にアルティシアに到着していたエルフの身柄を、冒険者ギルド内に移していた。

……ルシアン王子の愛人に迎えるという案もあったらしいデス。王族の愛人なら、身の安全は保障されるはずだと。

だけどカザリン王女が強硬に反対してくれていた。

これまでにさらわれたエルフたちは、皆見目の麗しさから性奴隷としても扱われていた。

追放されたエルフとはいえ王族が囲ってしまうの

は、今後同盟を結ぶはずのエルフとの関係に支障が出るかもしれないと。

ありがとうございます、カザリン王女（今は王姉）。

あなたの慧眼ってばすげー。さすがはウォルの姉さん。ウォルの帰国前にそういう関係になっていたら、追放された者相手とはいえ大樹海から白い目で見られていたと思う。

「預かってからしばらくは、自分の部屋から出ようとしなかった。ギルド内の職員寮の個室は、許可がない限り他人は入れないので食事も扉の前まで運んでいたよ。最近になってようやく部屋から出てくるようになったので、資料室の本の整理を頼んでいる」

「自分から進んで資料室へ？」

「今後、人族の中で彼が生きていくなら、知識が必要だろうから私が勧めた。最初は嫌々やっていたみたいだが、今は夢中になって本を読んでいるんじゃないかな？」

目じりに楽し気なしわを刻みながら告げる男に、俺も微笑を浮かべてみせる。

「仲が良い？」

「王家から預かったとはいえ、同僚だからね。普通に接して、少しは会話も交わせるようになった」

「そうか、信頼されているか。ならエーリク。今から彼を、タデアーシュを起こしてここまで連れてきてほしい」

真顔に戻ったエーリクに、俺は静かな声で促す。

「彼に渡したい物がある。俺は夜が明けるまでに王城に戻らないといけない。だが俺の名を出せば、彼は応じないかもしれないから、告げずに連れてきてくれないか？」

しばらく視線を伏せていたエーリクは、やがて黙って頷いた。

ただいま暗躍中、六時間経過

うーん、やっぱりこーいう反応になったかー。

苦笑を浮かべながら、俺は阿鼻叫喚の図を傍観していた。

いや、そこまでひどくはないか。たった一名がパニックになっているだけだし。

冒険者ギルドの職員であるエーリクに、ティシア王家が託している青髪のエルフへの面会を申し込んだ。

就寝中だったらしいエルフは眠い目をこすりながらも大人しく、職員スペースの出入り口から現れた。そして、よっと片手を上げて挨拶した俺の姿を認め、青白い色の肌をいっそう青くして悲鳴を上げた。

今現在、彼は職員スペースの隅で丸くなって震えております。ひっきりなしに上がっていた悲鳴は、ひたすら続く謝罪の言葉に変化している。

エルフが錯乱した時点で、これこれーと起動させた守護結界を分かりやすいようにエーリクに示しておいた。

改良しているソレは、結界外からの侵入を防ぐと同時に有効範囲内の音を漏らさないというステキ仕様だ。内部の音が外へと聞こえず、外部からの邪魔も入らない。これで、騒ぎを聞きつけてやって来る部外者はいないだろう。

野外で活動する冒険者には、金額的にはお高いが馴染みのアイテムなので、エーリクも知っていたらしい。

「……いったい彼に何をしたんだ？　魔法使い殿。ここまで怯えられるなんて……」

「首を斬り飛ばした」

ぎょっと目を見開いた男に続ける。

「王族の血統を汚すと脅された。一応、主犯格に追従しての発言と見做したが、内容が内容だった」

「——それが元で追放された、と」

「少し違う。が、そういうことにしておこう」

丸まったままガタガタと震えているエルフに、俺はアイテムボックスの中から状態異常解消のポーションを取り出した。

「このままじゃ話が出来ないから、そいつに使ってくれるか？」

　カウンターの上に置いたポーション瓶にエーリクが頷いた。

　近づいて受け取り、青髪のエルフの元に戻る。投げ渡せれば良かったんだが、カウンターを境に冒険者ギルドは外からの干渉を完全に無効にする。

　エーリクは瓶の蓋を開け、中身をエルフの体へと無造作に振(ふ)り撒(ま)いた。別に口から飲ませる必要はない。

　悲鳴と謝罪の言葉が止まった。

　のろのろと、液体に濡(ぬ)れた体をエルフが起こした。理性の戻った瞳(ひとみ)が、俺へと向けられる。

「――タデアーシュ。発言は必要ない。こちらへ」

　おまえに渡す物がある。

　頷き、震えながらも立ち上がったエルフの体をエーリクが支えてくれた。そのまま付き添って足を運ぶ男に、面倒見がいいなと感心する。

　俺は、アイテムボックスの中から二種類のアイテムを取り出し、カウンターの上に並べた。

「これを渡しておく。肌の色と、髪の色を変化させるアイテムだ。髪の場合は瓶で、中身を飲んで一晩眠れば次の朝には黒色に変化している。その後、伸びる髪も黒に変化する。粉の方は肌の色を変える。全身浸かれる大きさの湯船に湯を張って溶かして、裸になり全身浸かるように。こちらは白く変化する。重ねて使えば別の色に変えたり、元に戻しも出来るが、俺が再びアイテムを渡すつもりはない。一度使えばそれきりだと思え」

　顔を伏せるエルフの青年に、寄り添っていたエーリクが発言する。

「……つまり、長くとがった耳は隠そうと思えば隠せるから、そのアイテムで肌の色と髪の色を変えて人族に変装しろと？」

「今は戦争中で、戦力を強化するエルフを他国に渡せないからティシア王家が保護しているが、戦争後はそのまま保護し続ける理由がなくなる。戦争が終わるまでは、冒険者ギルドの外に出ることを禁じるが、終われば自由に出ていってもかまわない。出ていくまでは王家の保護を続けよう。ただそのままの容姿で保護も無ければ、おそらく出てもすぐ奴隷にされる」

最初に命じたとおり、俯いたまま何もしゃべらないエルフの男。

俺はちらりと視線をエルフの隣に向けた。

意を汲んでくれたらしいエーリクが頷き、俺に質問を投げかける。

「戦争が終わっても、この冒険者ギルド内にいる限りは王家に保護されるのですか？」

「ああ。エルフを保護し続け、預かるギルドにも金銭を支払う。ギルド職員として預けているから、彼に対して給料が支払われるなら、それは彼のものだ」

「……なら、資料整理といった内部職員もいいが、色を変更してカウンターに座ってもいいかもしれないですね。冒険者を相手に、人族の世界の常識を学べる。それから、あなたはアイテムの追加を渡すつもりはないようですが、タデアーシュが自力でアイテムを得て色を変更するのは？」

「俺は関与しない。特殊なアイテムだが、どこかで流通はしているだろう」

「なら、一度人族の色に変えても、いつかは元の色に戻して大樹海に戻れるのでしょうか？」

びくりとエルフの体が揺れた。

声にならない嗚咽が漏れ、そのまましゃがみこむ体がカウンターの下に消える。言葉を失ったエーリクに、ゆっくりと俺は首を振る。

「……彼は拒絶された。もう二度と、故郷である世界樹の里には戻れない」

「お待たせしました、魔法使い殿！」

エルフを自室まで送ったエーリクが戻ってきた。

壁に貼られていた依頼を眺めて時間潰しをしていた俺は、職員カウンターへと戻る。彼に、個人的な用があるからと引き留められていたのだ。

あ、結界は既に切っている。再利用出来ないからちょっともったいない。

「で、用とはなんだ？」

「先ほどの髪の色を変えるアイテムですが、元奴隷の白髪も染めることが出来ましたよね？　ティシアでは手に入らないので、分けていただきたいのです。……とりあえず、ありましたら二十本ほど」

隷属の首輪から解放された元奴隷の髪は、色が抜け落ちて白くなる。そして特殊な染料を使わない限り、他の色に染めることは出来ない。

たしかに俺がエルフに渡したアイテムは、奴隷の髪も染めることが出来るものだった。白髪のエーリクが使いたいと思うのは分かるんだが、二十本？

「……それから、あなたは私の隷属の首輪を外してくれた。仲間に隷属の首輪を外せなかった脱走奴隷がいます。その者たちの隷属の首輪も外していただきたいのです。可能でしょうか？」

眉をひそめて聞いていた俺に、エーリクは苦しそうに微笑んだ。

「突然申し訳ない、魔法使い殿。……実は、私はレジスタンスの一員です。ティシアではなく、クラシエルに対してのですが」

「レジスタンス」

「冒険者ギルド・クラシエル支部の無法が許せない。そう考えている冒険者があの国の内外にいます。奴隷に落とされた仲間は、このティシアへと逃れて抵抗しています。だが、クラシエル国内の仲間の数が少ない。白髪のままだと元奴隷としてマークされるので、色を染めて潜入したいのです」

待て、と俺は手を上げた。

エーリクが口を閉ざす。

「……それは俺に対して打ち明けてもいいのか？」

「あなたのことはよく知っています、〝次期王妃殿下〟。もう死ぬしかなかった奴隷の逃亡に力を貸してくださった。そしてあなたがその後に起こした奇跡も、奴隷だったエルフの子に対する慈悲も聞いております。利害は一致するはずです。再び力を貸していただきたい。たしかにクラシエルは我が故郷。だが、私や仲間たちはあの国を、まともな国に戻したい。冒険者ギルド・クラシエル支部の暴走が、すべての悲劇の元凶だ」

「――――」

俺はアイテムボックスの中から、髪を染めるアイテムを指定された数の倍取り出した。ついでに隷属の首輪を外すキーアイテムも複数取り出す。

ランクはB。この世界の住人相手なら、これ以上高いランクは使われないだろう。

取り出したアイテムを、エーリクが驚きの表情で見つめている。

「足りなければまだ用意しよう。エーリク、活動資金は大丈夫なのか？」

「……これまで蓄えていた分が……ありますので……」

「自腹はもう切らなくていい。支出は報告してもらうぞ。慈善事業のつもりはないからな」

唇の端を吊り上げながら、俺は金貨を詰めた袋を取り出して横に並べた。

とりあえず袋は五つでいいかなー。一つにつき、切りよく百枚放り込んでいるぞー。

戦争前は金貨を見たこともなかったド貧農の俺だが、今じゃ大金持ちだ。タキリン城砦でもらった給料、精霊界と大樹海の素材売買、そして長い冬の間行っていた錬金術。いや、ホームで大量生産される素材を、こっそりシステム経由で冒険者ギルドに売りまくっていただけなんだが。

「……何故、ここまで？」

「中央国家群北方をウォルド陛下と逃亡する旅の最中、一人の〝奴隷〟に出会った。死にかかっていた彼は礼儀を知り、誠実だった。自分では解放出来ないと哀れな子どもを託してくれて、そして陛下はその縁をたどって祖国へと帰還された」

「…………」

「利害は一致する。そうだな、三日後の夜にまた来る。あんたが宿直当番だと助かる」

じゃあな、とひらりと手を振って俺は背を向けた。

エーリクが、俺の並べたアイテムの一つを手に取り、俯いて肩を震わせていた。

それは隷属の首輪を外すための汎用(はんよう)解放鍵(かぎ)だった。

……奴隷は、当たり前だが自力で隷属の首輪を外せない。他の奴隷の隷属の首輪も外せない。

力ずくで壊したり、別の合わない鍵を使った場合、運の良い者だけが生き残る――つまり、高い確率で死ぬ。

あの汎用解放鍵なら、無傷で外すことが出来るだろう――。

さて、と冒険者ギルドから移動した俺は、闇にくっきりと浮かぶ白亜の王城の壁を見上げた。

周囲に人の気配はなかった。

貴族が住む区画の、細い路地裏だ。一晩飲み続けた酔っ払いなんて転がっていない。

長い夜だった。もうベッドの守護結界が守っていた六時間は経過し、東の空が白み始めようとしている。

ウォルはもう起きているかな？

起きて、俺の帰りを待ってくれている気がするぞ？

ふふふと浮かぶ笑みは抑えられなくて。

被っていたマントのフードを外しながら、白亜の壁の向こうへと視線と意識を固定する。

ここから、天蓋(てんがい)の中まで一気に跳べるかな？

ジャンプを小刻みに増やせば、その都度微調整する余裕が出来るけれど、寝室にいない俺の姿を目撃される訳にはいかないからなー。

目標地点、ベッドの天蓋の中の上方部分。

下にウォルがいませんように！

膝を軽く曲げて、寝室に向かってジャン――、

「――妃殿下？」

俺は声のした方へと顔を向けた。

身を包むマントは暗色だったが、フードを被っていない髪色ははっきりと確認出来た。

白亜の壁と同じように、夜の闇に浮かび上がる銀の髪。

「げ」

（ラ、ライナー⁉）

驚いている男前とはっきり視線をあわせた瞬間、俺の体はジャンプで転移した。

国王陛下と婚約者の六日ぶりの朝

次の瞬間、俺は寝室のベッドの上にいた。

狙い通り天蓋から垂れ下がる布に覆われた空間の、ほぼ中央に出現している。ジャンプの姿勢から折り曲げていた足はそのままに、膝から布団の上に着地。ブーツを履いたままだったので、立った姿勢では足元を汚してしまうという配慮だ。

「――お帰り、カリヤ」

おつかれさま、と掛けられた声に、転がった体を起こしながら「ただいま」と答える。

ウォルは起きていた。俺の帰宅の邪魔にならないようにベッドの端へ身を寄せ、持ち込んだ書類に目を通しながら待っててくれたようだ。

書類を傍らのサイドテーブルに移動させ、ヘッドボードに預けていた上体を起こした彼がこちらへと近寄ってくる。

ベッドの中だけを照らす灯りの下、黄金の髪と共

に際立った美貌を輝かせている美青年の接近にちょっとドキリとする。

美人は三日で飽きるというけれど、ウォルさんクラスまで行くと、その圧倒的な美貌は見飽きることがないと思うのです。

惚れた欲目は自覚しているが、客観的にも同意してもらえると思う。

「バイヤールの様子はどうだった？」

「元気にしていたよ。大樹海のエルフたちも変わりはなかった。アルエルブンのコロポックルも」

宙に足を浮かせた姿勢でブーツを脱ぎながら答える。

そのようだな、と苦笑したウォルの白い指先が俺の髪に触れた。

「彼女たちは今回もリフォームを怠らなかったようだ」

「あ――」

触れられて初めて、自分の髪が結われたままなのに気が付いた。

しまった！

大樹海で過ごした日々に慣れて、コロポックルの作ったマイホームをそのまま放置していたー！

え、俺、もしかしてこの前衛芸術作品のまま、バイヤールたちに会ってたのか？

その後冒険者ギルドに行った時もこの髪型のまま!?　ば、蛮族の格好で!?

……その後、もしかしたらライナーにも目撃されているかもしれない訳か……。

「カリヤ、髪を解くのを手伝おうか？」

「……よろしくお願いします」

ウォルの体が俺の背後に回り、結われていた髪を解いていく。

どうやら小さな花も編み込まれていたらしく、ウォルが外してベッドの上に置いた花は、早々にアイテムボックスの中にしまい込んだ。

装われるのは非常に恥ずかしいが、家賃に罪はない。またのご利用をお待ちしております。

俺もせっせと蛮族衣装を脱ぐ。

女官さんたちが起こしに来るまで、推定一時間。

それまでにパジャマに着替えて証拠隠滅をしておかねば。

フル装備で出かけていたから、仕込んでいた諸々を外すのに時間がかかるー。

着替えつつ、ホウレンソウの時間だ。

なかなかに濃かった一晩の出来事をウォルに語る。

大樹海とバイヤールのくだりは予定通りだったのでさらっと。エルフの簡易結界で作った転移ステーションについては語らなかった。

ヴェンは教えないでほしいと言っていた。それに黙っていても、ウォルなら多分この説明だけで推察するだろう。

大樹海に対してしばらくは不干渉と決めたティシアだから、今その存在を知っても手を出す気はない。

時間が余ったので、冒険者ギルドのアルティシア支部を訪れたことも伝える。

エーリクと再会したことを教えると、驚きながらもウォルは納得している様子を見せていた。

クラシエルから脱出してきた冒険者たちがティシアに身を寄せているのは把握していたらしい。支部内でレジスタンス活動を行っているまでは掴んでいなかったようだが。

「王都内の管轄は姉上だ。冒険者ギルドの改革も行ってる。姉上が任命した新しいギルド長は亡き老師の弟子で、王家との関係も上手くいっている。彼に便宜を図るように、姉上経由で指示しておこう」

「え？　冒険者ギルドって各王家の管轄だっけ？」

「普通は違う。国家から独立した組織だ。だがティシアの冒険者ギルド支部は、八年前からギルドネットワークに切り捨てられている。転生者は去り、その後は有志が自主的に運営している状態だった。クラシエルのスパイ潜入が判明したタキリン陥落前後、改革を行い、以降は王家の管理下に置いている。レジスタンスに対する資金だが、今後はあなたが個人的に払う必要はない。国庫の活動費から捻出させる」

なるほど、と俺は頷いた。

既に王家で介入していたのか。一本化した方が都合がいいのなら大人しくしておくけれど、エーリクには説明しないと。

三日後にはきちんと会いに行かないとなー。

「……カリヤ。あなたはこの国でただ一人の転生者だ。だから負担が大きい。王妃として行う王宮の雑事を切り捨てても、大樹海やバイヤール関係、技術院や魔法院の指導もあなたしか担えないんだ。せめて、任せられる負担は他者に割り振るように心掛けてほしい――あなたは一人で何でも出来るから」

だから無茶をしてしまう――。

ウォルが囁きながら、解いた俺の髪を手に取り口づける気配がした。

……前々から思っていましたが、俺の髪が非常に好きですね、ウォルさん。

切るのも嫌がるし、触るのが好きで専属人間ドライヤーにもなってくれていますし。

でも今は止めてほしいかなぁ。

ベッドの上で、俺は服を脱いでいる真っ最中なんですよ？　しばらくアルティシア・ステーションに籠っていたから、久方ぶりの再会な訳ですよ？

「あー、そういえばウォル。ライナーに王都内でうっかり目撃されてしまったんだが、彼って王宮内で寝泊まりしてたんじゃなかったっけ？」

「――彼なら、近々あなたが訪れるコートレイ領との折衝のために動いている。最近はコートレイの王都内の邸宅に泊まり込んでいたはずだ」

それと鉢合わせたか、と俺は肩を落とした。

なんで外にいたんだと尋ねられたらどうしよう……まぁ、正直に答えるしかないだろうなぁ。

服を脱いでむき出しになった肩に、唇が落ちた。

背後から伸びてきた腕に優しく抱きしめられ、俺は動揺する。

え？　今俺、服を脱いでるんですが？

脱いだ服はアイテムボックスの中に仕舞い、代わりに取り出したパジャマに今まさに腕を通そうかと考えたばかりだったんですが⁉

「……私が触れているのに、他の男の話をする」

「いやっ、俺の護衛騎士、彼は！　ウォルが任命したんだろう？　いないと困るって。それに本日、俺が会って来たのってほぼ男ばっかなんだが⁉」

「……こんなに美しいあなたを見る栄誉を得た、その全員に嫉妬する」

髪が横に流され、露わになった首すじに落ちるいくつものキス。

どうしよう、と俺は唇をかんだ。

――思いが通じ合ってから、ほぼ毎晩彼と一緒に過ごしてきた。俺が生産活動の都合上徹夜した夜もあるし、ドラゴン退治やゲイリアスから出てアルティシアに向かう最中の旅の途中は何もなかったけれど、それでもすぐ側にいた。

会いたいと思っても会えないほど離れた五日間。

そしてもう明日には、ウォルは王都を離れる。俺は俺でやるべきことがあるから、その旅には同行出来ない。

（夜がそろそろ明けて……寝坊を楽しんでいると忖度してもらえれば、誰かが起こしに来るのはだいたい二時間後くらい……？）

そして俺の本日の予定は、午後からのはず。

「……い、一度なら時間がある、かな？」

「二度でも三度でも。ただ、徹夜してきたあなたの体に負担になるなら諦める」

「……俺も、ウォルが欲しいんだよ」

熱いため息と共に吐き出した言葉を捕らえるように、ウォルの唇が俺の唇に重なった。

そして別行動が始まる

首を傾け、上半身をよじって背後からのキスを受け入れる。

　くるりと回って真正面から受けたいのだが、俺の体は今、ベッドに座るウォルの足の間にすっぽり収まっているんだよ。背中を彼の胸に預け、共に座り込む格好だ。

　静かに、だが貪るように何度も唇を求められる。

　長い口づけに思わず顔を上に反らして息をつくと、露わになったあごから首すじにと唇が降りていく。

「んっ」

　下着の中に侵入してきたウォルの右手が、俺の既に反応し始めた性器を握り締めた。

　一瞬感じたひやりとした冷たさは、手のひらに取られたクリーム状の潤滑剤のモノだ。だけどすぐ始まった上下にしごかれる動きに、体温に溶けて下へと伝い落ちていく。

　うん、潤滑剤はさっきベッドの上に出しておいた。瓶の蓋を外した状態で用意しているのは、すぐに使えるようにという配慮……。

　愛撫され、俺のペニスが下着の布地を持ち上げるように勃ち上がっていく。

　くちゅくちゅと、下着の中で溶けた潤滑剤が立てるいやらしい水音。恥ずかしくて、耳をふさぎたいと思った俺の考えが伝わったのかは分からないけれど、なんとウォルに耳たぶを舐められた。

「ひぁ……っ」

　そのまま甘噛みが始まって、恥ずかしさが二倍！

　なんで彼には俺のイイ場所が分かるんだろう。右手はペニスを刺激し続けているし、左手は乳首をいじっているし、多面攻撃は本当につらいんですが！

　だからウォルの胸に背を預け、喘ぎ続けることしか出来ない。

　俺も彼が着たままのパジャマを脱がせて、お返しにペニスに触れたい……いや、ウォルさん元気なのは尻に感じる硬さで確認は出来るんだけど。

「こ、のままじゃ……中で出してしまうから、全部脱ぎたい……っ！」

必死になって訴えると、彼が耳元で笑う気配がした。

「そんな足を広げていたら、私が脱がせることも出来ない」

「！」

だ、大開脚は仕方ないだろーっ！　さっきから中心をいじられ続けているのに！

あわてて足を閉じてみたが、挟み込んだウォルさんの手の動きが止まることはなかった。

どころか、下まで行動範囲が広がった。垂れ落ちた潤滑剤に濡れた入り口の、縁を撫でるように確認し、潜り込んでくる指先。

「んん───っ」

勃ち上がった乳首を、ねじるように刺激された。

触られているのは後ろなのに、自分の太ももが挟み込んだウォルの手首とペニスがこすり合わさって、もどかしい気持ち良さを感じる。

乳首をいじっていたウォルの手が離れ、その代わりに俺の足の膝の後ろに回される。

腰と膝を折りたたむように抱きしめられ、尻が浮き上がった。

か、片手で浮かせるか。身体スペック高くなったなぁ……いや、俺も多分出来るとは思うけど。

「──脱ぎたいなら手伝おう」

自分で脱ぐといい、と耳たぶを噛みながら囁いてきたウォルさんですが、もしかしてただ俺の尻をもっと深くまで慣らすために体勢を変えたかった疑惑が……。

だが下着内での発射はいたたまれない気持ちになるので、お言葉に甘えることにしたとも！

まず下着を膝の位置近くまでずらしていきます。

布地がこすれてヤバい。でも我慢。後ろへの刺激も激しくなっているけど我慢ーっ。

「ふぅ……っん、ん、んン……ッ」

で、体を下に降ろしてもらって、膝解放。

下着をふくらはぎへと移動させて、よし脱げた！

「あアッ！」

預けていた背中を前に押すように、ウォルが身を屈めた。

アナルから指が引き抜かれる。腰を浮かせるように持ち上げられて、獣のようにベッドで四つん這いの姿勢を取らされる。

背にかかった長い髪が横へと流された。

露わになった背中のあちこちに唇が落ちてきて、キスマークが残りそうなほどきつく吸い上げられる。

「――挿れるよ」

パジャマのズボンの合わせから、ペニスだけ取り出したのだろう。

彼は着衣のまま、裸の俺の背にのしかかった。

「んっ、あっ、あァッっ、アァッ！」

「……っ、たった、五日なのに、あなたの中はきつくて、だがいつもより甘く歓迎してくれている――」

パンパンと、腰を打ちつける音が天蓋の中に響き始めた。俺の腰を両手で掴み、ウォルが自身を出入りさせる。

アナルの中を深く突かれる刺激と、激しい動きに振り回される、勃ち上がったままの己のペニスがもたらす快感。

支えきれなくて腕は崩れてしまったけれど、しっかりと掴まれた腰に、尻を高く突き上げたまま快楽を貪る。

嬌声は顔を押しつけたベッドのシーツが吸い込んでくれるのがうれしい。

恥ずかしいので。男なのにアンアン乱れるなんて、ウォルは声を聞きたがるけれど本当に恥ずかしいので！

「んン――！」

先に俺が達した。

のけぞるように背を反らせて解放の余韻に浸る。

邪魔をしないように動きを止めてくれていたウォルだったが、またゆるゆると行為を再開した。

うん、ウォルさんはじっくりがお好み。俺の方は、ペニスに触れられなくてもまたナカへの刺激だけで達しそう。良い個所ばかりを刺激されて、出したばかりのペニスがまた勃ち上がり始める。

「……くっ……ぅん……」

「カリヤ、次は我慢せずに声を出して。あなたが乱れるさまを」

「……まります、お二人ともまだ……」

「ウォルド陛下！」

寝室の扉が、音を立てて開け放たれた。

「──」

必死に止めようとしていた女官を振り切り、寝室に乱入してきたのはライナー・コートレイだった。

ずかずかとベッドまで近寄った男が、上げた手を天蓋(てんがい)から垂れ下がる布地にかけようとする。

だがウォルの動きの方が早かった。

伸ばした手の動きで守護結界が作動し、天蓋をめくろうとしたライナーの手をはねのける。

もう天蓋の中には外から手出しが出来ない。外の声が聞こえても、ベッドの中の声が聞こえることはない。

「──早朝から申し訳ございません、陛下。ですが至急確認したく。今、陛下が相手になさっているのは、本当に妃殿下でいらっしゃいますか？」

バレてる！　いや、見えてる!?

え？　そういや寝室の光源、このベッドの中だけ！　最中だってことが見事にシルエットで浮かび上がってる!?

「……カリヤ、すまない」

そう謝罪したウォルのペニスが抜けていく気配がして……、

「アアッ！」

腰を強く掴まれ、激しく突き上げられた。

……うん、ウォルはまだだったからな……。

気持ちは分かるけど、分かるけどぉ！

ガツガツと、日頃の紳士さをかなぐり捨てたウォルが俺を攻めたてる。激しく揺さぶられ、ベッドも激しく揺れているんだろうなぁと、どこか他人事のように逃避した思考で考える。

最奥まで突き入れ、動きを止めた彼が自身を解放したのが分かった。

ようやく腰から外された手に、ずるずるとウォルを抜きながらシーツの海に崩れ落ちる。

身支度を整えたウォルが、パジャマの上からガウンを羽織る。横たわる俺の体に上掛けを掛け、顔にかかった髪を流して覗き込んできた。

白い頬が上気して、エメラルドの瞳もうるんでいて、彼の色気が半端ないですやばい。

「……すまなかった」

返事をしたいけれど、余韻が収まらなくて息を整えるだけでやっとだった。

無言だけど、ウォルに対して怒っている訳じゃない。

あの状態で待てはきつい。男としてそれは分かる。欲しかったのは俺もだし、これまでにも寝室に乱入された経験はあって、その時ほど状況はひどくないのでまあ許容は出来る。

仕方ないなぁと苦笑を浮かべ、触れるだけのキスを受け入れた。

「……ライナーに、俺の分も……」

「苦情は申し立てておこう」

行ってくる、とウォルがベッドから降りて布の向こうに消えた。シーツの海の中で、ゆっくりと転がっていた体を伸ばしていく。

布地越しに二人の会話が聞こえる。

ウォルはライナーを叱責していたが、それは突然押し入ってきたことに対してではなかった。

王様の寝室なら有事が起これば誰だって入って来る。たとえ情事の最中でも、そんなことは関係ない。

だが、ウォルが俺以外の誰かと情事を行っているとライナーが言ったから、それに対して怒っているらしい。

「私は、カリヤ以外を相手にするつもりはない」

はっきりとそう告げたウォルに、上掛けを体に巻きつけながらうれしくて笑ってしまった。

しかし、ライナーが確認しに来たということは、やっぱり貴族街で顔を見られてしまっていたんだろうなぁ。

あ、その件について尋ねられた。

なるほど。ウォルさんいわく、俺は彼の指示で城の外に出ていたことになったか。ホウレンソウで報告していて良かった。

謝罪の言葉を述べたライナーが退室する気配がして、ウォルが天蓋の中に戻ってきた。

「カリヤ、浴室に運ぼうか?」

汗を流した方がいいとの言葉に、苦笑いしながら甘えることにした。汗というか、いろいろと汚れてしまっているね、うん。

ちなみに風呂(ふろ)は二十四時間いつでも使えるよう改装済みです。

美青年が、軽々と上掛けにくるまった俺の体を抱き上げる。お姫さま抱っこを頼めるほど、成長した彼の体格は良くなった。

そのまま腕を回してウォルの首すじに抱きつく。

「時間なので私はもう行くが、あなたが湯を使っている間にベッドは整えさせておく。昼から公務が入っているけれど、それまではゆっくり休んでほしい」

おつかれさま、と囁かれてくすくす笑う。

うん、濃すぎるほどに濃い一日だったと思うよ。

——そして一昼夜が過ぎて、ウォルが前線に向かう時がやって来た。

アルティシア・ステーションまで見送りに来た俺の格好は、王妃としての正装であるエルフ衣装だ。

背後にはライナーを従え、薄いが化粧なんてものもしている。

ウォルと共に行動する時に、彼に恥ずかしい思いはさせられないからな。どこからどう見ても国王陛下の自慢の婚約者――に見えたらいいんだけど。

自分的に微妙な気持ちになるんで仕上がりは確認していないいんだが、女官さんたちが絶賛してたので多分大丈夫……なはず。

目的地の転移ポータルの前。待機しているウォルの手を、両手で取る。

「気をつけて、ウォル。何かあったらすぐ連絡をくれ。助けに向かうから」

「大丈夫だよ、カリヤ。今回は最前線に出る予定はない。戦場に立つこともないだろう」

「ああ、そう聞いてる。だけど渡した防御アイテムは常に身に着けてて。符もポーションも、いくらでも追加を作るからためらいなく使うこと」

「もちろん」

切なくなるほどに美しい笑みを浮かべて、ウォルが頷(うなず)く。

「……冬の間に作り溜めていた矢とか、非金属製武器防具とか、消耗品。ウォルの移動ごとに転移ポータルで届くように手配しておく。矢は、一か所につき十万本も渡せば土産になると思うから」

「カリヤの私物だよね？　ありがとう、訪問先も王妃からの援助を喜ぶだろう」

「それから、連れて行く魔法院と技術院のひよっこたち。仕込んでおいたから。慣れている二人ペアで配属先に割り振ってほしい。少しでも生存率が高まる」

「あなたは本当に……」

空いた手で俺の頭を引き寄せ、ウォルが額にキスをした。

「――行ってくる。王都の留守と、コートレイ領の件をよろしく頼む」

そうして俺の王様は、アルティシアから去っていった。

幕間

通されたバルコニーからは、帝都アルラギオンの景色が一望出来た。

大小の砂色の建築物が密集し、地平線の彼方まで続いているのではと錯覚させるほど広大な都。

帝都を取り囲む高い街壁の向こうは、どこまでも砂漠が広がる不毛の地だ。だがラギオン帝室の保有する国宝『緑雨の大弓』の恩恵で人の住む地は豊かな水量に恵まれ、砂色の建物の合間に緑の空間を作り出している。

彼方に見えるドーム形の屋根が連なる帝城から視線を剥（は）がし、サキタは大きな日傘の下で涼む相手へと近づいた。

そこには長椅子に体を預ける年老いた女と、彼女に傅（かしず）くかのように背後に控える中年の男がいた。

「……あたしに借りたいものがあるんだって？　クラシエルのサキタ。辺境帰りの女に望むのは、あちら由来のレアアイテムかい？　それとも冒険者ギルド総本部長としての伝手かねぇ？」

白いものが交じる栗色の髪を肩で切りそろえた老女は、やって来たサキタの姿を認め、老いても美貌（びぼう）を損なわない口元に深いしわを刻んで笑った。

彼女の名はアイラ。

現在、中央国家群に二人しかいないSSS（トリプルエス）ランク戦闘職の一人。

辺境より戻り、五年前から冒険者ギルドのトップに立つ彼女は、面会を申し込んだサキタに対面の椅子をすすめる。

頷き、サキタは椅子に腰かけた。

アイラの背後に控えていた男が、冷たい茶を入れたガラスのコップをサキタの前のテーブルに置いた。

老女の茶も新しいものに入れ替える。

礼を言う彼女に、男は老女と同じ髪色の頭を傾げて微笑（ほほえ）み返した。

「……で、あんまり良い予感はしないんだけどねぇ、昔世話になったユキナガの縁で、旧ティシアの同胞には優しくしてやろうと思っているんだ。聞くだけは聞いてやろうじゃないか。言ってみな」

「そこに控えているあなたの養子であるヨナ。いや、〝秘匿されたエルフ〟であるヨナーシュを、クラシエルに借り受けたい」

「――断る」

にやり、とどこか面白そうに老女は笑った。

「もみ消したつもりだろうがな、聞いているぞ。おまえたちはどこからかエルフを手に入れて、魔法系戦闘職の強化に利用していたらしいな。更に追加でさらわれたエルフの子も奴隷商から買おうとしていたんだって？　子供を保護して大樹海へ返してやったティシアの現王が、エルフと同盟を結んだ。おまえたちにとっては追い詰めていたはずの戦争中の敵国が、反撃を始めたって感じだな？」

　場所は大樹海でなくてもいい。

エルフがいれば、魔法系戦闘職のAランク昇格クエストは行える。

　魔法系戦闘職の頂点に立つ老女は、自分の背後に控える男に優しい眼差しを向ける。

「おまえたちは新たな戦力の増強をしたいんだろうが、ヨナは駄目だ。あたしの息子は犯罪プレイヤーに利用された過去がある。母親としてもう二度と、同じことをさせるつもりはない」

「たしかに以前、ヨナーシュは無理やり昇格クエストに利用されたと聞いている。だから今は髪を染め、人族として素性を隠しているとか。しかし我らは正義の側だ。犯罪者であるティシアが、大樹海を戦争に巻き込む前に倒したい。そのためには」

「サキタ」

老女はため息をついた。

「あたしは、あんたの正義は否定しない。冒険者ギルド総本部は譲歩もしてやった。正直、辺境にいたあたしは八年前の因縁など知りもしないが、〝老師の最後の弟子〟と呼ばれたあんたの顔を立て、申し出通りクラシエルのタキリン・ステーション入手まては中立の立場を取った。これ以上、便宜を図るつもりはないよ？　おまえたちは多くを望みすぎている。戦力の増強？　ティシアのナダル・コートレイがいなければ、物理系戦闘職のAランクアップイベントは実施出来ないのに」

――何故、ナダルを殺した？

吹き出した老女の覇気に、サキタの体がこわばった。

先ほどまでベランダを渡っていた、乾燥した熱い風が止んだ。砂漠地帯で感じることのない冷気が、彼の体の芯まで凍えさせていこうとする。

「何故、ナダルまで殺した？　コートレイの一族は、クラシエルに所属している者だけでなく、すべてのプレイヤーを憎んでいるぞ。おかげで物理系戦闘職を志すプレイヤー全員が、ランクアップイベントを受ける術を失った。ナダルを殺したおまえたちがクエストを受けられないのは自業自得。そして魔法系戦闘職のランクアップの秘密を暴かれ、エルフの非難を浴びることになったのも自業自得だ」

「クラシエルは戦力を増強出来ないのに、ティシアは増強する！　大樹海のエルフを味方につけて！　それを手をこまねいたまま受け入れろと!?」

「言っただろう？　おまえたちの、自業自得だ」

いらだちを抑えることもせず去って行ったSSランクの男に、アイラは深いため息をついた。

長椅子に深く体を預け、眉間に深く刻んでしまった、加齢のせいではないしわを指先でもみほぐす。

「……辺境から中央国家群に戻ってきて五年、か。使い物になるかとずっと観察していたが、〝あれ〟は駄目だな。個の恨みに凝り固まっている」

「養母さん」

背後に控え、一言も口を挟まなかった彼女の養子が、心配そうに覗き込んできた。

「ああ、気にしなくていいよ、ヨナ。おまえはあたしの可愛い息子だ。エルフとしてクラシエルに利用させるつもりはない。安心しておくれ」

「――はい」

透き通った水色の瞳に涙をにじませて頷く男の、自分と同じように年経た頬にあやすように触れながら、老女は笑みを浮かべてみせた。

「おまえと出会ってからもう四十年だっけ？」

「まだ三十七年です、母さん」

「三十年近く、辺境での日々に付き合わせた。もうお互い、この穏やかな地でゆっくりしたいと思っているんだけどねぇ……」

そっとアイラは養子の耳に触れた。

栗色に染めた髪に隠れている彼の耳先は、はるかな昔に同じプレイヤーの手によって切り落とされた。男としての生殖器官も失い、弄(もてあそ)ばれながらただ命じられる通りにランクアップクエストを行っていたエルフの少年を救ってもう三十七年。

彼女は老いた。

養子と共に過ごした辺境での日々を終わらせ、残りの人生は穏やかに過ごそうと中央国家群に帰ってきたが、自分の――〝自分たち〟の後を継げるプレイヤーを見つけることはいまだ出来ていない。

「……シキがもう少し協力的だったらねぇ。後のことは全部ぶん投げるんだけど」

そういや奴は戻って来たかい？

中央国家群が有する二人のＳＳＳランクプレイヤー。その片割れの所在を尋ねるアイラの言葉に、養子は首を振る。

「まだ北方山脈から戻られていません。金属系生産職である妹殿の修行に、付き合われているものと思われます」

「ドワーフのところか。奴はそういや伝手を持っていたね。妹はたしかＡランクだったか……ＳＳランクまで上げる気はないかな？　そうしたら兄妹共々巻き込んでやるのに」

「たとえイルマ嬢がその気になったとしても、Ｓランク以上の昇格クエストがあるのは辺境です。あの兄は連れて行きたがらないでしょう」

「Sランク程度じゃ駄目だ。Aランク以下は論外。せめてSSランクを引き込みたいんだが、受け入れる度量のある者でないと……」

上体を起こそうとして、くらりと感じためまいに老女は長椅子の上へと戻った。

驚きの声を上げる養子に、なだめるように手を振ってみせる。

「無茶をさせ続けた体だ。そろそろガタも来てるってもんだ。だがまだお迎えに応える気はないから、安心おし」

「……母さん……」

「だけどおまえを預かってくれる先は、早めに見つけておかないと。約束したからね、もうエルフとして悪用はさせないって……」

そういえば、と彼方に見える帝城に視線をやり、老女は呟いた。

「エルフを助けたというティシア王が、そのうちアルラギオンに来るらしい。その婚約者はプレイヤーだと聞いているが……どんな嫁なんだろうね」

家族団らん……っ

戦地に向かうウォルを見送った次の日。

俺は義姉とお茶をしていた。

カザリン王姉から誘われたんだが、俺に否やという気持ちも拒否権もない。

ただ、いつも一緒にお茶を飲むといったら、夕食後のプライベートな時間がほとんどで、場所もウォルの私室だった。王妃のサロンと呼ばれているらしいガラス張りの豪奢な一室で、正しいティータイムである昼下がりにというのは初めてだ。

彼女も部屋着ではなく着飾ったドレス姿。俺も事前の指定通りに正装であるエルフ衣装で来ている。

今は二人きりだが、多分、途中で誰かが来るのだろう。準備を終えた席が空いている。最初から一緒にいないのは、偶然を装ったとかそういう体裁で親交を図るのかな……王宮の交友関係って面倒ー。

　と、そんなことを考えていることは表に出さず、俺は勧められるままに美味しいお茶をいただく。

　今回のティータイムのホステスであるカザリン王姉は、仕度を終えた女官を下がらせると貴婦人らしくない大きなため息をついた。

「……カリヤ、まずは謝罪をしておきます。そこのライナー・コートレイが寝室に乱入したんですって？　ごめんなさい、もっと腕の立つ衛兵に扉を守らせておくべきでした」

　奥向けの一切合切を仕切っているらしいカザリン王姉だから、ウォルの寝室も管轄内だったんだろう。

　しれっと聞き流している（多分。背後に控えているので表情は窺（うかが）えないが）ライナーに、きっと彼女は非難の視線を向ける。

「ライナー、なにも返答を待たずに押し入らなくて良かったのでは？　ウォルドも不快に思っていましたよ。待つなり、取次ぎを介すなり出来たはずだって」

「早急に確認をすべき事柄でしたので」

「まぁ、そう言えばすべてが許されると思っている。ねぇミリアム。あなたの兄の、頭の固い所は少しも変わっていないのね」

　ため息をつく王姉の様子に、壁際に並んで控えていた俺付き女官が苦笑した。

　元々この兄妹はウォル付きだった。カザリン王姉とも浅からぬ親交があったのだろうと、親しい様子に推測する。

「申し訳ないけれど覚えておいて、カリヤ。ライナーは本当に不愛想だけれど、それが通常なので気にする必要はありません」

　安心して、と王姉じきじきにフォローをいただいてしまった。

……どうやら俺と彼の間が、上辺だけの関係に留まっていると気づいているらしい。

うーむ。

そりゃあ致している最中の寝室に乱入されて、謝罪もなく平然とされてしまったら、どこか苦手意識を持ってしまうのは庶民として仕方ないと思うんだがどうだろう？

王侯貴族の考え方の、その辺りが俺には理解しづらい。仲良くしなくてはというか、せめてそこそこの信頼関係を築いておかないといけないって分かってはいるんだが。

「これから向かうことになるコートレイ領ですが、あなた付き女官としてミリアムも同行します。何かあれば彼女に伝えるといいわ。兄を上手く使うでしょう」

「ええ。どうぞお任せください、妃殿下」

くすくすと笑いながら、兄と同じ銀髪の美少女が請け負ってくれた。

ライナーはずっと無言だ。特に反対はないらしい。

それから、とカザリン王姉が話題を変える。

「今夜、冒険者ギルドに向かうのでしたね。紋章のない馬車を用意しました。面倒でしょうが馬車を使って、ライナーも護衛として連れて行ってちょうだい」

「お心遣いありがとうございます」

「手続きが煩雑でごめんなさいね。転生者のカリヤなら、パッとジャンプで跳んで戻ってきたらすぐ済むのに」

そう。

ゲイリアスのカリヤさん、夜間単独外出禁止令発令中。

これも前回、ライナーに目撃されたのが原因です。知っているのがウォルだけなら、問題にならなかったんだが。

最後の最後で気を抜いて身バレした俺の凡ミスだって分かっているから、目撃者に対して寝室への乱入も抗議出来ない。くそぅ。

「冒険者ギルド支部長にも話は通しています。クラシエルからの亡命者が流れてきているのは把握していたけれど、組織だって抵抗中とまでは思っていなかったわ。彼らが利用出来る限り、ティシア王家は秘密裏に支援します。ギルド支部長も交えて話し合ってきてください。カリヤが結んだ縁ですから、直接動く必要があるのは承知していますが、それ以外は支部長に任せてかまいませんから」

「ありがとうございます、義姉上」

どういたしまして、と美少女がにっこり笑った。

カザリン王姉も御歳十七歳。

双子の弟と同じようにすくすく成長され、もう美少女よりは美女と呼ぶにふさわしい迫力美人と化しつつある。

優雅なお茶会というより、ビジネスマンのパワーランチと化しているサロン。

王姉と、互いのこれまでの経過とこれからの方針について意見を交わす。

俺の担当は、王立技術院と魔法院、大樹海関連。それから転生者関連となっている。

ティシアには現在、転生者が俺一人しかいない。

ゲーム由来のシステムなどは、転生者でないと使いこなすのが難しい。数を増やせればいいんだろうが、クラシエルとの戦争に決着がつくまでは、他の転生者を引き入れるのは難しいだろう。

本当に味方になってくれるのか、もしかするとスパイだという可能性も十分にある。

一人だけ……彼女は決してスパイにはならないだろうと信用出来る相手はいる。が、

「イルマちゃんは……さすがに兄から離れてティシアに来てという訳には……」

「かの〝神槍(しんそう)〟……ですものね、SSSランクの……」

互いに揃ってため息をつく。

タキリン城砦(じょうさい)で交流のあったラギオン帝国の赤毛の少女と、俺の関係は壊れていなかった。

彼女、ずっと行方不明になっていた〝お姉さま〟である俺を心配していたらしい。

カザリン王姉と連絡を取って仲良くなっていた少女は、行方不明だった俺が大樹海に無事たどりついたことを知り、一念発起したらしい。

『春にお姉さまが帰っていらっしゃるなら、私、お姉さまがもうご苦労されないようにアクセサリー作製の腕を上げようと思います。そして再会した時に渡して、身の安全のために使ってもらうの。この戦争、ラギオン帝国がちゃんと味方にならなかったせいで、お姉さまにはご迷惑をかけてしまったから……』

ええ子や、イルマちゃん……。

彼女は今、金属系生産職の聖地である北方山脈に、兄と共に修行に行っている。

ラギオンに俺が向かうまでには戻りますねと、手紙をもらった。友達になったカザリン王姉にも同じ内容の手紙が送られて来たらしい。……ほんまにええ子や、イルマちゃん。

「……カリヤ、聞いてもらえますか？　実は私、イルマちゃんにですね、少しばかり私的に協力してもらいたいと考えたことがあるのですが……」

ティーカップを持ち上げたまま、美女が視線をあらぬ方に飛ばしている。

「広めてほしいちょっとした噂をね、黙っていてねと言いつつ彼女に話したんです。普通、秘密にしてくれと言っても話してしまうのが人の性ですよね？　ですが彼女、お願いした通り誰にも話さなくて……多少なら協力者をあちらの宮廷に放っているのですが、確認させてもまったく噂は広まっていませんでした。約束を守ってくれたことは本当にありがたいのです。素直で善良な彼女が私、大好きですわ。ですが……思惑が神槍にバレたらと思うと……」

「……大丈夫、バレません。イルマちゃんが話さないと約束したのであれば、彼女は決して話しません。ティシアに再び彼女が遊びに来た時に、話さなかったことを言葉にして感謝しましょう。きっと喜んでくれます。そして今後は、彼女に対してどこまでも誠実でありましょう。万が一にも彼女が噂とやらを不審に思わないよう、俺も協力しますので……」

――イルマちゃん――っ！

「……カリヤも誠実ですよね。〝良き隣人〟と呼ばれる転生者の、特性なのかしら？」

「ふぇ!?」

いえっ、王姉。俺、どちらかというと自分はあなたサイドだと思うのですが!?　清濁併せ呑む余裕があり、己の信じるもののためなら手を汚すことを厭(いと)わない覚悟とか、オトナだから社会の汚さに『仕方ないなー』と適応出来る柔軟性とか……っ。

ちなみに実は、王姉のことをそれほど知っているという訳でもないんだけど、ウォルの双子の姉というだけあって中身は似ているんだろうなという推測です（多分間違ってはいない）。

思いもかけない言葉に混乱していた、その時だった。

サロンの中に足を踏み入れた黒髪の美青年が、王姉と共にいる俺の姿を認めて立ち止まる。

「――カザリン、これはいったい、どういうつもりだ？」

背すじを伸ばした彼女は、来訪者に空いたままだった椅子を笑顔ですすめた。

「おかえりなさいませ、ルシアン兄上。戦地訪問の旅おつかれさまでした。アルティシアに戻って来られたのなら、私だけでなく、私たちの義妹にも帰還の挨拶(あいさつ)へ向かっていただかなくてはと思いまして。そのための場をセッティングしましたのよ」

お座りになって、と明るく声を掛けられた王兄の憮然(ぶぜん)とした表情を、俺は目を丸くして見上げた。

家族団らん（本番）

ルシアン王兄は昨日、戦地より王都へと戻ってきていた。前線に向かったウォルと現地で落ち合い、引き継ぎを済ませてからの帰城だったため夜遅かったらしい。

「アルティシアに帰ってこられたのでしたら、まず陛下の婚約者であるカリヤの下に、その旨の報告に上がってもらいませんと。もちろん兄上にもお立場があるでしょうから、私が画策したのだと周囲に説明していただいて構いませんわ。さ、お茶の一杯は付き合ってくださいませ」

「――一杯だけだぞ、カザリン」

ため息をつき、ルシアン王兄は空いていた椅子を自分で引いて座った。

平然と女官に新しいお茶を淹れさせているカザリン王姉に白い目を向け、俺へと視線を移す。

「……婚約者殿におかれては、ご機嫌麗しく。昨夜、アルティシアに戻ってまいりましたことをご報告申し上げます」

「おつかれさまでした、ルシアン殿下」

軽く頭を下げてきた男に、こちらも下げ返す。

「あら、そこは〝義兄上(あにうえ)〟ですよ、カリヤ。ぐいっと行きましょう、強気で！」

「カザリン……まあ構わないがな、呼び方など。認めることは立場上出来ないが。すまないがカリヤ、私の方はこれまで通りで行かせてもらうぞ」

「――承知しました」

「あら、残念。ですがお茶会は歩み寄りにカウントさせていただきますわね。私、このわがまま路線を突き進んじゃおうかしら？」

「婿のなり手がなくなるから止めろ」

……仲が良いよなぁ、この異母兄妹。

敵対しているはずの男の様子は穏やかだった。

和気あいあいとしたやりとりに、タキリン城砦の頃から思っていたことを再確認する。

立場の違いを演じてはいるが、内心もまた違うのかもしれないが、ウォルの兄姉たちは互いを嫌ったり憎んだりはしていない。公私は別と割り切っている感じだ。

女官が差し出したお茶をすぐに手に取らないのは、〝一杯だけ付き合う〟と言ったルシアン王兄が、異母妹との会話を心おきなく行うつもりだからだろう。

「婿？　あら、兄上。私にも王家の存続に動けと？　おあいにくさま。私、国内の殿方と結婚するつもりは今のところありませんから」

だってろくなのが残ってないんですもの！

可愛らしく頬を膨らませて、カザリン王姉がお茶請けのクッキーをかじる。

「〝タリスの悲劇〟以降、転生者たちの報復を恐れてか誰も私の新しい婚約者に名乗りを上げなかったくせに！　その間に目ぼしい候補は皆片づいてしまいましたわ。ろくなのが残ってない！　魔法院のマティウスの息子たちとか、全員早々に結婚してしまって！　私、政略結婚で嫁ぐのは無能でも文句は言いませんが、私の血をティシア王家に残したいのでしたら、無能の血を引く子供はごめんです！　ああ、これも美味しい」

ずいっと、彼女がクッキーの盛られた皿を異母兄の前へと差し出した。

「どうぞ兄上もお食べになって。焼きたてクッキーをそのままアイテムボックスに入れていたのを、カリヤが出してくれましたの。もちろん毒など入っていませんから」

「……ほう。生産系転生者の作か。特殊効果でもかかっているのか？」

「いいえ、ただのクッキー。カリヤではなくウォルドの作だそうですわ」

クッキーを手にしたルシアン王兄の動きが止まった。

すみません、逃亡中はいろいろと王様にも働いてもらっていました。そのクッキーは彼がゲイリアスのホームで趣味で作っていた菓子です。カザリン王姉に教えたら、面白がっていつもお茶請けに所望されているんです。

「……そういえばカリヤ、あなたのおかげで支援物資が行き届き始めている。前線の将兵たちが感謝していた」

「お役に立ててうれしいです」

もぐもぐしたルシアン王兄は、眉間にしわを寄せた後、苦しそうに話題転換を図ってきた。

だが手は再び皿へと向かっている。

美味しいでしょう、クッキー。あなたの異母弟はそりゃあ器用なんですよ。一度教えたらマスターするのです。

「これまで通りの侵略速度なら、秋にはクラシエル軍がアルティシアに到達するだろうと予測されていた。だがウォルドが帰還し、後方支援も手厚くなった。前線は拮抗状態だ」

「なら代替わりがまだだからと出兵していないコートレイ軍。彼らと、同調しているティシア南部の諸侯が動けば、攻勢に転じることが出来るのかしら？」

「ああ。王がティシアへ戻ってきた事実は大きい。コートレイが加われば、戦況を逆転するのも不可能ではないだろう」

王家の子供たちが俺を見た。

黒髪の美青年と金髪の美女。二人から向けられる視線に頷く。

「……現ナダルが、〝コートレイの試練〟をクリア出来るよう、全力を尽くしてサポートしてきます」

「頼みます」

カザリン王姉の言葉に頷く。

じっと俺を見つめていたルシアン王兄は、お茶のカップを引き寄せながら口を開いた。

「――カリヤの働きは評価している。王妃として迎えても良いとは考えているが、女であるカザリンの子が後を継ぐ場合、産める人数が限られる。どうしてもウォルドの側妃をそれなりの数用意したい。

現王家の血統を繋ぐだけではなく、発展させたいのだ、私は」

無理か？　カリヤ。ウォルドに側妃をつけるのは。

ルシアン王兄が真剣な表情で俺を見つめる。

義理の兄になる人だ。期待には応えたい。だけど、

「……申し訳ありません。無理です。俺は転生者なんです」

「子を為すだけの相手だ。愛はなく、ただの王としての義務の一つでしかない。それでも？」

それでも、と俺は苦く笑った。

前世日本人であった俺が受け入れることは出来ないし、何よりウォルド自身が現王家の延命を捨てている。

——王家の血統を繋げたいのなら、あなたが妻妾を娶ればいいと、ルシアン王兄に告げることは出来なかった。

同性愛者だから不可能という訳ではない。

王国碑に名前を金色で刻まれていない彼に、次世代に継がせなくてはならない魔法の才能はなかった。

「俺が転生者である限り、愛妾の存在を冒険者ギルドも許さないでしょう」

「……あ奴らは、自らティシアを捨てておきながら、浅ましく干渉してくるだろうな」

お茶を飲み干し、ルシアン王兄が立ち上がる。

そのまま部屋を出ていく後ろ姿を黙って見送り、俺は義姉とティータイムを再開した。

客観的評価

昼間はカザリン殿下たちとお茶会。

それから魔法院と技術院を往復して指導に励み、夜には冒険者ギルドにて打ち合わせだ。

ああ、馬車の移動時間がもったいないぃぃ……。

ライナーに見つかってなかったら、こっそり寝室を抜け出してジャンプで往復出来たのに。

そんな残念な気持ちを抱きながら、護衛騎士と共に馬車で冒険者ギルドに出向き、打ち合わせを行ってきた。

ウォルの指示が届いていたので、今回はギルドの支部長にも会えた。

エーリクがクラシエルからの亡命者も集めていて、まだ隷属の首輪を身に着けたままだった男女の解放を行う。

……冒険者だけでなく、その家族も奴隷に落とされていた。

まだ見つかっていない娘を探しに行くと、感謝の言葉を伝えてきた父親がいた。目立つ首輪がなくなったので、ようやくクラシエルに潜入出来ると泣いていた。

他にも数人が戻り、仲間の脱出の手助けをしたり、内部の協力者を増やしにいくらしい。

感極まって抱きついてきた男もいた（もちろん抱きつかれる前に逃げた）。恩を返すために俺個人に仕えたいと言ってくれたが、丁重に辞退させてもらう。

王妃の騎士団とか、いずれは必要らしいけれどまだ作る予定はないからな……背中から感じる圧がすげぇ。護衛騎士は既に任命しているので、今のところ追加はいらないです。

冒険者ギルドに、以降は王家を介して支援を続けることを告げる。

俺が多忙なことを、皆納得してくれた。一月に一度程度は、まだ隷属の首輪を身に着けている亡命者から、首輪を外すために出向くつもりだけれど。

渡した解放アイテムを使ってもいいが、俺が直接外すならタダだから。身の安全が確保出来ている者は待たせておいて、緊急で必要としている者に解放アイテムを使った方がいい。

青髪のエルフ、タデアーシュは面倒見の良いエーリクに任せる。

結界の張られているギルド内から外に出なければいい。余計な干渉はしない。

あと、冒険者ギルドのシステムをホーム外でも使いたいから、冒険者登録をしようかと考えていたのだが延期した。正式に登録してしまうと、俺個人のデータがどこのギルド支部の端末からも筒抜けになるとか。データに保護を掛けることも出来るが、ラギオン帝国にあるギルド総本部でないと行えない。

ならラギオンで冒険者登録をして、すぐさまデータに保護(プロテクト)だな。

帝都でやることが一つ増えた。


夜ふけまでかかってやるべきことを済ませ、紋章のない馬車で王城への帰途に就く。

ちらりと向かい合わせに座るライナーを観察する。

俺の騎士は、長剣をいつでも抜けるように膝(ひざ)の上に置き、馬車の窓からの景色に視線を向けていた。

人目につかないように、彼以外の警護の騎士は連れてきていない。いつも身の回りの世話をしてくれる女官もいない。

お忍び用の馬車の中には、俺と彼の二人きりだ。

ここは、彼と少しばかり交流をしておいた方がいいかもしれない。

俺の護衛騎士だと引き合わされてから、ずっとライナーとの間に距離みたいなものがあるのは気づいていた。

これからも世話になる相手だ。互いに信頼出来る関係を構築しておいた方がいい。

しかし……何を話したらいいものか。

前世はさておき、今世の俺は辺境(ゲイリアス)暮らしの超絶ぼっちだった。ご近所付き合いもごく一部を除いて希薄だった。

従軍時の縁や仕事絡みの付き合いから深くなっていく関係はあったかもしれないが、特定の誰かに自分から仲良くなりたいとアプローチをかけることは皆無だったんだよな。

まずは、普通に日頃の感謝から伝えてみようか。

きっかけは大事。

「ライナー」

名を呼べば、コートレイ一族の色彩である紫色の瞳が俺に向けられる。

「いつも護衛をありがとう。俺はまだ王妃としての振る舞いを学びきれていないから、側にいてくれて助かっている」

「任務ですので」

一言で切られた。

が、がんばれ、俺。

元から彼が、俺に対して好意を持っていないらしいのは分かっていたじゃないか。それでもアピールだ。こちらの感謝の気持ちと、好意だ。彼からはともかく、俺は彼を嫌っている訳じゃない。

「だが陛下が王宮にいらっしゃらない今、信頼出来る相手が側にいてくれることはうれしく思っているよ。君は俺にというか、ティシア王家に誠意を尽くして仕えてくれている。これからもよろしく頼む。出来ればもう少し互いに理解し合って、仲良くやっていけたらと考えているんだが……」

「——妃殿下」

表情を消したまま、ライナーが俺を真正面から見据えた。

「俺はウォルド殿下、今は陛下のまだ幼い頃よりずっと仕えてきました。妹の乳兄弟であるあの方は、俺にとっても弟のようなものです。陛下には幸せになっていただきたい。そのためなら何でも出来る。何でもするつもりです」

「あ、ああ」

「ですので」

——陛下のいない今、遊ばれたいのでしたら俺をお召しください。

「側付きとして、俺は陛下が万が一にも血統を汚された場合に修復するために、王家の寵を受けています。ですから俺があなたと関係を持ったとしても、王国碑は揺るがない。陛下が不貞に気づかれることはない」

「――――」

「あなたは上手くやるのだろうが、万が一にも血統を失ってしまえば陛下がどれほど悲しまれるか。誰彼となく媚を売り、男を欲しがるのなら俺に命じてくれ。いつでもあなたを抱くし、抱かれてもいい。だから、陛下には決して裏切りを気づかせるな」

…………ウォル。

これが俺の評価らしい。

他者の目から見た、俺の評価。

紹介されて十日余りで、信頼関係が築けるなんて思ってはいなかった。

アルティシアにたどりついてから一か月余り。面と向かって生まれや育ちを貶められたこともある。すれ違いざまに罵られもした。

俺の存在を受け入れてくれた家臣が、裏ではひどい中傷を広めているのを聞きもした。だけど、世間に流布している黒い噂も、陰口も、あなたが心配していた現実も。

きっと俺は、今の今まで真に理解していなかった。

コートレイ領へ

俺のコートレイ領への出立は静かに行われた。

王族や貴族の旅行というものは、イベントと言えるほど仰々しいものだ。

貴人が一人だけだとしても、そのお付き五人、貴人とお付きの護衛二十人、貴人とお付きと護衛の世話係三十人、貴人と～（以下略）の荷物持ち五十人と、周囲のサポートが半端ない人数になるから。

そのサポートをさっくり削りました。

護衛？　自国内だし、コートレイ家から借りるよ。世話係もレンタルで。

一番人数が多くなる荷物持ちは――俺のアイテ

ムボックスがありますから！

いやー、楽だわー。

こちらから連れて行く護衛は、騎士のライナーただ一人。あちらで一部隊三十人を貸してもらえるそうです。既に転移ポータルの先で待機しているはず。

陛下の婚約者である俺の、身の回りの世話をするのは女官五人。しかし俺付きミリアムを含め、全員コートレイ領出身で里帰りを兼ねているという緩さ。王宮の女主人であるカザリン殿下が指示しました。

ミリアムはコートレイの分家筋なので、他に必要な侍女や使用人は現地調達が容易らしい。ご安心ください、と胸元を叩かれてしまった。

あ、そういや王族に直接仕える女性は女官、貴族商人など王族以外に仕える女性は侍女と呼ぶ区別がされています、ＭＭＯＲＰＧ《ゴールデン・ドーン》。多分ゲーム内設定？

王宮内ではお茶を淹れる手配を女官がして、実際に動くのは彼女に指示された侍女とか厳密に決まっているそうだけれど、ティシア王家はわりと全般緩いので、もう俺は気にしないことにしている。

カザリン王姉に手を振って見送られながら、王宮の裏門から出て向かったのは郊外のアルティシア・ステーション。

そこでコートレイ領と繋がる転移ポータルの部屋へと向かう。

俺とミリアムの二人を残し、ライナーと他の女官たちは先にコートレイへと転移した。

あちらの準備が整っているのを確認してから、俺が転移する手はずになっているらしい。

転移可能になれば移動するのだが……まだあちら側の準備が終わっていなかったのか、ポータルが繋がらない。コントロール台のランプは赤いままだ。

「すみません、妃殿下。私もお茶をご相伴にあずかってしまって」

かなり待たされているので、アイテムボックスから取り出したテーブルと椅子を部屋の隅に置き、ミリアムと対面でお茶を飲んでいる。

部屋の入り口に立っている警備兵の背中は見えるが、室内は彼女と二人きりだ。

彼女は当然のように脇に立って給仕をしようとしたが、頼むと苦笑しながらお茶に付き合ってくれた。

こういう時は、緩いティシア王家の家風がありがたい。

「……そういえば妃殿下。私の愚兄が、妃殿下に対して何か失礼なことを仕出かさなかったでしょうか?」

女官のお仕着せを着た銀髪の美少女が、兄と同じ紫の瞳を向けてくる。

「――いや? 彼は彼なりに、自身の職務に忠実だと思っているけど」

「お庇いになられるということは、仕出かしていますのね……」

はあっとミリアムがため息をついた。

「顔の表情を動かそうとしないので分かりづらいのですが、身内ですから雰囲気や仕草やらである程度推測がつきます。愚兄はここ数日、護衛対象の妃殿下と視線をあわせていませんわ。あれは、『やっちまった』という意味合いを持っています」

「――」

前世も今世も持ったことがないので知らなかったが、妹ってすごいな!

申し訳ございません、と兄に代わって謝罪した妹が、困った風に眉を寄せた。

少しだけためらいを見せ、小さな声で呟く。

「……おそらく兄は、妃殿下に嫉妬しています。いえ、恋愛感情的にではなく! そういった意味ではなくて、己の責務に関する部分で。おそらく、今の兄から理由を話すことはないでしょう。無自覚っぽいですし。ですので私から」

そう言った彼女は、手に持つティーカップに視線を落としながら語り始めた。

ライナー・コートレイは、第三王子であるウォルの護衛騎士として育てられた。

男性王族の乳兄弟が女児の場合、その兄が幼少時からの側近に選ばれる。ライナーはずっとウォルの側に仕えていたが、とある事故で大怪我を負ったために役目を辞し、郷里のコートレイ領に戻っていた。

怪我が癒えれば、武官の護衛騎士でなくても文官として復帰する道が残されていた。だが本人は、武官として戻りたかったらしい。

コートレイ領内でリハビリを続け……そして、クラシエルとの戦争が起こった。

ウォルはライナーを伴わずに戦場へと赴き、行方不明となった。

そして俺と共にティシアに戻ってきた。ライナーが負うべきだった役割は、彼ではなく俺がこなしていた。

「……ありがとうと、ただそう言えばいいのに。自分が出来なかったことを、カリヤ様がしてくださったのだから……」

「――」

俺は手に持つカップを傾け、お茶を一口飲んだ。

コメント？　ちょっと無理だわ。

幸い彼女も返事や同意を求めている訳じゃないようだし。兄の秘密を吐き出したかっただけみたいだ。

そして聞いてしまった俺は、胸のもやもやを言葉で表現しづらい。

……しいて表現するなら、男のプライドとか悔恨とかそういったものを、女性は気にせずに真理を突いちゃうんだなーって感心してる……。

今現在、俺とライナーは水面下で絶賛不仲状態だが、もうこれは仕方ないって開き直った。

だいたい普通の生活の中でも、赤の他人同士が出会ってすぐに意気投合なんて滅多にない。初対面で意味なく嫌われることもあるあるだ。お互い大人だし、公私を割り切って付き合わないと。

要は、表に出さずに仕事さえちゃんとこなせばいいんだよ――と、前世の社畜人生で既に学んでいます。

嫌われるのは故郷の村で慣れている。

ライナーは自分の職務に忠実な人間だ。彼は個人的に俺を嫌っていても、ウォルに命じられた通りに守ってくれるだろう。

今はそれでいい。

そのうち誤解を解いてもらえればと思うが、まあ気長に対処しよう。彼に関わるより、その時間を他に振り向けたいっていうのが正直な気持ちだ。いろいろと忙しいので。

生まれながらの施政者であるウォルなら、さっさと解決するんだろうが、俺は彼じゃないからな。

妹さんにはすまんが、しばらくは明確なマイナスがない限りライナーは放置で。

しかし、ヒゲを生やさなくなってからの風評被害がひどい気がする。大樹海でもそうだった。

転生者はほとんどが美形と聞いているので、その範囲内の造作だと思っているんだがなー。絶世を誇っていらっしゃるウォルさんの美貌(びぼう)を既に知っているので、自分の顔は判断しづらい。

……もしかして俺、実は男を好きそうな顔つきだったりするんだろうか？　自分で鏡を見てもイマイチ分からないんだが……ウォルさんの隣に立ってもそこそこ見られる程度で良かったという認識です。

転移ポータル脇の、コントロール台のランプが赤色から緑色へと変化した。

気づいたミリアムが立ち上がり、俺はテーブル等一式をアイテムボックス内へと片づける。

視線を向けると、彼女が頷(うなず)いた。

ささっと俺の服装を整えてくれる。初めてコートレイ領に出向くので、今日の俺は正装であるエルフ衣装だ。

彼女を伴って転移ポータルの上に立ち、内部からコントロール台を操作した。

部屋の入り口にいた警備兵が敬礼して見送ってくれる中、ポータルを囲むように金色の半円が出現して消える。

「お久しぶりです、カリヤ妃殿下！」

明るい声が転移ポータルの置かれた室内に響き渡った。

どこかで聞き覚えのある声だった。

コートレイ領の出迎えであるらしい男が、笑顔を浮かべて近づいてくる。その広げられた両手は、俺によく似たオリーブの肌色だった。

ティシアでは珍しい褐色の肌。真っ白な髪に赤い瞳の好青年が、満面の笑みを浮かべている。

覚えている。クロエ平原で、コートレイ領軍の隊長の地位についていていた。

ナダルの片腕。俺が育てたゲイリアスの弓兵部隊を託した相手。

「——フィアス！」

「名前を憶えてくださってましたか！　はい、フィアスです。ずっとあなたにお礼が言いたかったんです。あなたが作られたアイテムのおかげで、僕や部下たちの命が助かったので」

ありがとうございます、とハグをしてきた青年を思わず抱き返す。

（しまった。俺、ウォルの婚約者として男にハグを返しても良かったんだっけ？）

多分良くない。

してしまったものを振りほどくのもなーと、そのまま抱擁を受けつつ反省する。

ああ、ライナーに注意されていたのに。しかしこれはノーカンにしていい案件ではなかろうか。

でも小言の一つくらいは言われそう……とフィアスの肩越しに部屋を見回し、護衛騎士の姿を認めた俺はぎょっとした。

えーと、なんだか沈着冷静なお顔に、殴られたような跡が残っているんだけど気のせい……？

アウェー
フィアスが丁寧な動きで抱擁を解いた。

俺と視線をあわせてどこか慈しむような笑みを浮かべ、振り返る動作と共に青年の印象が変わった。

柔らかく快活だったはずの声が冷たく響く。

「――さて、ライナー様。今のカリヤ様のご様子は、あなたの眼にどのように見えたんでしょう？　男に抱きしめられて、喜んでいるように見えました？　僕にはただ、古い知り合いに再会したのを喜んでいるようにしか見えませんでしたけれど。あ、それと少し戸惑わせてしまいましたね。すみません、カリヤ様。許しもなく御身に触れました。失礼しました」

「いや、久しぶりの再会なら普通だけど……ごめん、王の婚約者としては断るべきだったかも」

「いいえ、違います。カリヤ様は王妃となられる方。ご自分の好きなように行動していいんですよ。あなたの行動に、制限を加えることが出来るのは陛下のみです。それを忘れてはならない。特に周囲のお支えすべき立場の者は――あなたのことも言ってますからねミリアム様」

赤い目を細めて、フィアスが俺の後方に視線をやる。俺付き女官の怯える気配がした。

そうだ、柔らかな外見の印象とは異なり、若くして領軍の一隊を率いていた彼の中身はかなり過激だった。

「いやー、びっくりしましたよ。ウォルド陛下の要請に応じて出向いたはずのライナー様が、ここまで愚かだったとは。何も分かってない。陛下がライナー様に与えてくれた慈悲も、コートレイ領に掛けてくださっている温情も」

「……きさまが陛下の御心を語るな」

「口にしなくても、気づかなきゃいけないのが臣下でしょうが。カリヤ様が陛下を誑かしただぁ？　同じような噂はナダル様の時にもたっていましたよ。見目の良い平民なら誰もが言われることです。ナダル様の時は僕も言われてましたっけ」

ライナーに向かって肩を竦めたフィアスが、面白くなさそうに吐き捨てた。

「僕や以前のカリヤ様のような平民は、支配階級に命じられたらそれがどれだけ理不尽な命令でも従うしかないんですよ。内心どれだけ嫌だったとしても、そのまま一夜の慰みものになるしかない。だからナダル様はご自分が泥を被って、手を出すなと僕を囲って守っていました。同じようにカリヤ様も守られました。ナダル様の愛人だったとカリヤ様を貶めることは、ナダル様の崇高なお心を貶めることだ」

「カリヤ——妃殿下は、王国碑に名を刻まれている」

「ティシアに戻って来られるまでの一年間までは僕も知りませんよ、二人の間に何があったかなんて。ですが言えるのは、以前のカリヤ様はご自身の体を使って成り上がるような人柄ではなかったこと、——陛下の方から望まれれば、カリヤ様に拒否権はなかったということ」

「フィアス」

俺を守るように立っている青年に、そっと声を掛ける。

すぐにこちらを向いてくれる赤い瞳。

——ティシアに戻ってからこれまで。

ウォルが俺を守るために動いてくれたから、誰にも聞かれなかった。身内であるカザリン王姉も、ウォルの判断だからと当たり前のように受け入れていた。

だから誰にも言うこともなかった自分の気持ちを、俺という個人を心配してくれていた彼に向かって伝える。

「あのさ、ウォルとは……ウォルド陛下とは、両想いなんだ。最初に告白をされた時は断ったけれど。やっぱり身分とか、歳の差とかを考えたらさ……何より男同士だし、俺が転生者でも難しいかなって。でも彼はずっと気持ちを変えなかった。断っても、真摯に俺を好きでい続けてくれて……俺も彼の人柄とかを知るにつれて惹かれてしまって、応えたくなって、求婚してくれたのを受け入れた」

「カリヤ様……あなたを利用するつもりだとは考えませんでしたか？　騙されているのかもしれない。美貌も、能力も、転生者のあなたにはそれだけの価値があります」

　ああ、彼は俺のことを考えてくれて、あえて厳しい言葉を口にしている。それが分かるから、俺は微笑を浮かべながら首を振った。

「そうじゃないと信じることが出来たから」

——誓ってくれたんだ、決して裏切らないと——。

「だから俺は彼の隣に立つ。利用されているんじゃなくて、俺の意思で彼を支えて、彼の治めるこの国の力になりたいと思っている」

「ちなみに、万が一にも今後、陛下がカリヤ様を裏切ったら？」

　軽い口調だったので、こちらも軽く答えてみる。

「それはない。と、信じているけれど……万が一にも裏切られたら、ティシアを出て辺境にでも向かうかな」

「あーそれ、以前ナダル様にも仰ってましたね。クロエでの戦いに片が付くまで契約して、終われば国を出て辺境に行くって」

「実はあの頃、そんなにティシアに思い入れはなかった。今は王様であるウォルの大事にしている国だから、一緒に大事にしたいと考えているけれど……そうでないなら、別れた相手の国なんてさっさと捨てて、遠くに行こうって感じ？」

「本当に、カリヤ様の心を射止めてくれた陛下に感謝しなくちゃいけませんね。クロエ平原で春まで戦えたのは、カリヤ様という生産系転生者のサポートのおかげだったと、——今のコートレイ領の者はほとんど理解していない」

　フィアスの冷たい視線を受けたライナーが、ぴくりと片眉を震わせる。

「——ミリアム様。ずっと王都にいらっしゃったあなたはご存じではないでしょうが、今、コートトレイ領は妃殿下のお立場を支持してはいません。坊ちゃんがね、ダダをこねてらっしゃるんですよ。陛下は妃殿下に騙されてる。自分は騙されないぞーって」

「え⁉」

「ずっとコートトレイにいたライナー様はそれを知っていた。なのに王都側に伝えていなかった。今の今までです。なーにが『妃殿下ご自身の目で確かめられるのが一番だ』ですか。無能な部下ほど害があるものもない。陛下とナダル様の信頼に泥を塗ったんですよあなたは」

「――」

しゅ、

修羅場だ――！

と、思わず脳内で他人事のように叫んでしまった。

ライナーの顔に残った跡の原因が、分かった気がする。

さすがフィアス。自分へのちょっかいに鉄拳制裁も辞さず、後始末をナダルに振っていた男……！

息をつきながら肩を落とし、フィアスが自分の気持ちを切り替えた。

こちらへどうぞと、俺に笑いかけて先導を始める。

「部下が外にいます。お姿を見せてやってください。皆、妃殿下のアイテムのおかげで生き残れた者たちです。ナダル様の命により、僕の部隊はクロエ平原の東の端で、妃殿下が率いていらしたゲイリアス出身者たちと行動を共にしていました。あの日、妃殿下が残されていた指示通りにアイテムを使い、僕たちはクロエ平原ではなく隣接する黒森を駆け抜けて撤退した。ゲイリアスの皆も無事ですよ。黒森脱出後、そのままブラットル領まで送り届けています」

――敬礼！」

転移ポータルの建物を出ると、一台の馬車が待っていた。馬車と建物の間に道を作るように並んでいた兵士が、出てきた俺たちの姿を認めて一斉に片膝をつき、最敬礼の姿勢を取る。

「女官の皆様は、妃殿下を出迎える準備のために先に領都に向かいました。いろいろと打ち合わせをする必要が出来ましたので、失礼ながら僕も馬車に同乗させていただきます。ご容赦のほどを」

　どうぞどうぞ、と扉を開いて促すフィアスに従い、四人乗りの馬車に乗り込む。

　俺とミリアムが並んで座り、対面にライナーが腰を下ろす。部下に指示を出して乗り込んだ青年が扉を閉めると、ゆっくりと馬車が動き始めた。

「――さて、カリヤ様。申し訳ありませんが今、コートレイ領にてカリヤ様の味方は先ほどの僕の部下たちと、他に若干名だと覚悟しておいてください。後は敵と日和見連中です」

「どうしてです？　タキリン城砦でカリヤ様は前線のためにと力を尽くしてくださっていました。ティシアに協力している転生者がいると喧伝されていたはずだわ。物資を受け取った者なら、誰もが知っているはず……！」

「誰も知らないのです、ミリアム様」

　オリーブの肌色に白い髪を持つ青年は、静かな声音で答えた。

「クロエ平原中央に布陣していたコートレイ領軍は、ほぼ全滅していますから」

クロエ平原の大敗、その後

「……全、滅……？」

　呟きながらも俺はどこか納得していた。

　夜闇の中、タキリン城砦の尖塔の上から眺めた、地平線の彼方を赤く染めていた炎を思い出す。

　あの、一年と少し前、ティシア北部のクロエ平原が舞台となった戦い。

　領主のナダルが王軍の将軍だったこともあり、コートレイ領軍本隊はクロエ平原でも軍の中心付近に布陣していたはずだ。その中心――クラシエルの圧倒的な魔法攻撃の標的となった王軍は、誰一人として帰ってこなかったと聞いている——いや、たった一人だけ助かっていたか。

「ええ、ナダル様は先王の親友でしたから。二人の呼びかけに応え、皆、一族郎党を率いて参戦していたんですよ。ですので、コートレイ領各家の当主は皆さん戦死。成人済みの後継ぎも参戦していましたが、こちらも戦死。名だたる将は全滅。ですから誰も戦場の実情なんて知りません」

その後の我が領は混乱しましたよ、とどこか他人事のようにフィアスが肩を竦めた。連れだって出陣した現役世代が、ことごとく戦死したコートレイ領に残されたのは、成人前の子弟と既に引退していた老人のみだったという。

こう言っちゃなんですが、とフィアスが苦く笑った。

「……我々は、ティシア王家の魔法防御を信じていたのです。王都アルティシアを千年にわたって守り続けた『白の天蓋』があれば、転生者を有するクラシエルに勝つことは出来なくても負けることはないと。だから大挙してはせ参じました。しかし白の天蓋は最後までクロエ平原に設置出来ず、本気を出した魔法戦で負けた」

ティシア王家を恨んでないとは言えません。ですが王家も王と王太子を亡くされましたからね。己の命で贖われている。

「それに、ナダル様は戦場からウォルド現陛下だけでもと、お助けして逃がしたと聞いています。ご自分の命を懸けて主君を救ったのです。そのお心を考えると、どうして王家を責めることが出来るでしょう？　……タキリン城砦から撤退後、王家は混乱するコートレイ領を案じ、都を守っていた軍を割いて隣接する国境線に派遣してくださっています。税も減免され、まだ続いてる対クラシエル戦争への復帰も猶予されています。恨めるなら王家を恨みたいが、それは出来ない。——やり場のない怒りが、あなたに向いたのです」

敬愛する領主、ナダル・コートレイの愛人だった男。これまでの部下のように、立場の不安定な者を後見するために取り立てたのだと思っていたら、男は十歳も年下の若い王の婚約者に納まっていた。

ナダルを利用してのし上がり、ナダルが命がけで救い出した王子を籠絡して〝王妃〟になろうとしている男――。

「――それが、コートレイでのカリヤ様の評価です」

俺は自分の隣に座る女官に視線をやった。

膝の上に作った握りこぶしを震わせながら、視線に気づいたミリアムがぎこちなく頷いてみせる。

そうか、コートレイ領の人間は知らないのだと、彼女が浮かべた泣きそうな表情で理解出来た。

クロエ平原にいたのはウォルド王子じゃない。王子に変装していた、双子の姉であるカザリン王女だ。フィアスがそれを教えられていたのかは知らないが、ナダルは率先して入れ替わりに協力していた。タキリン城砦で〝王女〟付きだったミリアムも、もちろん知っていた。おそらくライナーは知らない。コートレイ領の者も知らないだろう。

双子の入れ替わりは、関係した者すべてが墓の下まで秘匿しなくてはならない王家の秘密だ。

（……ナダルならきっと、王子でも王女でも関係なく助けただろうけど……）

コートレイ領での俺の評判を、ゆっくりと理解していく。

『愛人として保護してくれたナダルが、命を懸けて助けた王子を託されたはずなのに、そのまま寄生先を乗り換えて王族になろうとしている男』

自分のことながら、ひどい言われようだ。

――だけど決して訂正は出来ない。ティシア王家が、ナダルが守ろうとしていた秘密がバレてしまう。

「フ、フィアス。カリヤ様の保護はナダル様のご厚意でした。決してカリヤ様がナダル様を利用していた訳ではないと、あなたは周囲の誤解を解かなかったの？」

　ミリアムの絞りだした言葉に、フィアスが大きなため息をついた。

「だーれも聞いてくれませんでしたよ。というか、話すことも出来ませんでしたけれど。僕、つい最近まで国境に飛ばされていたもので」

「え？」

「僕の率いていた小隊は、ナダル様の命に従ってクロエ平原では別行動をしていたんですよ。戦場の一番東の端っこにいましたから、カリヤ様のアイテムを使ってなんとか逃げ出せました。それから下されていた命令どおりに、預かっていた弓兵部隊をブラットル領まで引き渡しに行って、戦場に戻ろうとしたらクロエどころかタキリンまで落ちていて戻れない。移動しようにも転移ポータルは封鎖されて使えなかったので、徒歩でコートレイまで戻って来たのが夏でした。すると本隊を見捨てて逃亡したのと変わりないと坊ちゃんに言われてしまいまして、そのまま部下と一緒に左遷です」

「――」

「いやまあ、左遷は別にいいんですけど。隣国はあからさまに国境にちょっかい掛けてきていましたから。ティシアの南の国境線を守るのは、元からコートレイ領の責務です。僕は軍人ですし、ナダル様には大恩がある。命令には従いますよ。そういう訳でしばらく国境で暴れてましたが、このたび『コートレイの試練』のためにカリヤ様がいらっしゃると知ったグウィン様の手配で、戻ってくることが出来ました」

　あははと青年が明るく笑った。

　彼女は本当に知らなかったのだろう。

　絶句しているミリアムに優しく頷き、だがその兄にはあきれた風な視線が向けられる。

「……ナダル様に拾われた僕は生粋のコートレイの人間ではないですけどね、でも抱える感情は理解出来ているつもりです。やり場のない憤りも、カリヤ様には申し訳ないのですが八つ当たりで怒りをぶつけたくなる気持ちも。訪れるカリヤ様に領の現状を教えずに困ればいいと思うのも、心を傷つけたいと暗く願ってしまうのも、まあ理解は出来るんですよ。共感はしませんけれど。だがライナー様。あなたはそれではいけません」

あなたはもうコートレイの人間じゃない。

「厳しい言い方をさせてもらいますが、あなたは怪我が元で一度王家から暇を出されました。いくら王族を庇(かば)った名誉の負傷だとしても、護衛としての役目を果たせなくなったらただの役立たずなんです。だけどウォルド陛下は、妃殿下の護衛騎士にとあなたを選んでくださった。護衛として使えないのに、何故選ばれたのかというと、まあコートレイとの折衝役でしょうね。――それと、乳兄弟であるミリアム様とあなたに対する陛下の恩情」

フィアスの台詞に、馬車の中の空気が変化した。

妹は黙って顔を伏せ、兄はオリーブ色の肌の青年をきつく睨(にら)みつける。

気にせず、たしなめる声音でフィアスが続ける。

「陛下からの要請を受諾したのなら、あなたはコートレイではなく王家の騎士となったのです。なら、ご自身のわだかまりは捨ててください。ライナー様の主は、妃殿下となられるカリヤ様です。もうあなたはコートレイの人間じゃない。ウォルド陛下の騎士でもない。あなたは、このティシア国の王妃の護衛騎士なんです」

諭したフィアスが、馬車の窓にちらりと視線を向けた。

「ああ、そろそろ時間切れですね。遠回りをしたんですが、領都に入ってしまいました」

言われて俺も窓の外を見る。

コートレイ領はそのほとんどを広大な森が占めている。転移ポータルも森の中にあった。

緑の木々の間を抜け、高い外壁に囲まれた街の門をくぐり抜けた馬車は、都の中央にある古い城へと向かっている。

　前世のヨーロッパの集落のように、通りに沿って寄り集まって建つ二階建ての石造りの家々。色とりどりの花が窓辺や玄関を飾っている。よく見れば、通りを行く馬車を見送る住民の襟元には、細い黒のリボンが結ばれていた。

　それはたしか、一年の喪が明けたことを告げる、親しい人を亡くした証だった。

幕間

「うう、私の癒しが行ってしまった……」

　弟の婚約者がコートレイ領に向かうのを見送り、自室に戻るなりぐたーっとティーテーブルに突っ伏してしまったカザリン。

　仕える主が不在となるため、今日から王姉の側に控えることになった王妃付き筆頭女官のクレアは、苦笑しながら侍女に茶の支度を頼む。

　代々ティシア王家に仕える女官の家系の彼女は、現王族とも親しく接してきた。

　なのでカザリンに対しても、気安い会話を許されている。

「姫様、お召し物を着替えられますか？　お体が楽になりますわ」

「この後にまだ雑用があります。わざわざ着替えるのも面倒だから、このままでいるわ」

　大臣との会合を雑用かつ面倒と言い切った彼女は、テーブルに突っ伏した姿勢のままで顔だけを上げた。

　双子の弟とよく似た、美しい造作。だが一年前と違い、もう誰も二人を取り違えることはないだろう。彼女も美しく成長したが、弟の変化が大きすぎて。

「代わりに甘いものを所望します。カリヤが残していってくれた、ウォルドが作ったクッキーを。甘いものでも食べてエネルギーを取らないと、魑魅魍魎（ちみもうりょう）の蠢（うごめ）く宮廷でやっていけないわぁーっ」

「そういえば姫様。陛下のことを愛称では呼ばれなくなったのですね、ご戴冠されたので、やはりけじめを？」

「それね」

ハーフアップに結い上げた黄金色の髪を、崩さないように掻き上げながら体を起こし、カザリンはため息をついた。

「戻ってきたウォルドに言われたの。『ウォル』の愛称はカリヤにだけ許すことにしたから、使わないでほしいって」

まあ、とクレアは目を見開く。

国王とその婚約者が仲睦まじいのは知っているつもりだったが、王の妃に対する寵愛は、殊の外深いようだ。

「見事なまでの独占欲よね。私の弟は本当に変わってしまったわ。以前は控え目で大人しいって印象だったのに」

ずっと偽っていたというよりは、開花してしまったのでしょうね、素質が。

そう呟く姉に、成長著しい少年の昔を思い出してクレアは同意する。

「ご立派になられました。王家にふさわしい、英雄の素質が開花されたのですね」

「――英雄？　あれは化け物よ」

彼の双子の姉は、一年前には決して浮かべなかっただろう凄みのある笑みを浮かべた。

「英雄という名の、化け物」

――対クラシエル戦争における、クロエ平原からタキリン城砦にかけてのティシアの敗北。

それまでの甘さを捨て、カザリンは変わった。

赤い炎の中を逃げ惑って、世界の残酷さに絶望して、泣いて、泣いて。

そのまま己が壊れてしまうのかと思ったけれど、壊れてしまいたかったけれど、それは許されなかった。ティシアを守るために、強くなれと周囲に望まれた。強くなるしかなかった。

行方不明になった王位継承者の帰還を待つことなく、彼女が戴冠をすべきではという主張もあったのだ。

エルフとの同盟という規格外の土産を手に戻ってきた弟の存在で、すぐに消えたけれど。

「まさか甘ったれていた私以上に、常人の枠から外れるほどにウォルドが成長しているなんて、誰も思っていなかったわよね。ランクBを越えた先にある、人外の化け物に弟はなってしまっていた——ああ、クレア。褒め言葉よ、化け物は。魑魅魍魎（わたしたち）の世界では」

元々、ティシア王家は穏やかな性格の人間が多かった。

父王と王太子である下の兄もそうだった。カザリンの双子の弟も、そうだと言われていた。賢く才気の片鱗（へんりん）を見せてはいたが、いずれは王弟として兄を支え、表に立つことなくひっそりと生きていくのだろうと。

弟は万が一の事態が起こった際のスペアであり、誰もがティシアの平和はいつまでも続くと思っていたのだ。父から兄へと、御代は続くと。

だが、世界は変わった。

星が落ち、赤い炎に呑（の）み込まれ、すべてが変わり果てた。

魔法のランクは、他者より秀でているくらいのC。剣もそれなりに嗜（たしな）んではいたが、細い若鹿のような少年だった。そんな弟が、しなやかに鍛えられた肉体に黄金の覇気をまとう獅子（しし）となって戻ってきた。

「変えたのはカリヤ。彼は英雄を望んだ。ティシアのためではなく、ウォルドのために。ウォルドが、他に侵されることのない強さを得ることを。彼のその望みに応えてウォルドは変わった。英雄に。そう呼ばれるだけの力を持つ、化け物に」

クレアは語り続けるカザリンを見つめる。

目の前の少女は、仕方ないなぁという風に苦笑していた。

「――愛の力って偉大ね」

「愛……ですか？」

「カリヤを愛したから、ウォルドは変わったのよ」

本来なら結ばれることのない彼と、共にいるために。彼を守るために。

「そのカリヤが英雄であれと望んだから、ウォルドは英雄となった――はずなんだけど、カリヤと話していると調子が狂うのよね。『大きくなぁれと、ちょっとドーピングをしすぎました』なんて目を逸らしながら言うんですもの。『健康が一番です』と物理も魔法も極めるまでに鍛え、『暇つぶしになるかと』と賢者並みの転生者の知識を、惜しげもなく伝えて」

「それは、はい。思いました……」

村の老婆が近所の子供に、気軽にまんじゅうを与えるがごとく。

ティシア王の婚約者は、新たな王妃は間違いなく〝良き隣人〟なのだが、常人の想像の上を行く方だった。

箔をつけようか、と気軽に提案したのがドラゴンスレイヤーの称号獲り。たった二人でやってのけ、ウォルド王は〝勇者〟となった。

普通は、ない。

彼はいつも楽しそうに笑い、夫たる王に手を差し伸べる。

夫も楽しそうに笑って、妻たる王妃の手を取る。

互いに相手を信じ、慈しみあい、相手のためにと尽くす、理想の関係――。

「カリヤが側にいる限り、ウォルドは英雄であり続けようとするわ。彼がそう望むのですもの。カリヤがいなくならない限り、弟は真の化け物にはならないでしょう」

「そう、ですね」

「ええ、頼りがいがあって美人で可愛いカリヤは癒しなの。ウォルドにとっても、私にとっても」

癒されたいー、コートレイ領に行くのは仕方ないけど、早く戻ってきてほしいー。

テーブルに突っ伏して嘆いている王姉が、どれだけ弟嫁を気に入っているのかを改めて知り、クレアはそっと微笑んだのだった。

つづく

掌編　タリスの悲劇②

タリスに星の雨が降ったという——。

冒険者ギルドに所属する転生者の攻撃により、ティシア国東部の城が壊滅した。

ある少女の自死が発端だった。転生者である少女と親交を持っていた友人たちの訴えにより、彼女を辱めたという愚かな王弟は、集まっていた一族郎党と共に報復された。

ラギオン帝国の地方都市サラウィト。

ティシア王と共に外遊先で一報を聞いたナダル・コートレイが、国に戻ったのはその〝悲劇〟より半月後だった。

王は、いまだ終わらない後始末のために、冒険者ギルド総本部のある帝都アルラギオンに留まっている。先に王妃と王太子を帰国させるため、付き添いとして彼は砂漠の国を後にした。

——そのまま二人がラギオン帝国内に留まっていれば、仲間を失って箍が外れた転生者に襲撃される恐れがあると危惧したからだ。

タリス城を壊滅させたという大規模魔法は、一片の容赦もなかったという。治外法権であるはずの大使館内に身をひそめていても、過激な輩は己の正義のためなら国際法すら無視するだろう。

だから〝剣聖〟ナダルが王の警護から外れ、母子を避難させる任を負った。

剣聖に表立って敵対する転生者はいない。代々コートレイ家に伝わる血統武器『花散里』を振るえる称号は、それほどに特別なものだった。

「……出迎えは誰もいないのですね」

ぽつりと呟いた王妃に、ナダルも周囲を見回す。

アルティシア・ステーション内地下、ラギオン帝国と繋がる転移ポータルの部屋。

行きは見送りの家臣や兵士でごった返していた室

内に、たしかに人の姿はなかった。

「妃殿下、人の立ち入りを規制しているのです。ラギオンには冒険者ギルド総本部がありますから、混乱を抑えるためにと」

彼女に穏やかな声で説明し、己の部下を連れてナダルはポータルから先に出た。

振り返り、近衛騎士に守られて立つ王妃と王太子に一礼する。

「王都へ戻る馬車の手配をしてまいります。妃殿下は王太子殿下と共に、別室にてお待ちください」

「頼みます」

友人の妻子を安心させるように頷き、ナダルは近衛騎士に視線を移した。

先に打ち合わせを済ませていた騎士も頷く。母子は彼らに守られつつ、人目につかないようにしながら裏口へ向かうだろう。

「さて、各自、動いてくれ」

部屋を出ての呟きに、副官のグウィンを残して部下が一斉に散っていく。

グウィンを連れ、ナダルはステーションの一階ホールへ向かって歩き出した。

ステーションを守る普段より少ない警備兵が、ナダルの姿を認めて目を見張る。

国軍の将軍である彼が、帝国に滞在していたのを知っているのだろう。困惑と安堵が入り混じった複雑な表情を浮かべながら敬礼する兵士に、小さく頷きながら歩を進める。

――先ほど、王妃に告げた言葉は偽りだった。

立ち入りを規制すると建前は流していたが、出迎えに来る者は来ただろう。

一国の王妃と王太子の帰還なのに、部屋には誰もいなかった。来たくても来られない切羽詰まった事情があったのか、迎えに来る価値を感じなかったのか。

王家の権威が揺らいでいる。

ティシアは、敵にしてはいけない存在を敵にしてしまったと、国の内外が受け止めている――。

「……当初の予定通り、アルティシアに向かう馬車を用意する名目にはコートレイの名を出す」

「はい、王宮に招かれたという建前ですね。それに妃殿下と王太子殿下に同乗していただく、と」

「あちらに兵を動かす余裕がないようだからな。コートレイから呼び寄せた領兵に警護は任せるが、予定通り到着しているか?」

手配をしたグウィンが頷いた。

ナダルの幼い息子が、親交のある王家の双子に招かれたのだという体裁で準備をしている。父親が剣を教えているのだから、その子と双子との接触に違和感はない。

「とりあえず、妃殿下と王太子殿下が安全な王宮内に戻ることが最優先だ。……顔を見るのは半年振りか」

「坊ちゃんですか? 子守を任せているフィアスの報告では、健やかに育っているそうですよ」

ああ、とグウィンが前方を見つめた。

「そこに、噂をすれば」

「ちちうえー」

一階へと続く階段の下に、小柄な人影があった。白い髪、オリーブ色の肌の少年に抱きかかえられ、彼の五歳になる息子が満面の笑みを浮かべて手を振っている。

床に降ろしてもらうと、黒髪の子供はとてとてと父親に向かって走り出した。

半年間、会っていなかった。背が伸びている。再会は泣かれるかと思っていたが、心配する必要はなかったらしい。

片膝(かたひざ)をつき、広げた腕の中に飛び込んできた小さな息子を抱きしめる。

「おかえりなさい、ちちうえー。きょうはぼく、ねてないよ。ごあいさつが出来るのうれしい」

「ナダル様がお仕事で忙しく、ここしばらく夜遅くにお帰りになっていたことについて、坊ちゃんは仰っています。……坊ちゃんが眠っているので起こさず、お土産だけを枕元に残されていたという設定です」

「すまないな。世話を掛けている、フィアス」

いえいえーと、息子の世話を任せている少年が笑顔で首を振った。

子供が、父親譲りの紫の瞳(ひとみ)をきらきらさせて見上げてくる。

「おしごとおわった？　もうおうちにかえってこれる？　おばばさまがまってるんだよ」

「いや、まだ仕事があるんだ。しばらくは王都のおうちで暮らすことになる。おまえも一緒だ」

「やったー、ちちうえといっしょだ」

はしゃぐ息子を抱き上げ、頬にキスを送ると、ナダルは小さな子供の体を少年に渡す。

「ジュニアを頼む。あ、王妃殿下と王太子殿下も一緒の馬車に同乗するから、そちらの面倒も頼む」

「うわあぁぁ、あらかじめ聞いてはいましたけど！　失礼な真似をしないように気をつけます」

がっくりと肩を落とした少年の頭を、不思議そうに息子が撫(な)でて慰める。

苦笑しつつ立ち直り、フィアスは何も分かっていない息子に笑みを向けたまま告げた。

「ナダル様、おばばさまから伝言が。御屋形(おやかた)様と連絡が取れなくなっています。状況的に、タリスにいらっしゃったかと」

「――――そうか」

既に隠居している先代領主に関する報告を聞き、グウィンが顔をこわばらせる。

予想していたナダルは、ただ静かに頷いた。

ゲームの世界に転生した俺が○○になるまで 2

2023年6月1日　初版発行

著者　藤原チワ子

発行者　山下直久

発行　株式会社KADOKAWA
〒102-8177
東京都千代田区富士見2-13-3
電話：0570-002-301（ナビダイヤル）
https://www.kadokawa.co.jp/

印刷所　株式会社暁印刷

製本所　本間製本株式会社

デザインフォーマット　内川たくや（UCHIKAWADESIGN Inc.）

イラスト　しまエナガ

初出：本作品は「ムーンライトノベルズ」（https://mnlt.syosetu.com/）掲載の作品を加筆修正したものです。

ISBN：978-4-04-113718-5　C0093　Printed in Japan